FUENTES

Lectura y redacción

Houghton Mifflin Company

Patrick McSharry
Senior Sales Representative

Tel: (514) 488-2861 or
(800) 668-0671 ext. 5508
patrick_mcsharry@hmco.com

Publisher: Rolando Hernández
Sponsoring Editor: Van Strength
Senior Development Editor: Sandra Guadano
Senior Project Editor: Rosemary R. Jaffe
Editorial Assistant: Rachel Zanders
Art and Design Manager: Gary Crespo
Senior Composition Buyer: Sarah Ambrose
Senior Photo Editor: Jennifer Meyer Dare
Manufacturing Coordinator: Chuck Dutton
Associate Marketing Manager: Claudia Martínez

Cover photography: Harold Burch Design, NYC.

Credits for texts, photographs, illustrations, and realia are found at the back of the book.

Houghton Mifflin Company has provided this book free of charge to instructors considering it for classroom use. Selling free examination copies contributes to rising textbook prices for students and denies textbook authors fair royalties for their work.

Printed in the U.S.A.

Student Text ISBN: 0-618-46872-2

Instructor's Annotated Edition ISBN: 0-618-46873-0

Library of Congress Control Number: 2004100373

1 2 3 4 5 6 7 8 9-DOW-08 07 06 05 04

Third Edition

FUENTES

Lectura y redacción

Donald N. Tuten
Emory University

Lucía Caycedo Garner
University of Wisconsin—Madison, Emerita

Carmelo Esterrich
Columbia College Chicago

with the collaboration of
Debbie Rusch   Boston College
Marcela Domínguez   Pepperdine University

Houghton Mifflin Company   Boston   New York

Instructor's Guide

Contents

See the *Fuentes* HM ClassPrep CD-ROM and/or the Instructor's Website for FLR (http://college.hmco.com/languages/spanish/instructors) for

- Techniques and Suggestions for Working with FLR
- Teaching Culture
- Overview of FLR Reading Strategies (for students)

𝍢 Philosophy of *Fuentes: Lectura y redacción*

Fuentes: Lectura y redacción (FLR) and *Fuentes: Conversación y gramática* (FCG) present an integrated skills approach to intermediate Spanish that develops both receptive and productive skills simultaneously. The primary objective of the program is to offer students an opportunity to acquire communicative skills while developing an awareness and appreciation of Hispanic cultures.

The two texts are coordinated by chapter theme and vocabulary as well as communicative functions and grammar. Although FLR and FCG are designed to be used together, they can also be used independently. The Instructor's Guide of FCG contains a complete description of the philosophy and various components of the *Fuentes* program as well as information on communicative language teaching, lesson planning, syllabus samples, and a lesson plan. The section Coordinating FLR and FCG on page IAE 12 of this Instructor's Guide provides suggestions for integrating the two volumes.

FLR itself includes a variety of readings and activities, which offer the instructor maximum flexibility in planning a course.

The following are the key principles that have guided the design of FLR:

- **We learn by doing and reflecting.** By reading and writing frequently, students acquire a high degree of proficiency in both skills. They also need to think about what they do when they read and write, and why they do it. Reflection, through discussion and writing, also means going beyond basic comprehension to focus on interpretation of the implicit assumptions and implications of a text.
- **Skill integration promotes language development.** Each skill reinforces the others. By practicing specific strategies for reading and writing, students reinforce their listening and speaking skills and broaden knowledge of grammar and vocabulary. By reading and writing, students improve their general abilities to interpret what others express and to express what they themselves think. In addition, discussing a reading leads to a better understanding of content, and talking about writing helps students better understand how to write and express themselves effectively.
- **Strategy development facilitates reading and writing.** Since skilled readers and writers apply a range of strategies to comprehend and produce written texts, students can benefit from learning and applying these strategies in specific activities.
- **Background knowledge is fundamental to the interpretation and creation of texts.** What readers and writers bring to texts is fundamental to the interpretation and design of texts. Consequently, students of Spanish need to develop their understanding of Hispanic cultures and societies, as well as their understanding of their own cultural values and beliefs. This can be most effectively achieved through reading, discussion, and writing.
- **Language is culture, and culture is reflected in language.** Students can be made aware of the link between culture and communication by reading about Hispanic cultures and societies, by reading and interpreting authentic texts (texts written by and for native speakers), and by comparing what they learn about Hispanic cultures with what they know about their own. In this process, students begin to acquire awareness and understanding of other cultures and societies as well as awareness and understanding of their own.

- **Learning is enhanced when it is interesting, relevant, and enjoyable.**
  To maintain interest, students need to read (and write) a variety of text types
  or genres, some more entertaining, some more informative, and some more
  imaginative. Interaction with texts can be personalized and made relevant
  and enjoyable when students are asked to reflect upon their lives and cultural values before comparing these with the ideas they encounter in their
  reading.

New In *Fuentes: Lectura y redacción,* Third Edition

- Improved manageability through reductions in length of reading selections
  (particularly of literary readings), elimination of the preliminary chapter,
  and closer coordination between FLR and FCG.
- Reorganization of chapter topics, so that Chapters 1 through 5 address the
  history of cultural mixing in the Hispanic World (including Hispanics in the
  United States), Chapters 6 through 11 deal with social and political issues,
  and Chapter 12 focuses on study abroad and intercultural contact.
- Sixteen entirely new journalistic and literary readings.
- Updated, simplified, and shortened **Panorama cultural** readings, with an
  entirely new **Panorama cultural** reading in Chapter 2.
- Improved coordination with FCG through greater use of FCG functions and
  structures in FLR activities and suggested options in instructor annotations.
- New and revised activities throughout with expanded and revised post-reading
  activities to increase opportunities for discussion and personalized responses.
- Replacement and reorganization of many formal writing activities
  (Redacción).
- Index of reading and writing strategies at the beginning of the book for
  easier reference.
- Improved and more detailed annotations in the Instructor's Annotated
  Edition.
- The new *Fuentes* Video featuring twelve video segments in a news-magazine
  format titled **Videofuentes**. Filmed in Mexico, Spain, Argentina, and the
  United States, the segments include interviews with the actor-comedian John
  Leguizamo and Elena Climent, a Mexican artist; a tribute to Celia Cruz;
  clips from a film by the Spanish director Pedro Almodóvar; a Chilean short-
  subject film; reactions from students who have studied abroad; overviews
  of Mayan culture, the cultural heritage of Spain, nightlife in Madrid, agrotourism in northern Spain, Latino Recognition Day at Fenway Park, and the
  "desaparecidos" and their children in Argentina. The video is closely coordinated with the topics of FLR, and **Videofuentes** discussion questions are
  included in each chapter.
- Improved website with chapter-by-chapter web links, film suggestions and
  activities, and activities for cultural enrichment. The FCG website also features vocabulary and grammar activities, and both the student CD-ROM
  and website contain activities based on the video.
- New questions based on FLR readings and identification of key terms and
  concepts in the Testing Program, which is available on the Instructor HM
  ClassPrep CD-ROM.

Features of *Fuentes: Lectura y redacción*

- **Flexibility** in the assignment of readings and writing activities, any or all of which can be used.
- **Lively, up-to-date topics and readings** that serve to motivate students.
- **Unglossed readings** that promote natural reading and strategy use.
- **Authentic journalistic and literary texts** that expose students to a variety of text types, authentic Spanish written for native speakers, and attitudes that reflect and respond to Hispanic cultures.
- **Informative texts** that focus on specific aspects of Hispanic cultures and societies.
- **Coordination of topics and functions with FCG** that facilitates the incorporation of reading and writing into the class and allows further exploration of the topics presented in FCG. Alternatively, FCG can be used as a support text when students need to review use of grammar or vocabulary which appears in FLR readings or activities.
- **Systematic presentation, practice, and recycling of reading and writing strategies** that help students learn to better acquire and communicate information.
- **Clear and concise strategy explanations** that students can read outside of class.
- **Pre-reading, active (ongoing) reading, and post-reading activities** that provide opportunities for individual, pair, and group practice and discussion.
- **Content-based composition activities** that flow from and develop reading topics but generally have students use their own experience and reactions as the basis for writing. These activities, which practice writing a variety of text types, can be developed into full-fledged *process writing* projects.
- **Journal-writing activities** that encourage cultural comparisons and personal responses to readings, and can be used as a basis for class discussions.
- **Student annotations** that indicate the primary strategy practiced and/or recycled in activities and also provide cultural and linguistic information to supplement readings and activities.
- **Instructor's Annotated Edition** with answers, guidelines for setting up activities and assigning homework, links between FCG and FLR, and suggested options and follow-ups.

A Note on Syllabus Design

The Third Edition of FLR (and FCG) has been designed to create two large topic-based blocks. The first block consists of Chapters 1 through 5 and focuses on the development of identities and the history of cultural contact and mixing in the Hispanic world. The second block consists of Chapters 6 through 11 and deals with contemporary social and political issues of the Hispanic world. The final chapter of the book, Chapter 12, focuses on issues relating to intercultural contact in the modern world, including study abroad and Hispanic perspectives of the United States. This chapter is placed at the end of the book in order to encourage students who are about to complete their study of Spanish to consider the advantages of study abroad and the kinds of issues with which study abroad students must deal (understanding self and others). Although in general you will find it easiest to follow the established order of chapters and topics, you may want to teach Chapter 12 after Chapter 5, in which case it can serve as a continuation of the theme of cultural contact and mixing that is focused upon in the first part of FLR (and FCG).

FLR may be integrated into a course in a number of different ways. First, the readings and writing activities of FLR may be used to expand upon topics that are touched on in FCG, as well as provide more focused practice with reading and writing. However, FLR can also be used as the core of a content- and text-based language and culture program, with optional incorporation of selected texts from FCG, the *Fuentes* Video and the *Fuentes* Website. The variety of text types and registers of the complete program covers a broad spectrum, and assures different perspectives, approaches, and styles with relation to any given topic.

Available text types include:

FLR:

- Lectura 1: Authentic journalistic texts
- Lectura 2: **Panorama cultural**: Informative essays written for North American students
- Lectura 3: Authentic literary texts

FCG:

- Aural listening texts: Informal conversations, monologues, stories, ads
- **Fuentes hispanas**: Short, informal quotes by Hispanics expressing beliefs about a range of issues
- **¿Lo sabían?**: Brief culture capsules, providing extra information about varied aspects of Hispanic cultures and societies

Video:

- Short audiovisual texts (about six to seven minutes each), which relate directly to topics discussed in FLR and FCG

Fuentes Website:

- Links to a variety of selected websites that are mentioned or relate directly to the texts in FLR, FCG, and the *Fuentes* Video along with a list of related films that may be used in class, teaching suggestions, and other resources. (See http://college.hmco.com/languages/spanish/)

Chapter Organization

Most chapters in FLR contain the following elements from which to select:

- **Chapter opener** The first activity of each chapter—which often makes use of visuals such as photos, artwork, and headlines that are included on the first page of the chapter—serves to introduce students to the chapter topic and help them activate background knowledge before progressing to activities that focus on specific readings or compositions. The icon shown at left appears on the chapter opener as a reminder to check the *Fuentes* Website, which contains interesting links related to the readings, as well as a variety of activities to support both FLR and FCG.

- **Lectura 1** This section contains pre-reading, active reading, and post-reading activities, based on authentic texts taken from newspapers and magazines from around the Spanish-speaking world. The selections—which retain original punctuation, vocabulary, and constructions—include an excerpt from personal ads, a film festival announcement, feature articles, profiles, news reports, reviews, an editorial, and an essay. **Lectura 1** usually requires minimal background knowledge and can be used as a first approach to the chapter topic.

- **Lectura 2** This section contains pre-reading, active reading, and post-reading activities based on the **Panorama cultural,** an informative text written expressly for North American students to help them develop their knowledge of the chapter topic and contextualize and understand the accompanying authentic readings in **Lectura 1** and **Lectura 3.** The **Panorama cultural** readings present detailed information on Hispanic and/or Latin American cultures and societies, often expanding upon information presented in FCG. They are also useful for exposing students to academic prose in Spanish.

- **Lectura 3** This section contains pre-reading, active reading, and post-reading activities based on literary texts. The readings, by well-known Hispanic authors, include short stories, poems, a *crónica*, and an essay, which have been chosen for their relevance to the chapter topic and value for promoting discussion. These brief but interesting texts provide a concrete, personalized representation of the issues while leading to discussion of more universal or cross-cultural aspects of the chapter topic.

- **Redacción** This section, the content of which may flow from any of the three **Lectura** sections, presents writing activities that guide students in producing whole texts in a variety of genres, including a biography, short stories, an interview, a film review, a news article, a résumé, and various types of essays.

Further points to consider:

- Each **Lectura** section may be used independently or as part of a series of readings. If you choose to skip **Lectura 2** and assign **Lectura 3,** you may want to review briefly some of the information in **Lectura 2** since this section is designed to help contextualize the literary readings.

- Readings and/or activities are graded to the general ability level of students. In order to promote continuous reading, glosses are generally avoided and pre-reading activities stressed. However, glosses are used in some very short texts (e.g., poems), where the lack of redundancy makes every word important for understanding and interpretation.

- In each chapter, two or sometimes three strategies are highlighted and explained in order to encourage or remind students to use them. Highlighted strategies are practiced in following activities. Some strategies are used before being highlighted, but the activities include sufficient information for students to complete tasks successfully.

- A **Cuaderno personal** question designed to promote personalized reflection on the reading topic follows each reading. Students can be asked to respond to these questions in discussions and/or in informal writing, such as in a journal or microtheme.

- The **Videofuentes** questions that follow one reading in each chapter encourage students to relate the *Fuentes* Video segment for that chapter with the particular reading. These questions can be used for in-class discussion and/or for short writing assignments.

- Some **Redacción** activities require students to engage in research on the Internet or interaction with others outside of class. If you include these writing projects in your class, you may want to have students begin the writing process before or soon after starting the relevant chapter.

Coordinating FLR and FCG

Although FLR can be used independently, it is designed for integrated use with FCG in order to fully develop all language skills and promote learning of language and culture.

Links between the two texts are clearly indicated in instructor annotations. The links are signaled by the icon shown at left to differentiate them from other annotations. In FLR, links are identified at the beginning of each reading section; they list the thematic, vocabulary, and functional-grammatical topics from FCG that are or can be practiced in the corresponding reading section. In FCG, links usually appear with topic titles and occasionally with activities. For example, the link in FCG Chapter 1 that appears with the topic *Narrating in the Present* says **Lectura 1: Anuncios personales** to indicate that present-tense verbs are presented in and can be practiced with this reading.

You have great flexibility in choosing how to combine the activities in FLR and FCG during and outside of class. Some instructors use each book on separate class days, while others prefer to include all four skills in as many classes as possible in order to reinforce the links between skills and between form and meaning. Some instructors design their classes so that the beginning of each class is dedicated to post-reading discussion activities, the middle to FCG functional grammar/vocabulary activities, and the end to a quick pre-reading activity. Others vary this order of presentation, beginning with functional speaking activities in FCG and then moving to discussion of FLR readings. Mixing different formats helps avoid a fixed routine and allows better response to the particular students and the particular material under study. At the beginning of the course, especially, you may want to put a brief outline on the board before class indicating the sequence of topics from both texts. Students will then be able to follow along easily.

Remember that much work with reading can be assigned as homework. For example, most readings after Chapters 1 and 2 are designed to be read at home. Pre-reading advance organizers can be assigned as homework or even skipped if students have already discussed similar topics in class (for example, the history of Spain in Chapter 2). Pre-reading vocabulary preparation activities can be assigned and self-checked if answers are provided, thus avoiding the need to discuss them during class.

As you plan your lessons, you will find specific ideas about where to make logical transitions between the two books located next to the FCG-FLR links icon in the Instructor's Annotated Edition (see sample shown at left). It is also useful to remember the general notion that you can transition from activity to activity within one book or from book to book based on any of the following points:

- Theme
- Function
- Vocabulary
- Grammar
- Strategy

For example, in Chapter 2:

1. You can have students begin by narrating past events from their own life, then have them complete an FCG activity in which they narrate past events from Spanish history (for example, Actividades 3, 4, or 5), and you can then transition to reading or post-reading discussion of FLR **Lectura 1** or **Lectura 2** by emphasizing (a) the common topic (Spanish history), (b) the common function (narration in the past), or (c) the common grammar (preterit).

2. You can reverse the preceding order of presentation. In this case, you first discuss the reading, and then draw students' attention to a grammatical structure that appears in the reading or follow-up activities. After making sure that students understand the meanings or functions that the structure is used to communicate, you can transition to further practice with the same structure in FCG.

3. Similarly, after working with FCG Chapter 2 functional vocabulary sections *Time Expressions* and *Adverbs of Time*, you can ask students to search for such expressions in any of the narrative texts found in Chapter 2 of FLR, and to then use such expressions when presenting oral summaries of those texts.

4. Once again, you can reverse the order by having students first search the texts for time expressions, make lists, and then move to functional practice of these expressions in FCG.

5. If you use the **Redacción** activities in FLR Chapter 2, you can begin by brainstorming story ideas with students, point out the writing strategy of *Marking Sequence with Transition Words,* and then integrate practice of time expressions in FCG before having students write.

Providing a transition between activities, whether in the same or different books, helps the class flow smoothly, and helps illustrate and reinforce for students the integration of culture, meaning, and linguistic form. In fact, it is very important to tell students clearly when they are practicing functional grammar/vocabulary and discussing reading content at the same time; otherwise they tend not to notice.

The **Redacción** activities in each FLR chapter usually require active use of structures and functions studied in the corresponding chapter of FCG. Writing projects based on the **Redacción** sections should be divided into different stages, and brainstorming activities should begin a few days before the first version is due. As students revise their drafts, peer reacting and editing or whole-group focused correction practice can be linked to discussion of functional grammar and vocabulary in FCG.

Coordinating FLR and the *Fuentes* Video

The new *Fuentes* Video allows teachers to integrate listening and viewing on topics that are closely related to the readings in FLR. All video segments directly reflect or respond to the topics of selected readings in FLR (see below). Following selected readings in each chapter, there is a clearly marked **Videofuentes** section that contains suggested discussion questions (indicated by VF in the following list). These questions can be used for discussion in pairs, groups, or the entire class, or they can be assigned as written homework. **Videofuentes** questions usually ask students to compare and contrast the video text with the preceding FLR text. Nevertheless, instructors can easily relate several video segments to other readings if they choose. In general, it is suggested that you complete the reading in FLR first, view the video and complete the viewing exercises in FCG, and then have students reflect on the FLR **Videofuentes** questions. In some cases (such as the video retrospective of Celia Cruz), it may be useful to reverse this order, with the students viewing the video segment first and then reading the related FLR text.

Suggested Video-FLR Reading Links	
Video Segment	Suggested Readings in FLR
Chapter 1	Lectura 2
Chapter 2	Lectura 1, Lectura 2 (VF*)
Chapter 3	Lectura 1, Lectura 2 (VF)
Chapter 4	Lectura 1
Chapter 5	Lectura 1, Lectura 2 (VF)
Chapter 6	Lectura 1 (VF), Lectura 2
Chapter 7	Lectura 2
Chapter 8**	Lectura 3
Chapter 9	Lectura 2
Chapter 10	Lectura 2
Chapter 11	Lectura 2
Chapter 12	Lectura 1

*VF indicates which reading is followed by the **Videofuentes** questions.
**Note that this video segment can also be used to discuss contemporary Spain in Chapter 2, or to discuss changing gender roles in Chapter 10.

Script for Chapter 3, Redacción

The following text is provided as a guide for doing Activity 23. You should tell the story from memory, using simple expressions and gestures to clarify meaning.

El Popol Vuh: La creación del hombre

En el principio, los grandes dioses vivían solos en el universo vacío. Todo era tranquilo, inmóvil y había un gran silencio. Pero los dioses eran poderosos y querían crear un mundo. Con su gran poder, formaron la Tierra y la sacaron del mar. Este nuevo mundo era silencioso... no había ruidos; el silencio se extendía por la inmensidad y los dioses se sentían muy solos. Decidieron entonces crear a los animales y su imaginación sin límites creó perros, pollitos, gatos, vacas, gallinas. Y al ver su creación, tantos animales andando por la tierra, los dioses decidieron crear casas para todos: árboles para sus nidos, cuevas, ríos, valles y montañas. Pero los animales no hablaban; los perros solamente sabían ladrar, y los pollitos piar; los gatos maullaban, las vacas mugían, las gallinas cacareaban, pero no podían adorar a los dioses ni decir su nombre, y los dioses se sentían muy solos.

Resulta que pensaron y pensaron, y decidieron... ¡crear al Hombre! Crearon Hombres de tierra, pero estos Hombres resultaron muy blandos, se rompían y se caían a pedazos; tampoco sentían, ni entendían nada y hablaban sin sentido y los dioses los destruyeron.

Hicieron entonces Hombres de madera, pero eran como muñecos que hablaban pero que no tenían memoria ni corazón, y no recordaban mucho; además vivían sin propósito y ¡eran descorteses! Los dioses, enojados, decidieron destruir a estos Hombres incompletos y mandaron a la Tierra un gran diluvio que duró muchísimos días. Pero algunos de ellos se salvaron porque se subieron a los árboles, y ellos son los antepasados de los monos.

Mas los dioses se sentían muy solos y finalmente todos juntos decidieron: —Vamos a crear al Hombre de maíz. ¿Y saben? Para hacer estos Hombres, usaron mazorcas de maíz blanco y amarillo; molieron el maíz y le añadieron nueve bebidas y... éstos eran Hombres perfectos: tenían sangre, y podían oír, entender y además, ¡hablaban! Eran tan perfectos como los dioses. Pero el Hombre era muy perfecto y los dioses se preocuparon porque querían alguna diferencia. Entonces hicieron soplar un Huracán, que oscureció un poco la vista del Hombre, de modo que después sólo podía ver las cosas que estaban cerca.

Y los dioses ya no se sintieron solos. Ellos eran dioses y los Hombres eran casi como ellos, pero con una diferencia. Y estos Hombres, hechos de maíz, que son casi como los dioses pero sólo ven lo que está cerca, son los antepasados de los mayas.

América Central y el Caribe

ESTADOS UNIDOS

Golfo de México

Tropico de Cáncer

Miami

Islas Bahamas

Estrecho de la Florida

OCÉANO ATLÁNTICO

CUBA
Pinar del Río
La Habana ⊛
Matanzas
Cienfuegos
Isla de Pinos
Morón
Camagüey
Santiago de Cuba
Guantánamo

Canal de Yucatán

MÉXICO

Tikal
PETÉN
Lago Petén Itzá
Lago Izabal
GUATEMALA
Quetzaltenango
Chichicastenango
Antigua
Guatemala ⊛
Copán
EL SALVADOR
San Salvador ⊛

Belmopan
BELICE
Puerto Barrios
San Pedro Sula

HONDURAS
Tegucigalpa ⊛

NICARAGUA
Lago de Nicaragua
Managua ⊛

COSTA RICA
Puntarenas
Arenal
Poás
Irazú
San José ⊛
San Orosí
Quepos
Puerto Limón
Colón

OCÉANO PACÍFICO

PANAMÁ
Panamá ⊛
Canal de Panamá

Mar Caribe

Antillas Mayores
JAMAICA
Kingston ⊛

HAITÍ
Puerto Príncipe ⊛

REPÚBLICA DOMINICANA
Puerto Plata
Santiago de los Caballeros
Santo Domingo

PUERTO RICO
San Juan
Bayamón
Río Piedras
Mayagüez
Ponce

Islas Vírgenes

Antillas Menores

Antigua

Guadalupe
Dominica
Martinica
Sta. Lucía
San Vicente
Barbados
Granada
Tobago
Puerto España
TRINIDAD

Aruba
Curazao
Bonaire
Isla Margarita

AMÉRICA DEL SUR

VENEZUELA

COLOMBIA

0   100   200   300   400 Mi.
0   100   200   300   400 Km.

FUENTES

Lectura y redacción

Third Edition

FUENTES

Lectura y redacción

Donald N. Tuten
Emory University

Lucía Caycedo Garner
University of Wisconsin—Madison, Emerita

Carmelo Esterrich
Columbia College Chicago

with the collaboration of
Debbie Rusch   Boston College
Marcela Domínguez   Pepperdine University

Houghton Mifflin Company   Boston   New York

Publisher: Rolando Hernández
Sponsoring Editor: Van Strength
Senior Development Editor: Sandra Guadano
Senior Project Editor: Rosemary R. Jaffe
Editorial Assistant: Rachel Zanders
Art and Design Manager: Gary Crespo
Senior Composition Buyer: Sarah Ambrose
Senior Photo Editor: Jennifer Meyer Dare
Manufacturing Coordinator: Chuck Dutton
Associate Marketing Manager: Claudia Martínez

Cover photography: Harold Burch Design, NYC.

Credits for texts, photographs, illustrations, and realia are found at the back of the book.

Printed in the U.S.A.

Student Text ISBN: 0-618-46872-2

Instructor's Annotated Edition ISBN: 0-618-46873-0

Library of Congress Control Number: 2004100373

1 2 3 4 5 6 7 8 9-DOW-08 07 06 05 04

Preface Contents

To the Student

Fuentes: Lectura y redacción (*FLR*), Third Edition, is a textbook for intermediate Spanish courses, intended for use with *Fuentes: Conversación y gramática* (*FCG*), though it may also be used independently. *Fuentes: Lectura y redacción* is designed to help you perfect your ability to read and write in Spanish and deepen your understanding of Hispanic cultures and societies. Of course, you may ask, *Why focus on reading at all? Or writing? Or culture?*

The answers to these questions are closely related. Learning to read and write well in Spanish will help you improve your ability to listen and speak in Spanish. This is so because reading and listening are both interpretive skills that depend on many of the same abilities and strategies. Likewise, writing and speaking are expressive skills that depend on similar abilities and strategies. Writing allows you to hone your ability to express yourself in Spanish while reading trains you to understand and interpret as you also learn about language and culture. However, reading and writing are probably both easier for you to do successfully, since you can control the way you do each and how much time you spend at each task. Consequently, you can often learn more about language and culture through reading and writing than through listening and speaking alone.

When reading a text you have to figure out not only its literal meaning (what it says) but also interpret it (decide what it means at deeper levels). When you interpret a written text you must ask and answer questions such as *What are the author's intention, purpose, and attitude? What assumptions does the author make, and why? What are the implications of what the author says?* Of course, interpretation is important in conversation as well. Have you ever walked away from someone asking yourself, "I wonder what he/she meant by that?" Such questions can be difficult to answer in your home culture, but even more so in a foreign culture, where cultural assumptions and background knowledge can be quite different. To interpret what people write and say in another language and other cultures, you need to learn about those cultures and societies through reading.

Each chapter of *Fuentes: Lectura y redacción* is designed to enhance the development of your reading and writing skills, your understanding of Hispanic cultures and societies, as well as your awareness of your own cultural beliefs, values, and assumptions. As you work through *Fuentes: Lectura y redacción*, remember that learning to read and write in Spanish is a process. In fact, you are probably still learning to interpret texts and write well in your native language. But you can make this process flow more easily by reading and writing something in Spanish every day, even if it is just a note. More important, stop every now and then to check your progress. Read something in Spanish that has nothing to do with class; you may not understand everything, but you will probably understand at least part of it. Though it is often forgotten, the fact is that people do much of their reading and writing for pleasure, and we, the authors of this text, hope that the readings and writing activities in *Fuentes* will spark your imagination and continued interest in the Spanish-speaking world.

Study Tips for *Fuentes: Lectura y redacción*

As you work through the text, keep in mind the following tips.

Tips for reading:

- Read in cycles. Your first reading of a text should focus on understanding the main ideas or gist. Try to read the entire text without stopping. In subsequent reading cycles you can focus on details and fine-tune your understanding. See the Overview of FLR Reading Strategies on the *Fuentes* Website for more information.
- Read each text at least twice before class discussion, and read it at least once after each class discussion.
- Make spontaneous use of the strategies studied and practiced in class since this is the natural way in which you will want to employ them when reading texts outside of *Fuentes: Lectura y redacción*. See the Overview of FLR Reading Strategies on the *Fuentes* Website for more specific suggestions.
- Don't be afraid to disagree with what you read. Many readings have been chosen precisely to generate differing reactions and opinions.
- Number paragraphs for each reading and use these numbers to locate and justify your answers to post-reading exercises during class.
- Use the readings as a way of building your language resources. Much of the vocabulary in the readings is intended for recognition, but aim to incorporate high-frequency or very important vocabulary items (or grammar structures) in your writing and in class discussion.

Tips for writing:

- In journal or informal writing activities, focus primarily on generating and expressing ideas in Spanish and only secondarily on details of grammar.
- In formal writing, focus first on expressing your ideas, and then revise with an eye on correct forms and effective organization.
- Brainstorm ideas before starting to write.
- Decide who your audience is and why you are writing.
- Get a good bilingual dictionary and learn how to use it.
- Try new things and take risks. If you see an interesting expression in one of the readings, try to incorporate it into your own writing.

- Talk about your ideas for writing with classmates, your instructor, and friends.
- Don't try to pump out compositions overnight. Write on one day and revise on another. Discuss your ideas with others. Make it a process of writing, responding, and revising.
- Try to make spontaneous use of the strategies that are presented and practiced in *Fuentes: Lectura y redacción*. Even though an activity may focus on a particular strategy, you may also be able to use previously studied strategies in your own writing.

Tips for studying culture:

- Practice "reading between the lines." The ability to make inferences about a writer's or speaker's intentions and the implications of what is expressed is essential to intercultural communication.
- As you read, compare and contrast what you learn about Hispanic cultures and societies with your own. Use your informal writing to explore these ideas and become more aware of your own underlying beliefs and values.
- Relate what you study and write about in *Fuentes: Lectura y redacción* with current events or material you are studying in other classes.

An Overview of Your Textbook's Features

Fuentes: Lectura y redacción consists of twelve thematically organized chapters that focus on reading, writing, and culture.

The Chapter Opener

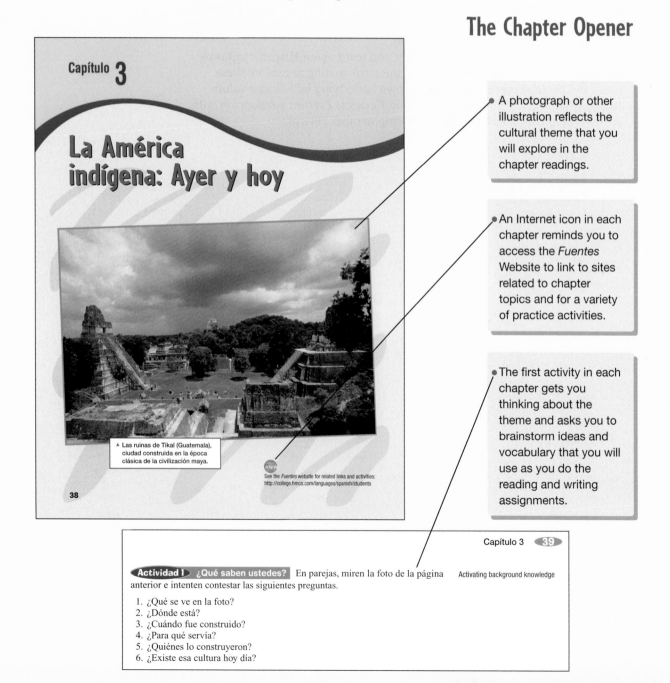

Capítulo **3**

La América indígena: Ayer y hoy

▲ Las ruinas de Tikal (Guatemala), ciudad construida en la época clásica de la civilización maya.

See the *Fuentes* website for related links and activities:
http://college.hmco.com/languages/spanish/students

38

- A photograph or other illustration reflects the cultural theme that you will explore in the chapter readings.

- An Internet icon in each chapter reminds you to access the *Fuentes* Website to link to sites related to chapter topics and for a variety of practice activities.

- The first activity in each chapter gets you thinking about the theme and asks you to brainstorm ideas and vocabulary that you will use as you do the reading and writing assignments.

Capítulo 3　**39**

Actividad 1　¿Qué saben ustedes?　En parejas, miren la foto de la página anterior e intenten contestar las siguientes preguntas.

Activating background knowledge

1. ¿Qué se ve en la foto?
2. ¿Dónde está?
3. ¿Cuándo fue construido?
4. ¿Para qué servía?
5. ¿Quiénes lo construyeron?
6. ¿Existe esa cultura hoy día?

A combination of journalistic, literary, and informative readings, and a chapter video segment expose you to a variety of perspectives on Hispanic cultures.

Autopsia de una civilización

Tras años de investigaciones, un grupo de arqueólogos descubre dos nuevos sitios arqueológicos [...] que ayudan a desentrañar el misterio de la desaparición de los mayas.

[...] Con sus monumentales ciudades en el medio de la selva y ejerciendo el dominio sobre la mayoría de los pueblos contemporáneos de la región, los mayas vivieron su época dorada a partir del año 250 de la era cristiana. Cinco siglos después, su civilización desapareció misteriosamente. Sus habitantes se internaron en la selva para volver a sus orígenes más primitivos y dejaron sólo las pruebas de su cultura: los templos y pirámides. [...] Aunque un millón de los actuales habitantes de la región habla un dialecto que se desarrolló directamente del lenguaje maya original, el misterio se ha mantenido por décadas. Sin embargo, los últimos hallazgos clarifican las razones que llevaron a los mayas a abandonar su imperio e internarse en la selva en el siglo octavo.

Los investigadores acaban de descubrir cuatro nuevos sitios arqueológicos — dos de ellos intactos — en las montañas al sur de Belice. La lectura de los jeroglíficos hallados muestra que los mayas adoraban luchar. Sus gobernantes se esmeraban en el arte de torturar y matar a los enemigos. Inauguraciones, celebraciones esporádicas y sacrificios rituales culminaban siempre con sacrificios religiosas. Los estudios del arqueólogo de la Universidad de Vanderbilt, Arthur Demarest, [...] dividen la historia del Imperio en dos periodos: antes y después del año 761 d.C.

En la primera fase, las guerras eran batallas bien orquestadas, con la finalidad de conquistar el poder y esclavizar nobles rivales. "En la segunda etapa las guerras llevaron a la completa destrucción del pueblo, provocando un quiebre en la estructura social", concluye Demarest [...] Lo que ocurrió fue una guerra civil, una insurrección tan violenta contra las

Augusto Monterroso (1921–2003) fue el escritor guatemalteco más importante del siglo XX. Desde muy joven se dedicó a la actividad política, la búsqueda de la justicia y la literatura. En 1944 tuvo que marcharse de su país natal a causa de la difícil situación política. En el exilio, Monterroso se hizo famoso por su especial cultivo de los minicuentos y tiene fama de haber escrito el cuento más corto de la historia: "Cuando desperté, el dinosaurio todavía estaba allí." Comenzó a publicar sus textos a partir de 1959, cuando salió su colección Obras completas (y otros cuentos), en la que apareció "El eclipse", el más conocido de sus cuentos. En este cuento se pueden apreciar algunos rasgos fundamentales de su escritura: el humor negro, la paradoja y el interés en la justicia.

El eclipse
Augusto Monterroso

Cuando fray Bartolomé Arrazola se sintió perdido aceptó que ya nada podría salvarlo. La selva poderosa de Guatemala lo había apresado, implacable y definitiva. Ante su ignorancia topográfica se sentó con tranquilidad a esperar la muerte. Quiso morir allí, sin ninguna esperanza, aislado, con el pensamiento fijo en la España distante, particularmente en el convento de los Abrojos, donde Carlos Quinto condescendiera una vez a bajar de su eminencia para decirle que confiaba en el celo religioso de su labor redentora.

Al despertar se encontró rodeado por un grupo de indígenas de rostro [im]pasible que se disponían a sacrificarlo ante un altar, un altar que a [Barto]lomé le pareció como el lecho en que descansaría, al fin, de sus [temor]es, de su destino, de sí mismo.

[...] años en el país le habían conferido un mediano dominio de las [lenguas n]ativas. Intentó algo. Dijo algunas palabras que fueron comprendidas.

[Enton]ces floreció en él una idea que tuvo por digna de su talento y de [su cultura] universal y de su arduo conocimiento de Aristóteles. Recordó que [en ese día] se esperaba un eclipse total de sol. Y dispuso, en lo más íntimo, [aquel] conocimiento para engañar a sus opresores y salvar la vida.

[—Si me] matáis —les dijo— puedo hacer que el sol se oscurezca en su [altura.]

[Los indígena]s lo miraron fijamente y Bartolomé sorprendió la incredu[lidad en sus ojos]. Vio que se produjo un pequeño consejo, y esperó confia[do, no sin cierto] desdén.

[Dos horas despu]és el corazón de fray Bartolomé Arrazola chorreaba su [sangre vehemente so]bre la piedra de los sacrificios (brillante bajo la opaca [luz de un sol eclipsa]do), mientras uno de los indígenas recitaba sin ninguna [inflexión de voz, sin p]risa, una por una, las infinitas fechas en que se pro[ducirían eclipses sol]ares y lunares, que los astrónomos de la comunidad [maya habían previ]sto y anotado en sus códices sin la valiosa ayuda de

---

Each chapter presents three readings that tie in with the chapter theme. **Lectura 1** is generally an authentic selection (written by and for native speakers) from a newspaper or magazine that serves as a first approach to the chapter topic. **Lectura 2 (Panorama cultural)** provides an overview of Hispanic cultures and societies related to the theme. **Lectura 3** is generally a literary reading that allows further exploration of the topic.

VIDEOFUENTES

¿Qué semejanzas y diferencias existen entre el artículo y el video respecto a los motivos de la desaparición de la civilización maya clásica? ¿Qué manifestaciones de la cultura maya existen hoy día?

The **Videofuentes** video segments expand on the cultural theme of the chapter to give you added insights into Hispanic cultures. Filmed in Mexico, Spain, Argentina, and the United States, the varied segments include interviews, a short-subject film from Chile, and informative pieces related to music, historical events, agrotourism, and study abroad. **Videofuentes** activities for discussion or writing ask you to compare the chapter video segment with one of the primary readings. Additional video activities are included in *Fuentes: Conversación y gramática*.

Reading strategies and pre-, active, and post-reading activities

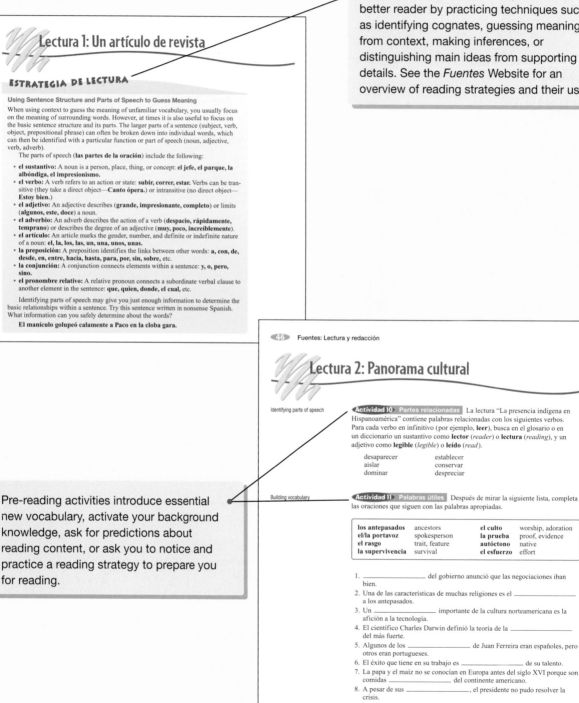

Reading strategies help train you to be a better reader by practicing techniques such as identifying cognates, guessing meaning from context, making inferences, or distinguishing main ideas from supporting details. See the *Fuentes* Website for an overview of reading strategies and their use.

Lectura 1: Un artículo de revista

ESTRATEGIA DE LECTURA

Using Sentence Structure and Parts of Speech to Guess Meaning

When using context to guess the meaning of unfamiliar vocabulary, you usually focus on the meaning of surrounding words. However, at times it is also useful to focus on the basic sentence structure and its parts. The larger parts of a sentence (subject, verb, object, prepositional phrase) can often be broken down into individual words, which can then be identified with a particular function or part of speech (noun, adjective, verb, adverb).

The parts of speech (**las partes de la oración**) include the following:

- **el sustantivo:** A noun is a person, place, thing, or concept: **el jefe, el parque, la albóndiga, el impresionismo.**
- **el verbo:** A verb refers to an action or state: **subir, correr, estar.** Verbs can be transitive (they take a direct object—**Canto ópera.**) or intransitive (no direct object—**Estoy bien.**)
- **el adjetivo:** An adjective describes (**grande, impresionante, completo**) or limits (**algunos, este, doce**) a noun.
- **el adverbio:** An adverb describes the action of a verb (**despacio, rápidamente, temprano**) or describes the degree of an adjective (**muy, poco, increíblemente**).
- **el artículo:** An article marks the gender, number, and definite or indefinite nature of a noun: **el, la, los, las, un, una, unos, unas.**
- **la preposición:** A preposition identifies the links between other words: **a, con, de, desde, en, entre, hacia, hasta, para, por, sin, sobre,** etc.
- **la conjunción:** A conjunction connects elements within a sentence: **y, o, pero, sino.**
- **el pronombre relativo:** A relative pronoun connects a subordinate verbal clause to another element in the sentence: **que, quien, donde, el cual,** etc.

Identifying parts of speech may give you just enough information to determine the basic relationships within a sentence. Try this sentence written in nonsense Spanish. What information can you safely determine about the words?

El manículo golupeó calamente a Paco en la cloba gara.

Pre-reading activities introduce essential new vocabulary, activate your background knowledge, ask for predictions about reading content, or ask you to notice and practice a reading strategy to prepare you for reading.

Lectura 2: Panorama cultural

Identifying parts of speech

Actividad 10   Partes relacionadas La lectura "La presencia indígena en Hispanoamérica" contiene palabras relacionadas con los siguientes verbos. Para cada verbo en infinitivo (por ejemplo, **leer**), busca en el glosario o en un diccionario un sustantivo como **lector** (*reader*) o **lectura** (*reading*), y un adjetivo como **legible** (*legible*) o **leído** (*read*).

desaparecer	establecer
aislar	conservar
dominar	despreciar

Building vocabulary

Actividad 11   Palabras útiles Después de mirar la siguiente lista, completa las oraciones que siguen con las palabras apropiadas.

los antepasados	ancestors	el culto	worship, adoration
el/la portavoz	spokesperson	la prueba	proof, evidence
el rasgo	trait, feature	autóctono	native
la supervivencia	survival	el esfuerzo	effort

1. _____ del gobierno anunció que las negociaciones iban bien.
2. Una de las características de muchas religiones es el _____ a los antepasados.
3. Un _____ importante de la cultura norteamericana es la afición a la tecnología.
4. El científico Charles Darwin definió la teoría de la _____ del más fuerte.
5. Algunos de los _____ de Juan Ferreira eran españoles, pero otros eran portugueses.
6. El éxito que tiene en su trabajo es _____ de su talento.
7. La papa y el maíz no se conocían en Europa antes del siglo XVI porque son comidas _____ del continente americano.
8. A pesar de sus _____, el presidente no pudo resolver la crisis.

support development of your reading skills.

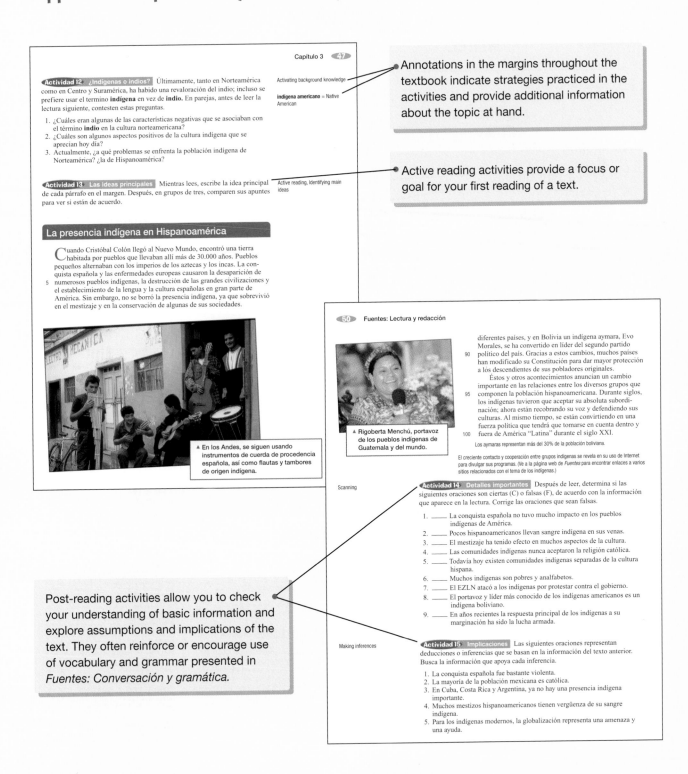

Actividad 12   ¿Indígenas o indios?   Últimamente, tanto en Norteamérica como en Centro y Suramérica, ha habido una revaloración del indio; incluso se prefiere usar el termino **indígena** en vez de **indio.** En parejas, antes de leer la lectura siguiente, contesten estas preguntas.

Activating background knowledge

indígena americano = Native American

1. ¿Cuáles eran algunas de las características negativas que se asociaban con el término **indio** en la cultura norteamericana?
2. ¿Cuáles son algunos aspectos positivos de la cultura indígena que se aprecian hoy día?
3. Actualmente, ¿a qué problemas se enfrenta la población indígena de Norteamérica? ¿la de Hispanoamérica?

Actividad 13   Las ideas principales   Mientras lees, escribe la idea principal de cada párrafo en el margen. Después, en grupos de tres, comparen sus apuntes para ver si están de acuerdo.

Active reading, Identifying main ideas

La presencia indígena en Hispanoamérica

Cuando Cristóbal Colón llegó al Nuevo Mundo, encontró una tierra habitada por pueblos que llevaban allí más de 30.000 años. Pueblos pequeños alternaban con los imperios de los aztecas y los incas. La conquista española y las enfermedades europeas causaron la desaparición de numerosos pueblos indígenas, la destrucción de las grandes civilizaciones y el establecimiento de la lengua y la cultura españolas en gran parte de América. Sin embargo, no se borró la presencia indígena, ya que sobrevivió en el mestizaje y en la conservación de algunas de sus sociedades.

▲ En los Andes, se siguen usando instrumentos de cuerda de procedencia española, así como flautas y tambores de origen indígena.

Annotations in the margins throughout the textbook indicate strategies practiced in the activities and provide additional information about the topic at hand.

Active reading activities provide a focus or goal for your first reading of a text.

---

50   Fuentes: Lectura y redacción

diferentes países, y en Bolivia un indígena aymara, Evo Morales, se ha convertido en líder del segundo partido político del país. Gracias a estos cambios, muchos países han modificado su Constitución para dar mayor protección a los descendientes de sus pobladores originales.

Éstos y otros acontecimientos anuncian un cambio importante en las relaciones entre los diversos grupos que componen la población hispanoamericana. Durante siglos, los indígenas tuvieron que aceptar su absoluta subordinación; ahora están recobrando su voz y defendiendo sus culturas. Al mismo tiempo, se están convirtiendo en una fuerza política que tendrá que tomarse en cuenta dentro y fuera de América "Latina" durante el siglo XXI.

Los aymaras representan más del 30% de la población boliviana.

El creciente contacto y cooperación entre grupos indígenas se revela en su uso de Internet para divulgar sus programas. (Ve a la página web de *Fuentes* para encontrar enlaces a varios sitios relacionados con el tema de los indígenas.)

▲ Rigoberta Menchú, portavoz de los pueblos indígenas de Guatemala y del mundo.

Scanning

Actividad 14   Detalles importantes   Después de leer, determina si las siguientes oraciones son ciertas (C) o falsas (F), de acuerdo con la información que aparece en la lectura. Corrige las oraciones que sean falsas.

1. _____ La conquista española no tuvo mucho impacto en los pueblos indígenas de América.
2. _____ Pocos hispanoamericanos llevan sangre indígena en sus venas.
3. _____ El mestizaje ha tenido efecto en muchos aspectos de la cultura.
4. _____ Las comunidades indígenas nunca aceptaron la religión católica.
5. _____ Todavía hoy existen comunidades indígenas separadas de la cultura hispana.
6. _____ Muchos indígenas son pobres y analfabetos.
7. _____ El EZLN atacó a los indígenas por protestar contra el gobierno.
8. _____ El portavoz y líder más conocido de los indígenas americanos es un indígena boliviano.
9. _____ En años recientes la respuesta principal de los indígenas a su marginación ha sido la lucha armada.

Making inferences

Actividad 15   Implicaciones   Las siguientes oraciones representan deducciones o inferencias que se basan en la información del texto anterior. Busca la información que apoya cada inferencia.

1. La conquista española fue bastante violenta.
2. La mayoría de la población mexicana es católica.
3. En Cuba, Costa Rica y Argentina, ya no hay una presencia indígena importante.
4. Muchos mestizos hispanoamericanos tienen vergüenza de su sangre indígena.
5. Para los indígenas modernos, la globalización representa una amenaza y una ayuda.

Post-reading activities allow you to check your understanding of basic information and explore assumptions and implications of the text. They often reinforce or encourage use of vocabulary and grammar presented in *Fuentes: Conversación y gramática.*

Informal and formal writing practice and development of writing strategies help you become a more effective writer.

Cuaderno personal 3-3

¿Crees que es válido hablar de sociedades "primitivas" y sociedades "avanzadas"? ¿Por qué sí o no?

> **Cuaderno personal** questions after each reading encourage you to reflect on your reactions and your own cultural values.

Redacción: Un mito

> The **Redacción** section includes a series of pre-writing activities and writing strategies to prepare you for writing. Some writing tasks include creating a profile of a famous person, inventing a story or legend, summarizing an interview, preparing a film review, polishing a résumé, and composing essays.

Listening, Note taking

Actividad 23   El origen del ser humano   La literatura empezó en muchas culturas para explicar los orígenes y enseñar los valores, y se transmitía de generación en generación por vía oral. En el *Popol Vuh*, el libro sagrado de los mayas quiché, se cuenta el mito de la creación de los hombres. Así como los mayas, todas las culturas tienen historias que explican el origen de la humanidad. En este país, la tradición judeocristiana es la que mejor se conoce.

la historia = the story; history

Parte A: Ahora tu profesor/a va a contar la historia de la creación de los hombres según el *Popol Vuh*. Escucha y toma apuntes para poder volver a contar la historia después. Usa el siguiente esquema para tus apuntes.

- dos o tres características del mundo que crearon los dioses
- lo que decidieron hacer los dioses después de crear el mundo y por qué
- cómo resultó esta creación
- otra decisión de los dioses
- características de los tres tipos de Hombre y cómo resultó ser cada uno

Características	Resultados
1.	
2.	
3.	

Parte B: Ahora, usando tus apuntes, ayuda a recrear la leyenda con el clase.

ESTRATEGIA DE REDACCIÓN

Using the Bilingual Dictionary

When you write, try to express yourself as much as possible with vocabulary that is already known to you. This will make it easier for you to compose directly in Spanish. Nevertheless, there will be cases when you look up specific vocabulary in order to communicate your thoughts. Here are some guidelines to help you better use the dictionary when writing.

1. Determine the part of speech of the word you want. If you need to look up a phrase or idiom, look under the key word or words.

> Explanation and practice of writing strategies help you improve your writing by focusing on techniques such as use of the dictionary, use of transition words, and tips for writing interviews, news reports, and essays.

2. Look up the word in the English-Spanish section of the dictionary. Find the equivalents that match the same part of speech. If the word you are seeking is part of an English idiom, it may be listed later in the entry or under another key word. Remember that the Spanish equivalent may be quite different from the English, as in *to be 10 years old* and **tener 10 años.**

3. If you find more than one Spanish equivalent, you may need to cross-check each of these in the Spanish-English section of the dictionary.

4. When looking up a verb, determine whether you need to use it as transitive, intransitive, or reflexive, in which case the verb is used with a reflexive pronoun. Read the examples to determine if preposition(s) should be used with the verb. Make sure you do not try to translate English phrasal verbs (such as *to get up, to get off, to get over,* etc.) too literally. Many such verbs have a specific Spanish equivalent that may or may not be accompanied by a preposition.

Actividad 24   Los equivalentes en español   La palabra *light* tiene varios equivalentes en español. Usa el vocabulario que aparece al lado para buscar la traducción española de *light* según el contexto de cada oración.

Using the dictionary

1. Could you turn off the lights?
2. Have you got a light?
3. Then he saw things in a different light.
4. Priests often light candles during religious ceremonies.
5. They decided to paint the room light blue.
6. Experienced tourists prefer to travel light.

Actividad 25   Tu propio mito   Ahora, vas a escribir tu propio mito. Primero, piensa en el aspecto del mundo o de la vida que quieres explicar. Luego, haz un esquema de los puntos importantes que vas a desarrollar en la historia, con una lista del vocabulario necesario. Usa el diccionario para encontrar nuevas palabras. Luego, escribe el mito, usando palabras de transición y el pretérito y el imperfecto.

Using the dictionary

light¹ (līt) **I.** s. *(lamp)* luz *f <turn the lights on* enciende las luces>; *(radiation)* luz *<ultraviolet l.* luz ultravioleta>; *(illumination)* luz, iluminación *f; (daylight)* luz *<the l. of the day* la luz del día>; *(streetlamp)* luz, farol *m; (traffic light)* luz, semáforo; *(window)* ventana; *(skylight)* claraboya; *(headlight)* luz, faro; *(lighthouse)* faro, fanal *m; (flame)* fuego *<have you got a l.?* ¿me puedes dar fuego?>; FIG. *(spiritual awareness)* luz, iluminación; *(viewpoint)* aspecto, punto de vista *<I never saw the matter in that light* nunca vi el asunto desde ese punto de vista>; *(luminary)* lumbrera, eminencia *<he is one of the leading lights of science* es una de las destacadas lumbreras de la ciencia>; *(gleam)* brillo *<the l. in her eyes* el brillo en sus ojos>; PINT. luz *<l. and shade* luz y sombra> ♦ **at first l.** al rayar la luz del día ♦ **in l. of** en vista de, considerando ♦ **in the cold l. of day** FIG. friamente, desapasionadamente ♦ **lights** FIG. *(opinions)* luces, conocimientos ♦ **to bring to l.** FIG. sacar a luz, revelar ♦ **to shed** o **throw l. on** FIG. arrojar luz sobre, aclarar ♦ **to come to l.** salir a la luz, ser revelado ♦ **to give the green l.** FIG. aprobar la realización (de un proyecto) ♦ **to see in a different l.** FIG. mirar con otros ojos, mirar desde otro punto de vista ♦ **to see the l.** FIG., RELIG. iluminarse; *(to understand)* comprender, darse cuenta ♦ **to see the l. of day** salir a luz, nacer **II.** tr. **light·ed** o **lit** (līt), **light·ing** *(to ignite)* encender; *(to turn on)* encender, prender *<who lit this lamp?* ¿quién encendió esta lámpara?>; **light²** (līt) **I.** adj. **-er, -est** *(lightweight)* ligero, liviano; FIG. *(easily digested)* ligero, liviano; *(not forceful)* suave, leve; *(slight)* fino *<a l. rain* una lluvia fina>; *(faint)* débil; *(easy)* ligero, liviano *<l. work* trabajo liviano>; *(frivolous)* superficial, de poca importancia *<a l. chat* una charla de poca importancia>; *(blithe)* alegre, contento *<a l. heart* un corazón alegre>; *(low in alcohol)* de bajo contenido alcohólico ♦ **as l. as air** liviano como el aire ♦ **l. in the head** mareado ♦ **to be l. on one's feet** ser ligero de pies, moverse con agilidad ♦ **to make l. of** no tomar en serio, restar importancia a **II.** adv. **-er, -est** ligeramente ♦ **to travel l.** viajar con poco equipaje

Acknowledgments

The publisher and authors wish to thank the following reviewers for their feedback on the second edition of *Fuentes*. Many of their recommendations are reflected in the changes made in the new edition.

Sandra M. Anderson, College of DuPage
Jonathan F. Arries, College of William and Mary
Bárbara Ávila-Shah, University at Buffalo, State University of New York
Kimberly Boys, University of Michigan
Elizabeth Cure Calvera, Virginia Tech
Lola Chamorro, Brown University
Darrell J. Dernoshek, University of South Carolina-Columbia
Héctor Domínguez-Ruvalcaba, Denison University
Laura Fox, Grand Valley State University
Dennis C. Harrod, Syracuse University
Gillian Lord, University of Florida
Joanna (Joby) McClendon, St. Edward's University
Claudia Mejia, Tufts University
Deborah Mistron, Middle Tennessee State University
Mary E. O'Donnell, University of Iowa
Margaret M. Olsen, University of Missouri-Columbia
John T. Riley, Fordham University
Regina F. Roebuck, University of Louisville
Nohelia Rojas-Miesse, Miami University
Lilia D. Ruiz-Debbe, State University of New York at Stony Brook
Loreto Sánchez-Serrano, Johns Hopkins University
Carmen Schlig, Georgia State University
Jorge W. Suazo, Georgia Southern University
Dwight E. Raak TenHuisen, Calvin College
Mercedes Valle, Smith College
Maura Velázquez-Castillo, Colorado State University

A special word of appreciation is due Ramonita Marcano-Ogando, Mónica Velasco-González, and Joyce Martin of the University of Pennsylvania for their support of the program and their valuable input on the new edition.

The authors wish to extend their thanks to several people who have made key contributions to the development of the Third Edition of *Fuentes: Lectura y redacción*: Lisa Dillman, for her effort and skill in identifying new literary readings; Natalia Francis, for her work on the selection of new journalistic texts; José Luis Boigues-López, for his numerous and varied suggestions for improvements throughout the preparation of the manuscript; and Miguel Valladares for his assistance in locating hard-to-find texts. Special thanks go to Hugo Aparicio who generously offered to write an original essay for this book. We would also like to thank other students and colleagues at Emory University for their input and encouragement during the development of this new edition.

We also want to express our appreciation to the following people for their valuable assistance during the development and production of this project: Margaret Hines, for her careful and timely preparation of the final vocabulary; Steve Patterson, for his attention to detail and judicious feedback during copyediting; Rosemary Jaffe for her gracious support, willingness to consider alternatives, and her amazingly smooth coordination of all aspects of production. Our greatest thanks go to our development editor Sandy Guadano, for her patience, willingness to listen and negotiate, sharp editor's eye, impressive organizational skills, and broad knowledge of publishing, language education, the Spanish language, and Hispanic cultures. We have been fortunate indeed to have received her invaluable guidance as we prepared the Third Edition of *Fuentes: Lectura y redacción.*

D. T.
L. C. G.

Contents

///// Capítulo 4
África en América: El Caribe   *58*

///// Capítulo 5
Latinos americanos   *75*

///// Capítulo 6
Dictadura y democracia   *94*

///// Capítulo 7
La crisis ecológica   *113*

⧰ Capítulo 12
Cruzando fronteras *211*

Index of Reading and Writing Strategies

Capítulo 1

Los hispanos

Fernando Botero ★ Judith Baca ★ Óscar de la Renta ★ Celia Cruz ★ Gloria Estefan ★ Carlos Santana ★ José Carreras ★ Plácido Domingo ★ Christina Aguilera ★ Jennifer López ★ Shakira ★ Julio Iglesias ★ Enrique Iglesias ★ Ricky Martin ★ Marc Anthony ★ Tito Puente ★ Mariah Carey ★ Vicki Carr ★ Luis Miguel ★ La India ★ Joan Baez ★ Carlos Fuentes ★ Gabriel García Márquez ★ Sandra Cisneros ★ Isabel Allende ★ Camilo José Cela ★ Bernardo Atxaga ★ Quino ★ Mario Vargas Llosa ★ Gloria Anzaldúa ★ Elena Poniatowska ★ Manuel Puig ★ Ilán Stavans ★ Ellen Ochoa ★ Pedro Duque ★ Óscar Arias ★ Fidel Castro ★ Baltasar Garzón ★ Cruz Bustamante ★ Violeta Barrios de Chamorro ★ Vicente Fox ★ Subcomandante Marcos ★ Linda Chávez-Thompson ★ Henry Cisneros ★ el rey don Juan Carlos I y la reina doña Sofía ★ Freddy Ferrer ★ Gael García Bernal ★ Salma Hayek ★ Alfonso Cuarón ★ Jimmy Smits ★ Alejandro Amenábar ★ Antonio Banderas ★ Penélope Cruz ★ Pedro Almodóvar ★ Edward James Olmos ★ Linda Ronstadt ★ Chayanne ★ Albita ★ Andy García ★ Emilio Estévez ★ Martin Sheen (Ramón Estévez) ★ Victoria Abril ★ Rubén Blades ★ Anthony Quinn ★ Rosie Pérez ★ John Leguizamo ★ Rita Moreno ★ Cameron Díaz ★ Jon Secada ★ Benicio del Toro ★ Javier Bardem ★ Geraldo Rivera ★ Cristina Saralegui ★ don Fernando Bianca Jagger ★ Paul Rodríguez ★ Andrés Cantor ★ Miguel Induráin ★ Pedro Delgado ★ Nancy López ★ Diego Maradona ★ Arantxa Sánchez Vicario ★ Gabriela Sabatini ★ Óscar de la Hoya ★ Juan Carlos Ferrero ★ Sammy Sosa ★ Pedro Martínez ★ Alex Rodríguez ★ Fernando Valenzuela ★ Gabriel Batistuta ★ Manny Ramírez

Use this chapter to emphasize the variety of people and identities in the Hispanic world. Use it also to introduce students to key reading strategies such as skimming and scanning. Point out the basic organization of chapters into three different types of readings (journalistic, informative, literary). In this chapter no literary selection is included. In all others, **Lectura 3** is a literary selection.

See the *Fuentes* website for related links and activities:
http://college.hmco.com/languages/spanish/students

Activating background knowledge

Act. 1: Advance organizer for the chapter. Form groups of three and set a time limit. Practice **está muerto/a** if needed. Elicit names of other Hispanics known to students. Emphasize: **¿De dónde son los hispanos? ¿Qué tienen en común?**

Actividad 1 **Los hispanos famosos** Todos los nombres que aparecen en la página anterior son de personas famosas. Algunos viven en los Estados Unidos, otros en América Latina o España. Algunos son famosos en los Estados Unidos, otros tienen fama internacional y otros son conocidos en los países hispanos. En grupos de tres, identifiquen cinco personas que Uds. conocen. Hagan una lista de las personas y contesten estas preguntas para cada una.

- ¿De dónde es?
- ¿Qué hace?
- ¿Cuál es el lugar de origen de su familia?
- ¿Qué piensan Uds. de él/ella?

Lectura 1: Los anuncios personales

FCG links: Present tense verbs, **hace que…**, personal adjectives, expressions **ser un pesado, llamarle la atención,** re-entry of **gustar/encantar** and adjectives

Links to more personal ads in Spanish can be found in the Chapter Links section of the *Fuentes* website.

Lectura 1: A sustained reading is not needed: focus on skimming and scanning.

Have students read this and other strategies as HW.

ESTRATEGIA DE LECTURA

Activating Background Knowledge

To understand a specific reading, you must employ knowledge you already have about the topic. Thinking about your background knowledge before reading helps you contextualize the topic and predict what kinds of information and vocabulary are likely to appear in the text. For example, based on what you know about personal ads in English, you can guess that Spanish ads contain similar information.

Activating background knowledge

Act. 2: Form groups, set a time limit, and begin. Do a class sharing. For item 4, jot down types of information on the blackboard, and discuss. Mention **descripción de la personalidad, apariencia física, estado civil, intereses/hobbies, lo que busca.**

Actividad 2 **¿Qué desean?** Vas a leer unos anuncios personales escritos por hispanos y publicados en Internet. Primero, en grupos de tres, contesten las siguientes preguntas sobre los anuncios personales.

1. ¿Leen Uds. los anuncios personales con frecuencia? ¿Por qué?
2. ¿Les gustaría responder a un anuncio personal?
3. ¿Por qué escribe la gente anuncios personales?
4. ¿Qué información suelen incluir los anuncios personales?
5. ¿Creen que la gente miente mucho en los anuncios?
6. ¿Qué características buscan Uds. al leer los anuncios?

Scanning for information

Act. 3: Assign as HW and check in class. If needed, have students read the explanation of skimming and scanning on page 11 before doing the activity. A summary of all reading strategies is also found on pp. xxi–xxii. Remind students that adjectives must agree in gender and number. Option: Ask only for physical description to practice contrast between **ser delgado/a** and **tener pelo negro**.

Actividad 3 **¿Cómo es?** Muchas veces buscamos características específicas al leer los anuncios personales. Mira rápidamente los siguientes anuncios personales y escoge uno o dos adjetivos para cada persona o grupo de personas.

Gerardo: _emprendedor, ambicioso..._
Rakhel: _irónica, cómica..._
Álvaro: _soltero, delgado..._
Luisa: _sensible, romántica..._
Juan Carlos: _normal, sincero..._

María: _alegre, cariñosa..._
Carmen: _divorciada, culta..._
Andrés: _intelectual, espiritual..._
Bárbara: _loca, aventurera..._
"los Golfos": _abiertos, simpáticos..._

Actividad 4 Las actividades preferidas   Con frecuencia buscamos las actividades preferidas de las personas al leer los anuncios personales. Mira rápidamente los siguientes anuncios personales y contesta cada una de las siguientes preguntas.

1. ¿Quién practica alpinismo? _____Gerardo_____
2. ¿A quién le interesa el rock latino? _____Álvaro_____
3. ¿A quién le gusta platicar? _____María_____
4. ¿Quién asiste a clases de veterinaria? _____Luisa_____
5. ¿Qué persona tiene buen sentido del humor? _____Rakhel_____
6. ¿Quién corre todos los días? _____Andrés_____
7. ¿Quién no come carne? _____Carmen_____
8. ¿A quiénes les encantan las fiestas? _____Rakhel, los Golfos_____

Scanning for information

Act. 4: Remind students to use present tense verbs as they discuss preferred activities. Option: Ask more questions of this sort to practice describing with verbs. For example: **¿Cuánto pesa Gerardo? ¿Cuánto tiempo hace que María vive en Honduras?**

Platicar (*México y partes de Centroamérica*) = hablar, charlar

Remember that you only need to understand these personal ads well enough to complete assigned activities. Rely on familiar vocabulary and cognates to get the main ideas.

◀ ▶   🏠   I A   **Página principal**   **Búsqueda**   **Mi perfil**   **Comprar**   🔍

*C*ontactos

Carmen
Caracas, Venezuela   carjimgon@terra.com.ve

Soy **divorciada, culta e inteligente,** de buen humor, sensible, sincera, profesional. Me gusta el cine, la música, la literatura, la fotografía en blanco y negro, la psicología, charlar con los amigos, caminar en la playa. Soy vegetariana, no bebo, pero sí fumo. Pelo castaño, ojos verdes, 40 años, atractiva a mi manera. Quiero conocer un hombre interesante de 38-47 años.

Gerardo
Distrito Federal, México   gerfer@terra.com.mx

Soy **un hombre emprendedor,** con miras al futuro, ambicioso, de carácter fuerte. Guapo, 27 años, 70 kilos, 1,77, atlético (hago pesas), ojos azules, rubio. Me dedico a la mercadotecnia y en mi tiempo libre practico alpinismo. Te busco a ti: la mujer de mis sueños, tierna pero decidida, emprendedora y con profesión.

◀ ▶   🏠   I A   **Página principal**   **Búsqueda**   **Mi perfil**   **Comprar**   🔍

Álvaro
Santiago, Chile   garciaal21@123click.cl

Soy estudiante, 21, soltero, pelo y ojos negros. Me considero una persona de buen corazón. Me gustan los deportes (fútbol, béisbol, tenis), la astrología (soy Tauro), la naturaleza, el rock latino, especialmente grupos mexicanos como Café Tacuba, Maná, etc., y me interesa conocer **gente (chicas) de México,** ya que quiero visitar el país.

No hay foto

Rakhel
Bilbao, España   rakhebv@yahoo.es

Buffff... por dónde empezar... mujer... jejeje... atractiva (dicen)... 32 años... de momento... espero cumplir muchos más... jejeje... con sentido del humor... irónica... me gusta reír... y hacer reír... me encantan las fiestas... y bailar... me fascina mi trabajo... me aburre la rutina... **odio la mediocridad**... y la injusticia... ¿tú?... guapo... jeje... buen conversador... diferente de los demás... escríbeme...

No hay foto

los Golfos
Madrid, España   golfos@wanadoo.es

Hola. Formamos **un grupo mixto de amigos** y queremos ampliarlo. Buscamos gente normal y simpática ☺. Si eres una persona abierta, simpática y tienes entre 25 y 30 años, únete a nuestro grupo para salir de fiesta por Madrid.

Luisa
Buenos Aires, Argentina   luvalda@yahoo.com.ar

¡Hola! Tengo ojos marrones y pelo castaño. Soy porteña, a la que no le gusta la ciudad. Me encanta el campo, el aire libre... sentirme libre... Estudio veterinaria, **amo a los animalitos.** Soy super inquieta, me enloquece viajar y conocer lugares y culturas nuevas. Soy sensible, romántica, soñadora. Busco nuev@s amig@s y, si llega el caso, algo más.

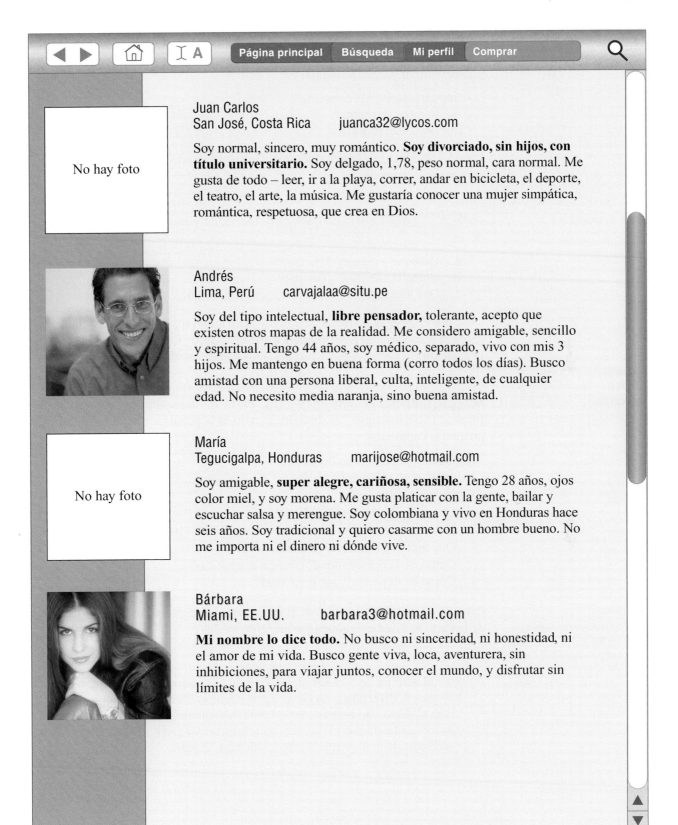

Página principal   Búsqueda   Mi perfil   Comprar

Juan Carlos
San José, Costa Rica   juanca32@lycos.com

Soy normal, sincero, muy romántico. **Soy divorciado, sin hijos, con título universitario.** Soy delgado, 1,78, peso normal, cara normal. Me gusta de todo – leer, ir a la playa, correr, andar en bicicleta, el deporte, el teatro, el arte, la música. Me gustaría conocer una mujer simpática, romántica, respetuosa, que crea en Dios.

No hay foto

Andrés
Lima, Perú   carvajalaa@situ.pe

Soy del tipo intelectual, **libre pensador,** tolerante, acepto que existen otros mapas de la realidad. Me considero amigable, sencillo y espiritual. Tengo 44 años, soy médico, separado, vivo con mis 3 hijos. Me mantengo en buena forma (corro todos los días). Busco amistad con una persona liberal, culta, inteligente, de cualquier edad. No necesito media naranja, sino buena amistad.

María
Tegucigalpa, Honduras   marijose@hotmail.com

Soy amigable, **super alegre, cariñosa, sensible.** Tengo 28 años, ojos color miel, y soy morena. Me gusta platicar con la gente, bailar y escuchar salsa y merengue. Soy colombiana y vivo en Honduras hace seis años. Soy tradicional y quiero casarme con un hombre bueno. No me importa ni el dinero ni dónde vive.

No hay foto

Bárbara
Miami, EE.UU.   barbara3@hotmail.com

Mi nombre lo dice todo. No busco ni sinceridad, ni honestidad, ni el amor de mi vida. Busco gente viva, loca, aventurera, sin inhibiciones, para viajar juntos, conocer el mundo, y disfrutar sin límites de la vida.

Actividad 5 Las combinaciones perfectas En grupos de tres, miren los anuncios otra vez. Busquen dos personas que se complementen bien y que puedan formar pareja, pensando en:

- qué características comparten
- qué valores comparten
- qué actividades prefieren

Luego, explíquenle a la clase por qué han seleccionado a esas dos personas o grupos de personas.

Actividad 6 ¿A quién prefieres? Individualmente, mira los anuncios y decide:

a. ¿Quién te cae bien? ¿Por qué?
b. ¿Quién te cae mal? ¿Por qué?
c. ¿Qué anuncios te llaman la atención? ¿Por qué?

Después, en grupos de tres, comenten y justifiquen sus preferencias: ¿Quiénes les caen bien a todos Uds.? ¿Quiénes no? ¿Por qué? ¿Qué anuncios les llaman la atención?

Actividad 7 Un corazón solitario **Parte A:** En parejas, escojan una de las fotos de la página siguiente. Imaginen cómo es la persona, usando las siguientes preguntas como guía.

1. ¿Quién es? ¿Cómo se llama?
2. ¿Qué hace? ¿Dónde trabaja?
3. ¿Cuántos años tiene?
4. ¿Cómo es físicamente?
5. ¿Qué le gusta/encanta hacer en su tiempo libre? (tres actividades)
6. ¿Qué prefiere no hacer? (tres actividades)
7. ¿Cómo es su personalidad? (tres características)
8. ¿Cómo es su pareja o amigo/a ideal?

Parte B: En parejas, escriban un anuncio para esta persona, usando los detalles de la Parte A. Usen el siguiente anuncio de modelo.

> Soy un hombre de 30 años, delgado, pelo castaño, ojos marrones. Soy guapo, divertido y cariñoso. En mi tiempo libre juego al tenis, paseo al perro, leo novelas, voy al cine. Me encanta viajar. Deseo conocer a una mujer inteligente, culta y atractiva entre 30 y 40 años. Escríbeme, te contestaré. Vicente, Valencia, España.

Parte C: Después de terminar el anuncio, intercámbienlo con otra pareja, lean el anuncio de la otra pareja y averigüen a qué foto pertenece.

Act. 7C: Collect all personals and redistribute them. Each pair then matches their personal ad with a picture. Have students justify choices. Option 1: Use Google Image Search to find more digitized pictures. You can project pictures or you can print and number them and place them on the wall. Students circulate to view them. Option 2: Have students read aloud so that others can guess the corresponding picture.

1

2

3

4

5

6

Cuaderno personal 1-1

Imagina que te sientes muy solitario/a y decides poner un anuncio personal en un sitio web. Escribe un anuncio como los que acabas de leer.

CP 1-1: Option: Do as a short writing assignment. Students can prepare ads to seek Internet penpals. Help them decide what information to include. For example, physical description is not needed, but personality and interests are. If they choose, they can post their ads on international Spanish-language sites such as **es.match.com**.

Para ver miles de anuncios personales del mundo hispano, ve a la página web de **es.match.com**

Lectura 2: Panorama cultural

FCG links: Chapter conversation **Una cuestión de identidad,** present tense verbs, reflexives, re-entry of adjectives

Actividad 8 Hispanos, latinos y americanos Antes de leer "La dificultad de llamarse 'hispano'", en parejas, decidan cuáles de estos tres términos, **hispano, latino** o **americano,** se pueden usar para describir a una persona de los siguientes países. Luego, escriban una definición de **hispano, latino** y **americano.**

Activating background knowledge

Act 8: Pair students, set a time limit, and begin. Brainstorm ideas but do not correct. Return and check this activity after Act 12.

México	Francia	Canadá
España	Cuba	Chile
EE.UU.	Brasil	Guatemala

ESTRATEGIA DE LECTURA

Identifying Cognates

Spanish and English share the Latin alphabet as well as many words of Latin and Greek origin. By depending on these similar words, or cognates, you will often be able to understand much of any text written in Spanish. Familiar cognates include **información, artista, historia,** and **similar.**

Identifying cognates

Act 9: Assign and discuss in class. Most of the words appear in italics. Have students provide corresponding adjectives for each place name.

Actividad 9 Busca los cognados En la siguiente lectura hay muchos cognados. Busca el equivalente en español de los siguientes términos.

the Caribbean	Latin America	North American
Central America	Latin American	South America
Hispanic	North America	Spanish America
Latin		

Actividad 10 La idea general

Parte A: Lee por encima la siguiente lectura y decide cuál de estas ideas representa mejor la idea general.   Skimming

_____ Es una descripción de tres hispanos: Orlando, Rosa y Rocío.

_____ Es una descripción de la geografía y la cultura hispanas.

___✓___ Es una explicación de palabras que describen distinciones raciales, culturales y geográficas.

Parte B: Mientras lees, compara tus definiciones de **hispano, latino** y **americano** con las que aparecen en el texto. ¿Son iguales o diferentes?   Active reading

Act.10: Can be assigned. Before starting, read the items aloud and have students glance at the title of the reading. Set a time limit. Discuss responses and justifications.

ESTADOS UNIDOS

OCÉANO ATLÁNTICO

MÉXICO
CUBA
HAITÍ
REPÚBLICA DOMINICANA
PUERTO RICO
BELICE
HONDURAS
GUATEMALA
EL SALVADOR
NICARAGUA
COSTA RICA
VENEZUELA
GUAYANA
SURINAM
GUAYANA FRANCESA
PANAMÁ
COLOMBIA
ECUADOR
PERÚ
BRASIL
OCÉANO PACIFICO
BOLIVIA
PARAGUAY
ARGENTINA
CHILE
URUGUAY

Hispanoamérica y Latinoamérica

Hispanoamérica

Latinoamérica

La dificultad de llamarse "hispano"

Orlando es de Buenos Aires, tiene la piel blanca y el pelo rubio. ¿Es hispano, latino o blanco? Rosa es de Venezuela, tiene la piel muy oscura y el pelo negro y rizado. ¿Es hispana o negra? Rocío es de México, es morena y tiene rasgos indígenas. ¿Es mexicana, hispana o indígena?

5   Como se puede ver, los términos *hispano* y *latino* se confunden con otros más bien raciales: indígena, negro, blanco, asiático. Sin embargo, *hispano* y *latino* no se basan en distinciones de raza sino en distinciones de cultura. *Latino* es un término de significado bastante amplio que denomina a las personas que hablan lenguas romances como el portugués, el español,
10 el catalán, el francés y el italiano, lenguas que tienen su origen en el latín, y por eso también se llaman lenguas *latinas*. Como la cultura y la lengua van íntimamente relacionadas, el término *latino* es tanto cultural como lingüístico. *Hispano* es un término que denomina a un habitante de la antigua provincia romana de Hispania, hoy España, y se usa actualmente
15 para referirse a todas las personas de habla española y su cultura.

El uso de los nombres *latino* e *hispano* con connotaciones raciales es incorrecto, ya que hay hispanos blancos, negros, asiáticos e indígenas y mezclas de estos grupos. En realidad, *latino* también es una abreviatura de *latinoamericano*, término que incluye no sólo a los hispanos, sino también
20 a los brasileños (de habla portuguesa) y a los haitianos (de habla francesa). Por otro lado, excluye a muchos habitantes indígenas que no hablan español ni portugués y que no se consideran latinos.

Las cuestiones de nomenclatura se extienden también a los términos geográficos y culturales. *Latinoamérica* incluye a todos los países de
25 lengua y cultura latinas, mientras que *Hispanoamérica* se compone de los diecinueve países de lengua española y cultura hispana. Otros términos puramente geográficos son *Norteamérica, Centroamérica, Suramérica y el Caribe*. En español, el nombre *América* no se refiere a ningún país, sino al continente que se extiende desde el Ártico hasta Tierra del Fuego. Ya que
30 todo habitante de América es *americano*, la palabra *americano* no se debe usar para referirse sólo a personas de los Estados Unidos. Se han buscado, entonces, alternativas como *estadounidense* y *norteamericano*. Sin embargo, no sólo las personas de los Estados Unidos son *norteamericanos* porque los canadienses y los mexicanos también lo son. Y la palabra *estadounidense*,
35 formal y burocrática, simplemente no le gusta a nadie; así que, por falta de algo mejor, muchísimas personas dicen *americano* cuando hablan de la gente de los Estados Unidos.

Un examen detenido de estos términos revela diferencias geográficas, culturales, raciales y lingüísticas, y muestra la importancia de comprender
40 estas diferencias y la realidad compleja del mundo hispano.

El adjetivo **hispano** es más frecuente que **hispánico**.

Indígena americano = Native American

El rumano también es una lengua romance, pero la cultura de Rumania es más bien eslava.

En los Estados Unidos, **latino** = **hispano**, aunque tienen connotaciones políticas diferentes.

Norteamérica = la América del Norte

Centroamérica = la América Central

Suramérica/Sudamérica = la América del Sur

Point out that the meaning of strictly geographical terms can also vary. For example, is **Centroamérica** part of or separate from **Norte América**?

Fuentes: Lectura y redacción

Identifying main ideas of paragraphs

Act. 11: Assign and discuss in class. Have students skim each paragraph to determine the main idea, stopping after each one to check.

Actividad 11 Las ideas principales Hay cinco párrafos en la lectura anterior. Pon un número (1–5) al lado de la descripción que exprese mejor la idea principal de cada párrafo.

___2___ los orígenes de **latino** e **hispano**

___1___ ejemplos del uso confuso de algunos términos

___3___ el uso incorrecto de **latino** e **hispano**

___5___ el uso de diferentes términos y su relación con una realidad compleja

___4___ términos geográfico-culturales y geográficos

Scanning and circumlocution

Act. 12: Assign and discuss in class. Some answers require students to put together information from more than one sentence. Point out that capital letters are not used with adjectives of nationality. Point out that **referirse a** is normally used reflexively. Follow-up: Return to Act. 8 and discuss the implications with students: **¿Cuáles de estos términos se puede usar para referirse a los habitantes de Quebec? ¿Por qué?**

Actividad 12 Definiciones En parejas, busquen en la lectura anterior las definiciones de las siguientes palabras y cópienlas. Luego, discutan las definiciones. Usen expresiones como: **Es un término/adjetivo/nombre que se refiere a..., Es una expresión que denomina a...**

1. lenguas romances _____
2. latino a. _____
           b. _____
3. hispano _____
4. americano a. _____
             b. _____
5. Hispanoamérica _____
6. Latinoamérica _____
7. estadounidense _____

Act. 13: Can be assigned. Discuss in class and use as a transition to **FCG.** Call students' attention to use of reflexives. Item 1: Help students brainstorm some ideas (Atlantan, Georgian, African-American, Southerner, American, Westerner) so they reflect on their different identities. Item 2 reflects use of the language name to refer to all its users. Item 3 can be assigned for web-based research outside of class, as pre-reading for **Lectura 3** (Sandra Cisneros).

Actividad 13 Reflexiones y reacciones Después de terminar la lectura, lean y comenten las siguientes preguntas.

1. ¿Cómo te identificas tú? ¿Te identificas con una comunidad local, un estado o provincia, una región, una nación, una religión, un grupo étnico? ¿Crees que la gente debe preocuparse por estos términos de identidad? ¿Por qué?
2. ¿Crees que muchas personas se equivocan cuando usan el término *Spanish*? ¿A qué se refieren al usar este término? ¿Crees que un mexicano o un puertorriqueño se siente mal o se enoja cuando alguien lo identifica como *Spanish*? ¿Por qué sí o no?
3. Algunas personas de origen "hispano" o "latinoamericano" en Estados Unidos se quejan del término *hispano* y prefieren llamarse *latinos*. ¿Por qué?

CP 1-2: Use this question as a follow-up discussion before or instead of writing. Have students justify their responses. Emphasize the sociocultural arbitrariness of word meaning (e.g., words often change meaning with time/context, and etymology does not fix meaning).

Cuaderno personal 1-2

En español, ¿prefieres identificarte como americano/a, norteamericano/a o estadounidense? ¿Por qué?

VIDEOFUENTES ☐

¿Cómo se identifican las personas entrevistadas en el video? ¿Las entrevistas confirman completamente las ideas presentadas en la lectura "La dificultad de llamarse 'hispano'"?

Videofuentes: Have students view the clip and complete activities in **FCG** before relating the video to the reading. These questions can be assigned as written HW or discussed in pairs or groups during class.

Lectura 3: Artículos breves

FCG links: Present tense verbs, **qué/cuál,** object pronouns, re-entry of description with adjectives

ESTRATEGIA DE LECTURA

Scanning and Skimming

Scanning means searching a text for specific details or pieces of information without paying much attention to other information in the text. For example, when you decide to see a particular movie, you probably scan the film section of a newspaper or website for times and locations. *Skimming* means focusing on just enough features of a text to form a general idea of its content. You are skimming when you first glance over a newspaper article to see if it interests you and merits closer reading. Skimming is similar to scanning, but when you scan you search for specific details since you already know what kinds of information the text contains. Skimming and scanning are often done together.

Actividad 14 La primera aproximación **Parte A:** En parejas, lean el título y los subtítulos, miren el formato y las fotos, y determinen el tema general de la siguiente lectura, "Gente hispana". Digan si la selección es de:

un periódico	un catálogo	un documento oficial
una carta	una revista popular	una revista literaria

Skimming

Act 14A: Pre-reading. Ask class: **¿En qué revista norteamericana se pueden encontrar artículos parecidos? ¿A qué personas reconocen?**

Parte B: Lee rápidamente los artículos de "Gente hispana" e indica qué descripción corresponde a cada persona famosa. Después, compara tus resultados con los de otros compañeros.

1. _____Shakira_____ compone música, canta y toca la guitarra.
2. ___Gael García Bernal___ actúa en películas mexicanas.
3. ____Pedro Martínez____ juega al béisbol.
4. ___Sandra Cisneros___ escribe cuentos y novelas.
5. ____Salma Hayek____ actúa en películas norteamericanas.

Skimming and scanning

Act. 14B: Can be assigned. Encourage students to only skim the articles. Set a time limit. Check as a group.

Parte C: Miren la lectura otra vez y decidan de dónde es cada persona.

Scanning

Gente hispana

¡Mujer latina!

Nace en Chicago de madre chicana y padre mexicano, y pasa la infancia entre México y los barrios pobres de Chicago. Más tarde, esta mujer independiente, hija única de una familia con seis hijos varones, rechaza el papel tradicional de la mujer latina. **Sandra Cisneros** se dedica, entonces, a escribir sobre su vida como mujer latina... ¡en inglés! ¿Por qué? Quizás porque para ella, escribir significa poder cambiar la opinión que la gente tiene de su comunidad, su sexo y su clase social. En libros como *The House on Mango Street*, *Woman Hollering Creek* y *Caramelo*, Cisneros narra las experiencias de las chicanas y otras mujeres latinas pobres, creando personajes femeninos que triunfan en un mundo de tensión intercultural, pobreza

y humillación. Y es muy importante recordar que Cisneros no se considera hispana sino latina. Según Cisneros, *hispano* es un nombre de esclavo, asociado con los españoles que conquistaron a sus antepasados mexicanos. Para ella, sólo *latino* define la nueva identidad orgullosa de las personas descendidas de los pueblos de América.

Ladrona de corazones

Nace en 1977 de padre libanés y madre colombiana. Se inicia en la música a la edad de cinco años. Escribe su primera canción a los ocho años. Recibe su primer contrato con Sony a los 13 años. Graba su primer álbum platino —*Pies descalzos*— a los 19 años, convirtiéndose de la noche a la mañana en una estrella del rock latino. Hoy **Shakira**

es un nombre conocido en toda América y Europa, y su éxito no conoce límites. Colaborando con los productores Gloria y Emilio Estefan, la cantante colombiana saca otros discos —*¿Dónde están los ladrones?* y *Laundry Service*— no solo en español sino también en inglés (dice que habla tres lenguas pero que ama sólo en español...). ¿A qué se debe este éxito? En parte a su inconfundible voz. En parte a su perfeccionismo. En parte a la fusión singular que es su música, que combina influencias latinoamericanas con la música árabe de su padre, la música rock de Led Zeppelin, The Cure y Nirvana, y las composiciones poéticas de Leonard Cohen y Walt Whitman.

El rey de los lanzadores

Entre los pitchers del béisbol norteamericano, hay un nombre que sobresale entre los demás: **Pedro Martínez**, lanzador de los Medias Rojas. Muchos lo consideran el mejor lanzador del mundo, y es seguro que los habitantes de Boston así lo creen. Aunque no es muy grande, tiene un gran talento. Es posible que lo lleve en la sangre, ya que su

padre, su hermano mayor y su hermano menor son jugadores de béisbol. Dicen que es un hombre inteligente, sensible, humilde... y muy bien pagado —gana más de 10 millones de dólares al año. También tiene fama de ser competitivo y ambicioso, y los jugadores de otros equipos temen la mirada feroz de este gran profesional. Pero Pedro mismo se considera un hombre bueno, responsable y religioso. Aunque ahora es rico y famoso, no se olvida de su pueblo natal en la República Dominicana, donde ha financiado la construcción de una nueva iglesia, una guardería de niños y, cómo no, ¡un campo de béisbol!

Dos estrellas, dos trayectorias

Los dos son mexicanos: ella de Veracruz, él de Guadalajara. Los dos empiezan su carrera en la telenovela mexicana *Teresa*. Los dos representan en algún momento a iconos culturales de Latinoamérica: ella a la artista mexicana Frida Kahlo (*Frida*, 2002), él al revolucionario Che Guevara (*Diarios de motocicleta*, 2003). Y los dos son actores de gran éxito internacional. **Salma Hayek** y **Gael García Bernal** también son personas decididas, rebeldes y muy independientes, que saben forjar su propio destino. Salma deja una carrera fácil en México para buscar la fama en Hollywood, donde colabora en muchas otras películas norteamericanas (a veces con el conocido actor español Antonio Banderas) y finalmente realiza su sueño de representar a Frida. Gael decide quedarse en México, donde actúa en películas tan conocidas y controvertidas como *Amores Perros*, *Y tu mamá también* y *El crimen del padre Amaro*. Pero Gael no se queda siempre en casa y sale de su país para colaborar con el director español Pedro Almodóvar en *La mala educación*, y con una compañía británica en la trilogía *GOAL!*, en la que hace el papel de un jugador latino de Los Ángeles. Diferentes y similares, Gael y Salma siguen dos trayectorias diferentes, pero los dos parecen destinados para la gloria...

Actividad 15 **Detalles y pormenores** Busca la información indicada para cada persona o grupo en las lecturas de "Gente hispana".

- lugar de origen
- talentos/profesiones
- actividades favoritas
- un dato que te llama la atención

Actividad 16 **Una segunda aproximación** **Parte A:** En parejas, busquen en la lectura anterior las respuestas a las siguientes preguntas.

Sandra Cisneros: ¿A qué se dedica? ¿Qué escribe? ¿Cuál es su última novela? ¿De qué se queja?

Shakira: ¿Qué escribe a los ocho años? ¿Cuál es su primer álbum platino? ¿Qué lenguas habla?

Pedro Martínez: ¿Qué hace? ¿Qué temen los otros jugadores? ¿De qué no se olvida? ¿Cuál es el mejor regalo para su pueblo: la iglesia, la guardería o el campo de béisbol?

Salma y Gael: ¿Cuál es su lugar de origen? ¿Cuál de ellos trabaja más en EE.UU.? ¿Qué buscan los dos?

Parte B: Busquen las respuestas a las siguientes preguntas en la lectura anterior. Escribe el nombre de cada persona en el espacio en blanco.

1. ¿Quién narra las experiencias de las mujeres latinas? ____Cisneros____
2. ¿Quién rechaza el término **hispano**? ____Cisneros____
3. ¿Quién saca nuevos discos? ____Shakira____
4. ¿Quién conoce la música árabe? ____Shakira____
5. ¿Quiénes creen que Pedro es el mejor lanzador del mundo?
   ____los habitantes de Boston____
6. ¿Quién tiene fama de ser competitivo? ____Martínez____
7. ¿Quiénes representan a dos iconos culturales de Latinoamérica?
   ____Hayek y García____
8. ¿Quién hace el papel de un jugador de fútbol latino? ____García____
9. ¿Quién realiza su sueño? ____Hayek____

Skimming and scanning

Act. 15: Can be assigned. Emphasize use of present tense and direct object pronouns. If done in class, form pairs, set a time limit, and check as a group.

Act. 16A: Can be assigned. Some information is implicit: **Shakira habla español, inglés y árabe.** Some questions ask for opinions: point out that not all **latinos/hispanos** agree with Cisneros' rejection of the term **hispano**. Option: Take the activity out of the book and have students decide whether each question requires **qué** or **cuál**.

Scanning

Act. 16B: Can be assigned. Option: Have students answer using direct-object pronouns. Note: Question 9 can be answered with "**todos**" if general ideas are emphasized over exact wording.

Actividad 17 ¿Cómo son?   **Parte A:** Los siguientes adjetivos se suelen usar para describir a las personas. Piensa en las cinco personas famosas. Para cada persona famosa, escoge tres adjetivos. Justifica o ejemplifica cada adjetivo con algo que es, cree o hace esa persona.

▶ Shakira es una persona polifacética, porque sabe bailar, cantar y componer música.

polifacético/a	obstinado/a	generoso/a
respetado/a	responsable	idealista
controvertido/a	creativo/a	divertido/a (*fun*)
rebelde	egoísta (*selfish*)	trabajador/a
decidido/a (*determined*)	independiente	seductor/a

Parte B: Ahora prepara tres adjetivos que te describan a ti y justifica o ejemplifica cada adjetivo con algo que eres, crees o haces. Después, en parejas, compartan sus adjetivos y ejemplos. ¿Tienen características en común o son muy diferentes? ¿Son similares o diferentes de las cinco personas famosas?

Actividad 18 La descripción de un famoso   **Parte A:** Hay muchas maneras de describir a una persona. ¿Cuáles de los siguientes aspectos aparecen en las descripciones de "Gente hispana"?

_____ la edad	_____ lo que no le gusta
_____ la profesión	_____ la familia
_____ los gustos	_____ la personalidad
_____ las metas	_____ las actividades preferidas
_____ el origen	_____ la apariencia física
_____ los logros	_____ sucesos especiales

Parte B: Ahora, en parejas, escojan a una persona famosa. Pensando en los modelos de "Gente hispana", escriban una descripción de su persona. ¡Ojo! No mencionen el nombre de la persona, para que después otros estudiantes adivinen su identidad.

Cuaderno personal 1-3

Describe a una persona famosa que admiras y sus actividades preferidas. ¿Por qué admiras a esta persona?

Redacción: Reseña de una entrevista

ESTRATEGIA DE REDACCIÓN

Reported Speech

The following activities will lead you to write an article based on an interview. In order to do this, you will need to convert direct speech to reported speech. Examine the following examples.

Direct Speech (estilo directo)	Reported Speech (estilo indirecto)
—Soy bella, elegante y rica.	**Dice que** es bella, elegante y rica.
—¡¡Yo no soy gordo!!	**Insiste en que** no es gordo.

Other expressions used to introduce reported speech:

Confiesa que...   Afirma que...   Le parece que...

Cuenta que...   Cree que...   Contesta/Responde que...

Piensa que...   Explica que...

Actividad 19   Un poco de práctica   Cambia las siguientes frases del estilo directo al estilo indirecto.

1. En realidad, me llamo Isabel Mebarak.
2. No bebo pero fumo un poco.
3. Me gusta viajar por el mundo.
4. Voy a sacar un nuevo disco el año que viene.
5. Creo que soy un poco perfeccionista.

Reported speech

Act. 19: Assign and discuss in class. The examples refer to Shakira.

Actividad 20   La entrevista   En parejas, uno de Uds. es periodista y la otra persona es una persona famosa. Sigan las instrucciones para su papel. Cuando terminen, cambien de papel.

Periodista
Tienes que escribir un artículo sobre una persona famosa. Por supuesto, necesitas información. Usa el siguiente cuestionario y entrevista a una persona famosa. Consigue toda la información que puedas. ¡Pídele detalles íntimos! Toma buenos apuntes para escribir el artículo.

Persona famosa
Eres una persona famosa (real o ficticia) y te va a entrevistar un/a periodista para un artículo. Contesta sus preguntas detalladamente.

Gathering information

Act. 20: Tell students to pretend to be a known celebrity, or to make up one. Divide the class into groups A and B. The journalists interview the famous people. Reverse roles when finished. Tell famous people they are free to invent details of their private life. Option 1: Use the questions to make up a questionnaire and hand out to students. Option 2: Have students search the Web to find probable answers and information. You can also have students write the article without doing the interview.

1. ¿Cuál es su nombre verdadero?
2. ¿Le importa a Ud. si le pregunto su edad?
3. ¿Qué características físicas considera positivas en Ud.?
4. ¿Qué características de su personalidad contribuyen a su fama?

5. ¿Hay aspectos de su personalidad que considera negativos? ¿Cuáles?
6. ¿Cuáles son sus actividades favoritas?
7. ¿Qué piensa Ud. sobre _____ (algún tema)?
8. ¿Qué planes tiene para el futuro?
9. ¿Tiene Ud. algún mensaje para nuestros lectores?

ESTRATEGIA DE REDACCIÓN

Defining Audience and Purpose

An effective writer defines and keeps in mind an audience. The audience may be the writer himself/herself, another person, a specific group, or the general public. At the same time, the writer must define and keep in mind a clear purpose. For example, a writer may want to brainstorm or explore ideas, express love, provide information, explain and/or convince. Defining and considering your audience and purpose will help you decide what to discuss and how to express your thoughts.

Act. 21: Assign writing of article as HW. Specify length, deadline, other requirements. Let students know if they will do peer editing and/or rewrites. Discuss process writing if necessary.

Actividad 21 **El artículo** **Parte A:** Estudia la información que tienes sobre la persona famosa. Las respuestas de la entrevista se pueden dividir en cuatro categorías:

- apariencia física
- opiniones y actividades preferidas
- personalidad
- planes

Cada una de estas categorías puede formar la idea principal de un párrafo. Antes de seleccionar y organizar la información que vas a presentar, escoge un público y un propósito de los siguientes.

Público

a. personas de 15 a 24 años
b. tus padres y personas de su generación

Propósito principal

a. informar objetivamente sobre la vida de una persona
b. interesar al público con detalles y chismes chocantes

Debes tratar de incluir toda la información pertinente, pero organizarla y presentarla pensando en las opiniones y preocupaciones de tu público y las necesidades de tu propósito. Ahora, escribe tu artículo.

Parte B: Después de escribir el artículo, muéstraselo a la "persona famosa" que entrevistaste para ver si la información es correcta.

Capítulo 2

España y su historia

See the *Fuentes* website for related links and activities: http://college.hmco.com/languages/spanish/students

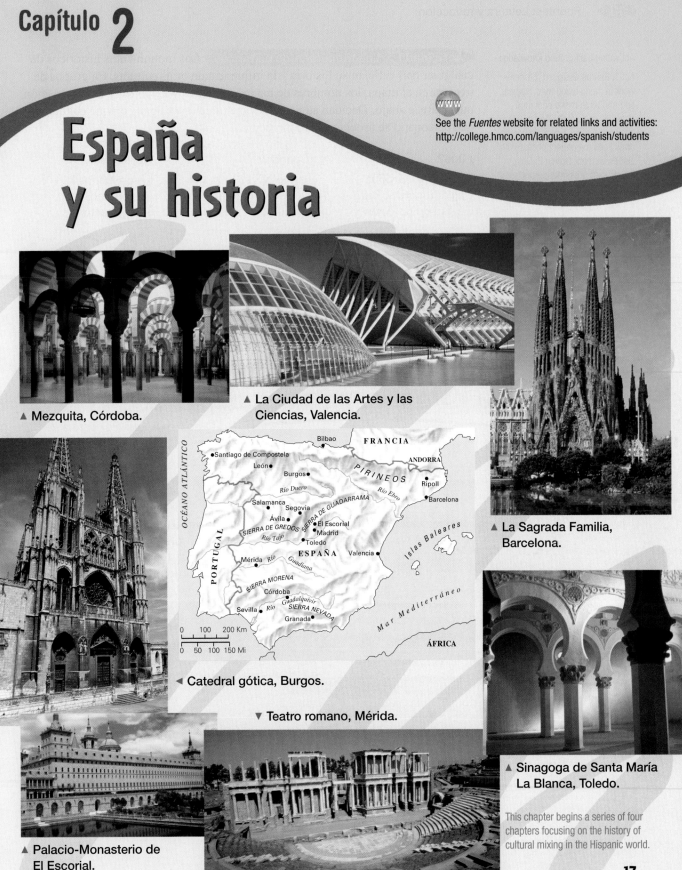

▲ Mezquita, Córdoba.

▲ La Ciudad de las Artes y las Ciencias, Valencia.

▲ La Sagrada Familia, Barcelona.

◄ Catedral gótica, Burgos.

▼ Teatro romano, Mérida.

▲ Sinagoga de Santa María La Blanca, Toledo.

This chapter begins a series of four chapters focusing on the history of cultural mixing in the Hispanic world.

▲ Palacio-Monasterio de El Escorial.

Actividad 1 Los monumentos históricos Los monumentos históricos de cualquier país reflejan su historia y la influencia de otras culturas. En grupos de tres, miren el mapa, los nombres de los monumentos y las fotos, y la información que aparece abajo. Decidan su fecha de construcción y digan con qué cultura o qué persona(s) se asocia cada monumento.

¿Qué?	¿Cuándo?	¿Quiénes?
Mezquita, Córdoba	el siglo XXI (2000+)	los cristianos
Catedral gótica, Burgos	el siglo X (la Edad Media)	los romanos
Ciudad de las Artes y las Ciencias, Valencia	el siglo I	el arquitecto Antonio Gaudí
Teatro romano, Mérida	el siglo XIII (Edad Media)	los judíos sefardíes
Palacio-Monasterio de El Escorial	el siglo XX (1882–1926)	los árabes (moros)
Sinagoga de Santa María La Blanca, Toledo	el siglo XVI (1562–1584)	Felipe II, rey de España
La Sagrada Familia, Barcelona	el siglo XIII (Edad Media)	el arquitecto Santiago Calatrava

Lectura 1: Un programa de cine

FCG links: Discussing film, narration with historical present and preterit, time expressions and adverbs of time

ESTRATEGIA DE LECTURA

Recognizing Chronological Organization

Understanding how a text is organized aids comprehension. One of the most common ways to organize a text is to follow a chronological sequence. Examples of a schematic use of chronological organization include recipes, trip itineraries, schedules, and instructions for putting things together or repairing things. These sorts of texts are often characterized by numbering or clear divisions between stages or events. Other more fully developed examples include certain types of news reports, histories, short stories, and novels. These last are generally referred to as examples of narrative.

Actividad 2 Primera mirada Mira rápidamente el programa de cine y completa las siguientes oraciones.

1. El programa de cine es para...
   _____ la televisión.   _____ un club de cine universitario.
   __✓__ una filmoteca.   _____ un cine comercial.
2. Son películas que tratan de...
   _____ la historia del cine español.   __✓__ la historia de España.
3. Las películas fueron producidas en...
   _____ Italia.   __✓__ España.   _____ Francia.
   __✓__ Estados Unidos.   _____ México.   __✓__ Reino Unido.

4. Los idiomas usados en las películas incluyen...

  ✓ el castellano.   ✓ el inglés.   _____ el francés.
  ✓ el catalán.   _____ el euskera.   _____ el gallego.

5. Las películas están ordenadas según...

  _____ el director y los actores.   _____ las lenguas usadas.
  _____ la fecha de producción.   ✓ el período histórico de la trama.

Use this item to present the other languages of Spain's **autonomías** (Galicia, País Vasco, Cataluña, País Valenciano, Baleares).

Actividad 3   El contexto histórico Mira brevemente la descripción de cada película y decide con qué período se asocia cada película.

la época romana
la Edad Media
la época de los Reyes Católicos

la época imperial
la guerra civil española
la época franquista

Skimming and scanning
Act. 3: Can be assigned.

La guerra civil española: 1936–1939

La época franquista (la dictadura de Francisco Franco): 1939–1975

Actividad 4   El cine histórico   **Parte A:** En parejas, contesten las siguientes preguntas.

1. ¿Conocen películas que tratan de la historia de su país? Den dos ejemplos.
2. ¿Qué tipos de eventos se narran? ¿Qué tipo de personajes suelen aparecer?
3. ¿Con qué objetivo se hacen películas históricas?
4. ¿Las películas históricas cuentan la verdad o una versión de la verdad?

Activating background knowledge

Act. 4: Assign and discuss in class. Model use of terms such as **personaje** and **trama.** If needed, give or elicit films such as *El pianista*, Casablanca, Apocalypse Now, **Lo que el viento se llevó.**

Parte B: Lee el siguiente programa de cine. Trata de identificar los personajes y los eventos básicos de la trama de cada película.

⫽ Ciclo de Cine: Historia de España

Organizado por la Filmoteca Municipal
Proyección: los días 20-25 de noviembre, a las 20:00

As you skim and scan this reading, remember that you only need to understand enough to complete assigned activities. Use your existing vocabulary and cognates to understand main ideas, and try to guess the meaning of new words by relying on context.

LUNES

El Cid (1961)
Director: Anthony Mann
Reparto: Charlton Heston, *Rodrigo Díaz de Vivar* (*El Cid*); Sophia Loren, *Jimena*
Duración: 182 min
País: Estados Unidos
Lengua: Inglés
Resumen: Esta película épica cuenta la historia — al estilo de Hollywood y Franco — del héroe cristiano de la Castilla medieval. La película cambia muchos aspectos de la leyenda tradicional, pero en lo esencial acierta... por medio de sus acciones, vemos al Cid[1] como el líder cristiano noble, honrado, justo, fiel, generoso y victorioso. El rey lo exilia injustamente, pero el leal Rodrigo acepta esa decisión. Durante largos años de separación, El Cid se mantiene fiel a su querida Jimena. Y cuando conquista el reino moro de Valencia, vuelve a declararse leal vasallo del rey. Al final, demuestra ser el líder de todos al unir a cristianos y musulmanes hispanos contra los invasores almorávides[2].

---

1 "Cid" era un título árabe que significaba "señor".   2 Los almorávides fueron musulmanes fundamentalistas que invadieron la península en 1086; conquistaron a los reinos moros y también a parte del territorio cristiano.

MARTES

Juana la Loca (2001)

Director: Vicente Aranda

Reparto: Pilar López de Ayala, *Juana*; Daniele Liotti, *Felipe*

Duración: 115 min

País: España

Lengua: Castellano

Resumen: En 1496, Isabel de Castilla y Fernando de Aragón, los Reyes Católicos, casan a su hija Juana de Castilla con Felipe "el Hermoso", hijo del Emperador alemán. Es una alianza política, pero Juana se enamora locamente de Felipe. Tienen varios hijos, entre ellos el futuro Emperador Carlos V[3], pero Juana se vuelve cada día más celosa a causa de las infidelidades de su marido. Al morirse Isabel en 1504, Juana se convierte en reina de Castilla. Continúan sus ataques de celos, y Felipe intenta declararla demente. Ella se defiende de su marido, pero sigue enamorada de él. Poco después Felipe muere de una fiebre. La reina declara que Felipe sólo duerme, y viaja por Castilla con su cadáver. Al final, su padre Fernando recupera el control de Castilla, y encierra a su hija Juana en el castillo de Tordesillas...

MIÉRCOLES

La misión (1986)

Director: Roland Joffé

Reparto: Robert De Niro, *Rodrigo Mendoza*; Jeremy Irons, *Gabriel*

Duración: 126 min

País: Reino Unido

Lengua: Inglés

Resumen: Durante el siglo XVIII, Gabriel, un jesuita español idealista, va al Paraguay para convertir a los indígenas guaraníes al cristianismo. Se enfrenta con Rodrigo, un cazador de esclavos indios, pero éste, después de matar a su propio hermano, hace penitencia convirtiéndose en misionero y defensor de los indígenas y las misiones. Gabriel y Rodrigo representan la cara buena del imperio, pero acaban enfrentándose con la cara mala: la realidad económica del imperio y la necesidad de trabajadores y esclavos. Cuando, con el apoyo de la Iglesia, la Corona de España vende el territorio de las misiones a los cazadores de esclavos (representados aquí por los portugueses), los jesuitas y los guaraníes tienen que tomar una decisión angustiosa: obedecer al Papa o resistir con la fuerza.

---

3 Carlos V fue Emperador del Sacro Imperio Romano (Alemania) y Rey de España durante la expansión imperial de España (1519–1555).

JUEVES

Tierra y libertad (1995)

Director: Ken Loach

Reparto: Ian Hart, *David Carr*; Rosana Pastor, *Blanca*; Icíar Bollaín, *Maite*; Tom Gilroy, *Lawrence*

Duración: 109 min

País: España / Reino Unido

Lengua: Inglés / Castellano / Catalán[4]

Resumen: En la primavera de 1936, un joven inglés abandona su ciudad natal de Liverpool y, como tantos otros jóvenes idealistas, decide ir a España para participar en la lucha contra Franco y el fascismo. David se alista en el POUM, una milicia internacional de hombres y mujeres, y le encantan el idealismo, la solidaridad y la igualdad del grupo. Tiene una relación íntima con Blanca, una mujer soldado. Después de ser herido, lo mandan a un hospital de Barcelona. Allí se alista en otro grupo de milicianos, pero David se desespera porque este grupo no lucha contra los fascistas sino contra otros grupos antifascistas. Años más tarde, después de su muerte, su nieta descubre la historia de su lucha fracasada.

VIERNES

La mala educación (2004)

Director: Pedro Almodóvar

Reparto: Gael García Bernal, *Juan, Ignacio, Ángel Andrade, Zahara*; Fele Martínez, *Enrique Goded*; Javier Cámara, *Paquito/Paca*

Duración: 105 min

País: España

Lengua: Castellano

Resumen: Este thriller fatalista narra tres momentos en la vida de dos amigos que se conocen en un colegio religioso a principios de los años 60, en plena época franquista[5]. Allí descubren la amistad, el cine y el miedo, asistidos por el cura que les da clase de literatura. Los tres personajes se vuelven a encontrar dos veces más, una vez en los años 70, y otra vez en los años 80, en el Madrid de la "movida"[6]. En ese momento uno de los chicos (Ignacio) es aspirante a actor, el otro (Enrique) es director de cine y el cura del colegio ya no es cura... Almodóvar dice que la película no es una historia anticlerical (aunque los malos educadores del título sean curas), y que es, más bien, una crítica de la represión social y política y de los secretos dañinos que crea.

---

4 El catalán es la lengua de Cataluña, en el noreste de España. Otras lenguas que se hablan en España son el vasco (o euskera) en el País Vasco y el gallego en Galicia.   5 La época franquista se refiere al período de la dictadura de Francisco Franco, entre 1939 y 1975.   6 La "movida" fue un movimiento social y cultural de los años 80 que celebró el fin de la dictadura y desafió las normas sociales tradicionales.

Scanning

Act. 5: Assign and discuss in class. Corrections: 1. **musulman → cristiano** 3. **Fernando de Aragón → Felipe el Hermoso** 4. **antes → después** 6. **Gabriel → Rodrigo** 8. **otros fascistas → antifascistas** 10. **en el mismo colegio → en el Madrid de la "movida"**. Option: After completing the activities, have students convert sentences to the past tense using the preterit.

Actividad 5 Personajes y acciones Después de leer el programa de cine, decidan en parejas a qué película se refiere cada oración. Después, decidan si son ciertas (C) o falsas (F), y corrijan las falsas.

1. __F__ El Cid es un musulmán que conquista el reino moro de Valencia.
2. __C__ El Cid se mantiene fiel a su esposa Jimena.
3. __F__ Juana la Loca se enamora de Fernando de Aragón.
4. __F__ Felipe el Hermoso se muere antes de casarse con Juana la Loca.
5. __C__ Gabriel y Rodrigo luchan por proteger a los indígenas guaraníes.
6. __F__ Gabriel es cazador de esclavos antes de convertirse en misionero.
7. __C__ David y Blanca participan en la guerra civil española.
8. __F__ David se desespera porque los fascistas luchan contra fascistas.
9. __C__ Los dos alumnos y el cura se conocen en un colegio religioso.
10. __F__ Los dos alumnos y el cura se reúnen años más tarde en el mismo colegio.

Summarizing

Act. 6: Assign one film to each pair. If done at home, assign each student a film. Discuss in class. Option 1: Before doing this activity, have students scan readings for time and sequence expressions. Option 2: Have students use the Internet to learn more about these films.

Reacting to reading

Option 3: Assign as a short writing activity, and then have students read aloud so that others can guess the film. Option 4: Have students convert their summaries to the preterit.

Act. 7A: Assign and discuss in class. Do a class sharing. Avoid use of subjunctive in class discussion by listing student reactions on the blackboard under headings such as **aspectos interesantes** or **sorpresas**. Option: Use the film descriptions to have students speculate on Spanish history and the films. **¿Por qué Isabel de Castilla y no Isabel de España? ¿Por qué *El Cid* tuvo éxito bajo Franco? ¿Puede ser un mito la locura de Juana? ¿Por qué se usan tres lenguas en *Tierra y libertad*? ¿El tema de *La misión* tiene relevancia para Latinoamérica hoy? ¿Cuáles son los secretos de *La mala educación*?**

Actividad 6 ¿Cuál es la trama? En parejas, hagan un breve resumen de la trama de una de las películas, con 3-6 acciones específicas. Usen adverbios temporales como **al principio, luego, después, finalmente** para completar el resumen. Por ejemplo, para la película *Tierra y libertad*:

▶ Al principio, David decide viajar a España para luchar contra Franco y los fascistas. Después de llegar, se alista en una milicia. Luego...

Actividad 7 Reacciones y recomendaciones Parte A: En parejas, contesten y comenten las siguientes preguntas sobre sus reacciones a las películas.

1. ¿Cuál es la película más interesante para ti?
2. ¿Cuál es la película más triste para ti?
3. ¿Cuál es un aspecto sorprendente para ti?
4. ¿Cuál de estas películas te gustaría ver más?

Parte B: Imaginen que la clase va a ver una de estas películas. En parejas, decidan cuál de ellas les gustaría ver más. Justifiquen su decisión.

Act. 7B: Option: Schedule a viewing of (or part of) a film. Note that certain scenes in *Juana la Loca* and *La mala educación* may not be appropriate for some students/schools. If so, limit viewing to selected clips.

Cuaderno personal 2-1

¿Cuál es tu película histórica favorita? Descríbela y explica por qué te gusta.

CP 2-1: Option: Use this activity as an in-class paired discussion activity.

FCG links: Narration in the past (preterit, pluperfect); time expressions and adverbs of time. Preterit in the reading and/or post-reading activities can be used as a transition to or from **FCG**.

Lectura 2: Panorama cultural

Actividad 8   Términos fundamentales Pon la letra de la definición más apropiada al lado de cada palabra. Puedes usar el glosario al final del libro o el diccionario si es necesario.

1. __e__ mezclar
2. __a__ pueblo
3. __b__ lograr
4. __c__ enviar
5. __g__ declive
6. __d__ obra maestra
7. __h__ reino
8. __i__ pertenecer
9. __f__ multisecular

a. grupo étnico o cultural
b. hacer y terminar, realizar
c. mandar
d. una producción artística de gran valor
e. combinar elementos diferentes
f. que dura muchos siglos
g. decadencia, deterioro
h. el territorio de un rey
i. formar parte de un grupo

Building vocabulary

Act. 8: Assign and discuss in class. Students should use process of elimination to guess answers, and then consult the glossary to confirm them.

Act. 9: Assign and discuss in class. For **reyes** and **siglos**, explain the use of ordinals for first to tenth, and cardinals for eleventh and above. Explain the use of periods in thousands, and commas in decimals. Answers: 1. **doscientos dieciocho antes de Cristo** 2. **cuatrocientos nueve después de Cristo** 3. **cuatro mil** 4. **Felipe Segundo** 5. **mil cuatrocientos noventa y dos, mil ochocientos diez, mil novecientos setenta y cinco** 6. **los siglos dieciséis y diecisiete**. Option: Use these items to practice pronunciation.

a. de C. = B.C.

d. de C. = A.D.

Actividad 9   En voz alta En parejas, miren las siguientes expresiones y léanlas en voz alta.

1. 218 a. de C.
2. 409 d. de C.
3. 4.000
4. Felipe II
5. 1492, 1810, 1975
6. los siglos XVI y XVII

Actividad 10   Hablando de historia El tema de la siguiente lectura es la historia de España. En parejas, hagan una lista de temas y palabras que esperan encontrar en este tipo de lectura. Luego, lean para ver cuántos de éstos aparecen.

Predicting, activating background knowledge.

Act. 10: Do in class. Before students read, use and elicit vocabulary related to or found in the reading (especially cognates). Give students

Historia abreviada de España

La Hispania romana

En el año 218 a. de C., los romanos invadieron la península Ibérica y crearon su nueva provincia de Hispania. Los seis siglos de dominio romano sobre Hispania vieron la mezcla de los romanos con los pueblos locales, el establecimiento de costumbres y leyes romanas y la adopción
5 casi completa del latín como lengua común. A partir del año 409 d. de C., el dominio político de Hispania pasó a un pueblo germánico, los visigodos, pero con el tiempo éstos también adoptaron las tradiciones romanas y la lengua latina.

La época de las tres culturas

En el año 711, los moros entraron en Hispania y en sólo siete años con-
10 quistaron casi toda la península, a la que llamaron Al-Ándalus. Los moros llevaron el islam y todo el esplendor de la civilización árabe del

Los vascos, del norte de España, nunca adoptaron el latín y todavía hoy hablan un idioma que no tiene relación con ningún otro idioma de Europa.

one minute to work in pairs, then have class sharing. Students may give options such as **castillos** and **conquistadores.** Help them develop these ideas into appropriate questions: **¿Por qué hubo castillos? Guerras, conflicto. ¿Entre quiénes?** Students then read to seek answers. Option: Have students identify cognates in the reading before doing a full reading.

momento: su comercio, arquitectura, literatura, música y sus conocimientos de astronomía, agronomía, matemáticas y filosofía. Estos aportes enriquecieron la cultura hispánica y la europea. Sin embargo, en las mon-

15 tañas del norte, algunos reinos cristianos resistieron el dominio de los musulmanes, y empezaron la "Reconquista" de la península. En este conflicto multisecular, el reino central de Castilla ("tierra de castillos") conquistó la mayor parte de los territorios del

20 sur, y por lo tanto fue el dialecto de ese reino, el castellano, el que se extendió en esas regiones. Aunque la Edad Media fue una época conflic- tiva, también fue un período de cooperación fructífera. Por ejemplo, bajo el rey castellano

25 Alfonso X el Sabio (1252–1284), musulmanes, cristianos y judíos trabajaron juntos en la famosa Escuela de Traductores de Toledo (siglos XII y XIII), donde tradujeron del árabe al castellano las obras filosóficas y científicas

30 de los musulmanes.

▲ La península Ibérica en el siglo X.

Unas 4.000 palabras del español son de origen árabe: **alfombra, alcalde, alquilar, álgebra, azúcar** y **ojalá,** del árabe "wa šā llâh" = y quiera Dios.

Los judíos tuvieron un papel muy importante en la vida intelectual y económica de la España medieval. Llamaron a España Sefarad, y hasta 1492 fue un lugar de refugio para los judíos, ya que durante la Edad Media otros reinos como Inglaterra y Francia ya habían expulsado a los judíos.

▲ Vista exterior del palacio de La Alhambra en Granada, monumento de la arquitectura musulmana en España.

1492

El día 2 de enero de 1492, los Reyes Católicos Isabel y Fernando conquistaron el último reino moro de Granada. Con su matrimo- nio, los reyes ya habían realizado la unificación de los reinos de Castilla y Aragón, pero la conquista de Granada les permitió continuar

35 su unificación política y religiosa de España. Al eliminar a los musul- manes, también decidieron eliminar a los judíos y ordenaron su

Los judíos expulsados de Sefarad (España) en 1492 son conocidos como los sefarditas.

expulsión o conversión al cristianismo
en el mismo año de 1492. Gracias a
su victoria en Granada, los reyes tam-
40 bién pudieron financiar al navegante
Cristóbal Colón, cuyo viaje a América
abrió un nuevo capítulo en la historia
de España: la conquista y colonización
del Nuevo Mundo. Fue en esta época
45 que el castellano, lengua principal de
los españoles, empezó a llamarse
español, y fue en 1492 que Antonio
de Nebrija publicó la primera
gramática de la lengua española.

El imperio español

50 En el siglo XVI, España creó un
gran imperio que llegó a exten-
derse a otras partes de Europa, a
América y hasta a las islas Filipinas.
México y Perú enviaron grandes cantidades de oro y plata y España se
55 convirtió en la superpotencia de la época. Pero el dinero se perdió en
ruinosas guerras contra los protestantes, como fue el caso cuando el rey
Felipe II mandó la "Armada Invencible" contra Inglaterra en 1588. En el
siglo XVII, España entró en un largo declive político y económico. Sin
embargo, la época de 1550 a 1650 también fue un momento de magnífica
60 producción artística, y fue durante este "Siglo de Oro" cuando Cervantes
publicó *Don Quijote de la Mancha* y los pintores El Greco y Velázquez
produjeron sus obras maestras.

▲ La península Ibérica
en el siglo XV.

Ask students to speculate on the
significance of 1776 (shortly before
the end of the Spanish Empire,
but also the year that the
British colonies declared their
independence).

El imperio español en 1776

La independencia

En 1808 el dictador francés Napoleón invadió España. Mientras la nación española luchaba contra Napoleón para conservar su independencia, las
65 colonias españolas de América iniciaron, a su vez, sus propias rebeliones contra la autoridad española. Casi todas las repúblicas hispanoamericanas lograron su independencia entre 1810 (Argentina) y 1828 (Bolivia).

Los españoles lucharon contra Napoléon de 1808 a 1814.

▲ *Los fusilamientos en la montaña del Príncipe Pío.* Francisco de Goya, Madrid, Museo del Prado. Este cuadro muestra los fusilamientos del tres de mayo de 1808 de los españoles que lucharon contra la invasión de Napoleón.

La España moderna

En 1898, España perdió sus últimas colonias de Cuba, Puerto Rico y las Islas Filipinas en una guerra con los Estados Unidos, y el imperio
70 español llegó a su fin. El choque fue seguido en el siglo XX por un momento de progreso, cuestionamiento y conflicto. Se estableció una república democrática en 1931, pero ésta no duró mucho tiempo a causa de las grandes divisiones que existían entre las diferentes facciones políticas. En 1936, el general Francisco Franco se rebeló contra el gobierno republi-
75 cano, lo cual inició la guerra civil española que terminó en 1939 con la victoria de Franco y los fascistas. La dictadura de Franco continuó hasta su muerte en 1975. A partir de entonces, España entró en una época de renovación social, política y económica. Ahora el país es una monarquía constitucional como el Reino Unido, y desde 1986 pertenece a la Unión Europea.
80 Es una de las democracias más estables del mundo, y también se beneficia de una fuerte economía, un alto nivel de vida y una cultura dinámica y variada.

España ahora está dividida en varias regiones autónomas. Cinco de las autonomías son bilingües: Cataluña, Valencia y Baleares (catalán y castellano), el País Vasco (euskera y castellano) y Galicia (gallego y castellano).

Actividad 11 **¿Qué ocurrió ese año?** La lectura menciona muchas fechas claves de la historia de España. Usa el pretérito para decir qué ocurrió en cada año.

▶ 218 a. de C.
En el año 218 a. de C., los romanos invadieron la península Ibérica y crearon la provincia de Hispania.

711	1810–1828
1492	1898
1550–1650	1975
1588	1936–1939
1550–1560	

Act. 11: Assign and discuss in class. Remind students to use **desde** and **hasta** for inclusive dates. Option 1: As students give answers, write events in a time line on the board. Have students sequence earlier and later events using the pluperfect and the preterit: **Los Reyes Católicos ya habían conquistado Granada cuando expulsaron a los judíos.**

Option 2: Have students use time expressions and adverbs of time to sequence the different events. Option 3: Use **hace que** + *preterit* to describe Spanish history: **Hace más de 500 años que Colón viajó a América.** Option 4: Have students relate the pictures of architectural monuments in the chapter opener to the history given here.

Actividad 12 **Datos históricos** Indica si cada oración es cierta (C) o falsa (F) según la lectura. Si es falsa, corrígela y lee la parte del texto que contiene la información.

1. __F__ El latín, el castellano y el español son tres lenguas diferentes.
2. __F__ La cultura y el idioma árabes tuvieron poco efecto sobre la cultura cristiana de la Edad Media.
3. __F__ Con su matrimonio, los Reyes Católicos unificaron los reinos de Castilla y Portugal.
4. __C__ La conquista de América fue, en cierto sentido, una extensión de la Reconquista medieval de España.
5. __C__ El imperio español se convirtió en gran defensor del catolicismo.
6. __C__ El imperio español entró en decadencia en el siglo XVII.
7. __F__ Goya y Picasso son artistas asociados con el "Siglo de Oro" de España.
8. __C__ Los fascistas o franquistas ganaron la guerra civil española.
9. __C__ La muerte de Franco representó el principio de una democracia estable en España.

Scanning

Act. 12: Assign and discuss in class. Have students justify responses by citing the text, and discuss why each sentence is (in)correct. Corrections: 1. **Castellano** and **español** refer to the same language; **latín** is usually considered a different language, but some linguists argue that Spanish, French, Italian, and Portuguese are modern dialects of Latin. 2. Give examples of scientific and lexical influences from Arabic. 3. **Castilla** and **Aragón.** Portugal remained independent, except for one later period of Spanish domination (1580–1640). 7. **Velázquez** and **El Greco** were the greatest painters of the **Siglo de Oro.** Tell students that Goya painted before, during, and after the Napoleonic Invasion of 1808. Option: Bring in Picasso's famous *Guernica* (1937) and point out its relation to the Spanish Civil War.

Actividad 13 **Ironías de la historia** Algunos acontecimientos de la historia pueden parecer irónicos desde una perspectiva moderna. En parejas, expliquen por qué los siguientes acontecimientos pueden considerarse irónicos.

1. Los judíos fueron expulsados de España en 1492.
2. El período de 1550–1650 se conoce como el "Siglo de Oro".
3. Las colonias españolas empezaron a luchar por su independencia en 1810.
4. España perdió sus últimas colonias en una guerra con los Estados Unidos.
5. La guerra civil española terminó en 1939.

Making inferences

Act. 13: Do in class. Answers: 1. **Iberia había sido un lugar bastante tolerante.** 2. **Al mismo tiempo, España entró en declive, y el oro americano se perdió en guerras ruinosas.** 3. **España misma había perdido su independencia con la invasión de Napoleón en 1808.** 4. **Estados Unidos era una democracia que había luchado contra el imperio británico.** 5. **La Segunda Guerra Mundial empezó el mismo año.**

Summarizing

Act. 14: Assign as HW.

Option 1: Provide answers so that students can self-check at home. Option 2: Check quickly in class by reading text aloud and having students say the answers (you should pause at each blank). Provide visual support by writing answers on the blackboard or by using a transparency or PowerPoint to project written forms of answers as they are given (use of PowerPoint allows the check to progress very rapidly since no writing is required). If students respond incorrectly, ask questions about the surrounding context in order to guide them to a correct answer.

Convivencia = coexistence, living together

Actividad 14 Para resumir En parejas, escojan y adapten palabras de la siguiente lista para terminar este resumen de la lectura.

expulsar	el siglo XIX	perderse	mezcla
Castilla	sufrir	guerra	Siglo de Oro
lograr	imperio	1975	

La larga historia de España se puede dividir en tres grandes etapas: expansión, decadencia y renovación. En sus orígenes, la cultura española fue el resultado de la _____mezcla_____ de muchos pueblos y culturas y de la convivencia entre cristianos, musulmanes y judíos en la Edad Media. Esta convivencia terminó cuando los Reyes Católicos _____lograron_____ unir los reinos cristianos de _____Castilla_____ y Aragón, conquistar el último reino moro de Granada y _____expulsar_____ a los judíos. La expansión castellana continuó con la creación del _____imperio_____ español, que se extendió en Europa, en América y hasta en las islas Filipinas. Las riquezas imperiales _____se perdieron_____ en largas _____guerras_____ religiosas, y desde temprano el imperio entró en declive económico, aunque también vio el florecimiento cultural conocido como el _____Siglo de Oro_____. El imperio llegó a su fin durante _____el siglo XIX_____, con la invasión de Napoleón y la independencia de las colonias americanas. En el siglo XX, España _____sufrió_____ los trágicos efectos de la guerra civil española y la dictadura de Franco, pero desde _____1975_____ vive un período de renovación social, política y económica.

Cuaderno personal 2-2

En tu opinión, ¿cuál fue el evento más importante de la historia de España? ¿Cuál fue el evento más importante de la historia de tu propio país? ¿Por qué?

Videofuentes: After seeing the video and completing the reading, help students compare the video and reading by using these questions for discussion in pairs or groups or as written HW.

VIDEOFUENTES

¿Qué aspectos de la "Historia abreviada de España" se ven reflejados en el video sobre España? ¿Incluye el video otros aspectos de la historia de España? ¿Cuáles?

Lectura 3: Literatura

FCG links: Narration in the past (preterit, pluperfect, time expressions), imperfect with time

ESTRATEGIA DE LECTURA

Guessing Meaning from Context

When reading, you will often come across words that are unfamiliar to you. In many cases these may be easily understood cognates. In other cases, however, you will need to look at the wider *context* to guess the meaning of unfamiliar words. The parts of a passage that surround a particular word generally limit what that word can and cannot mean. Though you may be tempted to look up each unfamiliar word in the glossary or dictionary, it is often faster and sometimes more helpful to guess the meaning of a word from its context, or even to skip it if it seems unimportant.

Note: If possible, assign and discuss stories on different days.

Reiterate that students should first try to guess meaning or skip words before turning to the glossary or dictionary.

Actividad 15   Personajes y acciones   Las palabras que están en negrita en las siguientes oraciones aparecen en los cuentos que vas a leer. Lee cada oración y escribe a su lado la letra de la definición de la palabra.

1. ___d___ **El mercader** fue a vender sus productos y mercancías al mercado.

2. ___e___ Cuando la mujer oyó el ruido, hizo **un gesto** de sorpresa.

3. ___a___ El hombre robó el dinero, salió del banco y **huyó** en un coche viejo.

4. ___b___ **El criado** puso la mesa, sirvió la comida y limpió los platos.

5. ___f___ A veces los políticos reciben **amenazas** de personas descontentas con sus acciones.

6. ___c___ Omar está muy triste por la **muerte** de su abuelo.

a. irse rápidamente de un lugar para escapar

b. una persona que trabaja sirviendo a otra persona (su amo)

c. el fin de la vida

d. palabra antigua para referirse a un comerciante

e. movimiento físico expresivo

f. palabras o acciones que demuestran que una persona le quiere hacer mal a otra

Guessing meaning from context

Act. 15: Assign and discuss in class. Model checking meaning against context by asking ¿**Tiene sentido tu respuesta en este contexto?**

Act. 16A: Ask leading questions: ¿**Qué cuentos empiezan con "Érase una vez…"** o *"Once upon a time"?* Elicit specific examples in

Actividad 16   El principio del cuento   **Parte A:** El principio de un cuento es importante porque muchas veces allí se presenta el conflicto del protagonista. Lee el primer párrafo del cuento, mira el dibujo y después contesta las siguientes preguntas.

1. ¿El principio se parece al de otros cuentos que conoces? ¿Cuáles?
2. ¿Por qué los cuentos folclóricos empiezan siempre con la misma fórmula?
3. ¿Qué crees que va a pasar en el cuento?

Predicting, activating background knowledge

English and Spanish. Choose one example (**Los tres cerditos**) and ask ¿**Para qué se cuentan historias de este tipo?** Elicit idea of teaching a lesson (**moraleja**) and have students do Part B.

Active reading

Otros cuentos conocidos de *Las mil y una noches* son "Aladino y la lámpara maravillosa" y "Alí Babá y los cuarenta ladrones". Muchos de los cuentos árabes se conocían en España durante la época de Al-Ándalus.

Parte B: Ahora, lee el cuento y busca la moraleja.

Bernardo Atxaga (se pronuncia [a-chá-ga]) es el seudónimo del autor vasco Joseba Irazu Garmendia. Nació en 1951 en Bilbao, España, y ha publicado cuentos, novelas, poesía y libros infantiles. Escribe en euskera, su primera lengua materna y luego traduce sus obras al español, su otra lengua materna. En 1989 se hizo famoso cuando su novela Obabakoak *ganó el Premio Nacional de Literatura. En la novela, Atxaga reúne muchos cuentos cortos de varias culturas para hablar del arte de contar historias. Una de sus fuentes es* Las mil y una noches, *obra clásica de la civilización árabe en la que la princesa Scheherazada evita la muerte contando una historia cada noche durante mil noches. El cuento "El criado del rico mercader" pertenece a esta colección. Atxaga lo utiliza en su novela como ejemplo de un cuento bien escrito y para mostrar cómo influyen los cuentos en nuestra manera de pensar, y lo reescribe para mostrar cómo nuestra manera de pensar influye en nuestra manera de contar historias.*

El criado del rico mercader
Contado por Bernardo Atxaga

Érase una vez... = Once upon a time there was/were . . .

Érase una vez, en la ciudad de Bagdad, un criado que servía a un rico mercader. Un día, muy de mañana, el criado se dirigió al mercado para hacer la compra. Pero esa mañana no fue como todas las demás, porque esa mañana vio allí a la Muerte y porque la Muerte le hizo un gesto.

5   Aterrado, el criado volvió a la casa del mercader.

—Amo —le dijo—, déjame el caballo más veloz de la casa. Esta noche quiero estar muy lejos de Bagdad. Esta noche quiero estar en la remota ciudad de Ispahán.

—Pero ¿por qué quieres huir?

10   —Porque he visto a la Muerte en el mercado y me ha hecho un gesto de amenaza.

El mercader se compadeció de él y le dejó el caballo, y el criado partió con la esperanza de estar por la noche en Ispahán.

Por la tarde, el propio mercader fue al mercado, y, como le había
15   sucedido antes al criado, también él vio a la Muerte.

—Muerte —le dijo acercándose a ella—, ¿por qué le has hecho un gesto de amenaza a mi criado?

—¿Un gesto de amenaza? —contestó la Muerte—. No, no ha sido un gesto de amenaza, sino de asombro. Me ha sorprendido verlo aquí, tan lejos
20   de Ispahán, porque esta noche debo llevarme en Ispahán a tu criado.

*El presente perfecto, **ha sido,** se usa en algunas partes del centro de España en vez del pretérito **fue,** para referirse al pasado reciente.*

Actividad 17   Otra mirada al contexto   Busca las siguientes palabras en el cuento que acabas de leer y escoge el sinónimo de cada una de ellas.

Guessing meaning from overall context

1. (línea 5) aterrado
   - a. tranquilo
   - b. preocupado
   - c. sorprendido
   - d. con mucho miedo

2. (línea 6) veloz
   - a. lento
   - b. rápido
   - c. bello
   - d. caro

3. (línea 6) déjame
   - a. abandóname
   - b. párame
   - c. regálame
   - d. préstame

4. (línea 12) se compadeció
   - a. habló
   - b. sufrió
   - c. se puso triste
   - d. tuvo compasión

5. (línea 19) asombro
   - a. sombra
   - b. depresión
   - c. sorpresa
   - d. alegría

*Act. 17: Assign and discuss in class. Answers: 1. **d** 2. **b** 3. **d** 4. **d** 5. **c**. Option: Skip this activity and tell students to underline important words that they feel they need to understand. Then help them choose strategies: ignore, use cognates, guess from context, or look up in the glossary or dictionary. Have students speculate on the particular meaning of **llevarse** (to carry away), which appears in the last line of the story.*

Actividad 18   Secuencias de acciones   En parejas, decidan si cada oración indica la secuencia correcta (C) o no (F) de las acciones del cuento. Si no, corrijan la oración.

Recognizing chronological organization

*Act. 18: Assign and discuss in class. Can be used as transition to or from **FCG** and pluperfect.*

1. __F__ El criado había querido huir a Ispahán antes de ver a la Muerte.

2. __C__ El criado ya había visto a la Muerte cuando le pidió el caballo al mercader.

3. __C__ El criado ya había aceptado el caballo cuando partió para Ispahán.

4. __F__ El mercader todavía no había hablado con el criado cuando fue al mercado.

5. __C__ El mercader ya había llegado al mercado cuando vio a la Muerte.

6. __F__ El criado no había salido para Ispahán cuando el mercader habló con la Muerte.

Identifying and interpreting main ideas

Act. 19A: Assign and discuss in class. Call attention to the surprise ending as an effective narrative technique and to aspects which make the lesson timeless and universal: characters as types without names; lack of historical time; Bagdad links to Arab culture, but often seems a non-place of fantasy in other cultures.

Act. 19B: Assign and discuss in class. Point out how the story reflects and teaches a traditional fatalistic perspective of life, a view which responds to lesser technologi-

Skimming and predicting

cal control of surroundings. This view has also been associated with Hispanic cultures, but Atxaga's version reveals this is less and less true.

Active reading

Act. 20A: Point out the addition of a personal name: Dayoub. Does this emphasize modern individualism? Have students name items in the drawings (**los espejos, la Muerte, la tienda**) and make predictions. Option: Have students write happy endings before reading Atxaga's version.

Act. 20B: Assign as HW. Encourage students to do a full reading and to try to guess meaning from context.

Actividad 19 El final del cuento Parte A: Los cuentos tradicionales suelen tener tres partes: principio, nudo y desenlace (el final). En el principio se presenta el problema del protagonista. En el nudo se complica la acción, y en el desenlace se soluciona el problema y se enseña una lección. En parejas analicen y describan los siguientes aspectos del cuento.

1. ¿Quiénes son y cómo son los personajes?
2. ¿Qué pasa en el cuento? ¿Tiene un final sorpresivo o previsible?
3. ¿Dónde y cuándo ocurre la acción?

Parte B: En grupos de tres, comenten las siguientes preguntas.
1. ¿Cuál es la moraleja del cuento?
2. ¿Qué perspectiva o valores refleja y enseña?
3. ¿Están Uds. de acuerdo con la moraleja? ¿Por qué sí o no?
4. ¿Les gusta el cuento? ¿Por qué sí o no?

Actividad 20 Una versión moderna del cuento Parte A: A Bernardo Atxaga no le gustó la visión fatalista de "El criado del rico mercader" y escribió otra versión. En parejas, miren el título y los dos dibujos, y después contesten las siguientes preguntas.

1. ¿Qué implicaciones tiene el cambio en el título?
2. ¿Creen que esta versión termina con un final feliz o un final triste? ¿Por qué?

Parte B: Ahora, lee la nueva versión de Atxaga y piensa en las siguientes preguntas. Después de leer, en parejas, discutan las preguntas.

1. ¿Tiene el criado el mismo problema que tiene en la primera versión?
2. ¿En qué línea empiezan a ser diferentes las acciones?
3. ¿Atxaga le da un final sorpresivo o previsible?

Dayoub, el criado del rico mercader
Bernardo Atxaga

Érase una vez, en la ciudad de Bagdad, un criado que servía a un rico mercader. Un día, muy de mañana, el criado se dirigió al mercado para hacer la compra. Pero esa mañana no fue como todas las demás, porque esa mañana vio allí a la Muerte y porque la Muerte le hizo un gesto.

5   Aterrado, el criado volvió a la casa del mercader.

—Amo —le dijo—, déjame el caballo más veloz de la casa. Esta noche quiero estar muy lejos de Bagdad. Esta noche quiero estar en la remota ciudad de Ispahán.

—Pero ¿por qué quieres huir? —le preguntó el mercader.

10   —Porque he visto a la Muerte en el mercado y me ha hecho un gesto de amenaza.

El mercader se compadeció de él y le dejó el caballo, y el criado partió con la esperanza de estar esa noche en Ispahán.

El caballo era fuerte y rápido, y, como esperaba, el criado llegó a
15   Ispahán con las primeras estrellas. Comenzó a llamar de casa en casa,
pidiendo amparo.

—Estoy escapando de la Muerte y os pido asilo —decía a los que le
escuchaban.

Pero aquella gente se atemorizaba al oír mencionar a la Muerte y le
20   cerraban las puertas.

El criado recorrió durante tres, cuatro, cinco horas las calles de Ispahán,
llamando a las puertas y fatigándose en vano. Poco antes del amanecer llegó
a la casa de un hombre que se llamaba Kalbum Dahabin.

—La Muerte me ha hecho un gesto de amenaza esta mañana, en el
25   mercado de Bagdad, y vengo huyendo de allí. Te lo ruego, dame refugio.

—Si la Muerte te ha amenazado en Bagdad —le dijo Kalbum
Dahabin—, no se habrá quedado allí. Te ha seguido a Ispahán, tenlo por
seguro. Estará ya dentro de nuestras murallas, porque la noche toca a su fin.

—Entonces, ¡estoy perdido! —exclamó el criado.

30   —No desesperes todavía —contestó Kalbum—. Si puedes seguir vivo
hasta que salga el sol, te habrás salvado. Si la Muerte ha decidido llevarte
esta noche y no consigue su propósito, nunca más podrá arrebatarte. Ésa es
la ley.

—Pero ¿qué debo hacer? —preguntó el criado.

35   —Vamos cuanto antes a la tienda que tengo en la plaza —le ordenó
Kalbum cerrando tras de sí la puerta de la casa.

Mientras tanto, la Muerte se acercaba a las puertas de la muralla de
Ispahán. El cielo de la ciudad comenzaba a clarear.

—La aurora llegará de un momento a otro —pensó—. Tengo que darme
40   prisa. De lo contrario, perderé al criado.

Entró por fin a Ispahán, y husmeó entre los miles de olores de la ciudad
buscando el del criado que había huido de Bagdad. Enseguida descubrió su
escondite: se hallaba en la tienda de Kalbum Dahabin. Un instante después,
ya corría hacia el lugar. En el horizonte empezó a levantarse una débil
45   neblina. El sol comenzaba a adueñarse del mundo.

La Muerte llegó a la tienda de Kalbum. Abrió la puerta de golpe y... sus
ojos se llenaron de desconcierto. Porque en aquella tienda no vio a un solo
criado, sino a cinco, siete, diez criados iguales al que buscaba.

Miró de soslayo hacia la ventana. Los primeros rayos del sol brillaban
50 ya en la cortina blanca. ¿Qué sucedía allí? ¿Por qué había tantos criados en
la tienda?

No le quedaba tiempo para averiguaciones. Agarró a uno de los criados
que estaba en la sala y salió a la calle. La luz inundaba todo el cielo.

Aquel día, el vecino que vivía frente a la tienda de la plaza anduvo
55 furioso y maldiciendo.

—Esta mañana —decía— cuando me he levantado de la cama y he
mirado por la ventana, he visto a un ladrón que huía con un espejo bajo el
brazo. ¡Maldito sea mil veces! ¡Debía haber dejado en paz a un hombre tan
bueno como Kalbum Dahabin, el fabricante de espejos!

Guessing meaning from overall
context

Act. 21: Assign and discuss in class.
Answers: 1. **a** 2. **a** 3. **c** 4. **b** 5. **c** 6. **a**
7. **a**

Actividad 21 **Detalles del cuento** Después de leer el cuento una vez,
escoge el sinónimo de cada expresión indicada. Vuelve a mirar el contexto del
cuento si es necesario.

1. (línea 15) Comenzó a llamar de casa en casa, pidiendo **amparo.**
   a. refugio   b. comida   c. dinero
2. (línea 19) Pero aquella gente **se atemorizaba** al oír mencionar a la Muerte
   y le cerraban las puertas.
   a. tenía miedo   b. se aburría   c. se enojaba
3. (línea 30) No **desesperes** todavía.
   a. te despiertes   b. te pierdas   c. pierdas la esperanza
4. (línea 31) Si la Muerte ha decidido llevarte esta noche y no consigue su
   propósito, nunca más podrá **arrebatarte.**
   a. perderte   b. llevarte   c. pegarte
5. (línea 45) El sol comenzaba a **adueñarse del mundo.**
   a. ponerse   b. desaparecer   c. salir
6. (línea 46) Abrió la puerta de golpe y... sus ojos se llenaron de **desconcierto.**
   a. confusión   b. música   c. lágrimas
7. (línea 52) No le quedaba tiempo **para averiguaciones.**
   a. para investigar   b. para mirarse más   c. para buscar a
      la situación   otras víctimas

Actividad 22 **Primero, luego y después**   **Parte A:** Pon las siguientes oraciones en orden lógico para formar un resumen del cuento.

___6___ Al salir el sol se vieron muchos reflejos del criado en los espejos.

___2___ Se encontró con la Muerte, que le hizo un gesto de amenaza.

___3___ Dayoub fue corriendo a su amo, el rico mercader, y le pidió el caballo más veloz que tenía para escaparse de la ciudad.

___1___ El criado Dayoub fue al mercado de Bagdad para hacer la compra.

___4___ Al llegar a Ispahán el criado buscó refugio, pero nadie quiso ayudarlo hasta que llegó a la casa de Kalbum Dahabin.

___7___ La Muerte entró con mucha prisa, se equivocó y cogió un espejo en vez de coger al criado.

___5___ Kalbum se dio cuenta de que la Muerte ya había llegado a Ispahán y llevó a Dayoub a su tienda de espejos, donde lo "escondió" en el centro de la tienda.

Parte B: Usen las oraciones de la Parte A para escribir un breve resumen del cuento de Dayoub. Usen expresiones y adverbios de tiempo como **un día, por la mañana/noche, luego, antes/después de, enseguida, inmediatamente, de repente, finalmente, tan pronto como, en cuanto,** etc.

Actividad 23 **Los dos cuentos**   En parejas, comparen los dos cuentos respondiendo a las siguientes preguntas.

1. ¿En qué se parecen o diferencian los cuatro aspectos fundamentales de cada cuento: personajes, acción (principio, nudo, desenlace), lugar y tiempo? Hagan una lista de las diferencias más importantes.
2. ¿Qué cuento tiene un final más interesante? ¿Más pesimista?
3. ¿Qué valores refleja y enseña cada cuento?
4. ¿Qué relación tienen estos dos cuentos con la historia de España?

Actividad 24 **Una experiencia personal**   Se dice que los mejores cuentos tienen un final sorpresivo. En parejas, piensen en una experiencia personal que terminó con una sorpresa y cuéntenle a su compañero/a lo que pasó. ¿Qué les asustó o sorprendió? ¿Qué hicieron Uds.? ¿Los/Las ayudó alguien?

Cuaderno personal 2-3

¿Qué cuento te gustó más? ¿Por qué? ¿Cuál de los dos cuentos refleja mejor tu propia perspectiva sobre la vida?

Recognizing chronological organization

Act. 22A: Assign and discuss in class. Option 1: Do in groups as a strip story: type sentences on separate sheets (one per group), cut each sheet into strips, hand strips out to groups to put in chronological order. Option 2: To practice or transition to the imperfect with time, have students give approximate time of each action: **Era por la mañana cuando… Era por la tarde/de noche/de madrugada cuando…** Have students justify answers.

Marking sequence with transition words

Act. 22B: Can be assigned and discussed in class. Do as follow-up to Option 1 above. Consider different possibilities for each sentence and consider effects on meaning of each transition expression.

Identifying and interpreting main ideas

Act. 23: Assign and discuss in class. Form pairs. Point out contrasting aspects of the second story: personalization of Dayoub and Kalbum (individualism), impact of generosity, and the use of technology (**espejos**) to defeat death. Option: Have students perform skits based on each story, and compare their performances.

Act. 24: Encourage students to invent a story or embellish one if they can't think of an experience with a surprise ending. Option: Assign as a short writing activity to be done as HW.

CP 2-3: Discuss this question in class in order to have students reflect on the cultural implications of their preference. The first story is classically fatalist and argues for acceptance of what can't be changed, while the second is modern/utilitarian and emphasizes individual ingenuity and initiative.

Redacción: Un cuento

ESTRATEGIA DE REDACCIÓN

Marking Sequence with Transition Words

When writing about events or activities that occurred in a particular sequence (as in a short story), transition words can help mark the chronological relationships between the actions. These include:

al principio	at first
primero	first
luego	then; next; later
enseguida	immediately; immediately afterward
antes	before
antes de eso	before that
después/más tarde	afterward; later
después de eso	after that
por último	finally (*last in a series*)
por fin/finalmente	finally (finally!)
al final	in the end

Avoid overusing sequence words. Reserve them primarily for clarification. You can also mark sequence by using verb tenses and time references such as **por la mañana** and **por la tarde** if the time sequence is clear.

The first important event of a traditional story is often marked with **un día.**

Redacción: Whether assigned to groups or individuals, assign in several stages. This particular assignment should be completed while students are studying the imperfect in Chapter 3. Option: Have students look at the two versions of **"El criado del rico mercader."** Ask them to find all chronological transition words.

Activating background knowledge

Act. 25: Can be assigned as HW. Assign stories for diversity. Circulate and help students with vocabulary. (See Act. 26B.) Have some students briefly tell their story. Use the historical present to avoid problems with preterit and imperfect and suggest alternative transition words. Option: Prepare brief, untitled summaries of some of these stories and have students identify titles and **moralejas.** Have students express their cultural reactions: do they agree with the **moralejas**?

Encourage use of **Hay que..., Es necesario..., Se debe...** to explain the moral.

Actividad 25 Los cuentos y la moraleja A continuación hay una lista de cuentos folclóricos muy populares. En parejas, adivinen el equivalente de cada título en inglés. Luego, escojan uno de los cuentos y preparen un resumen utilizando expresiones de transición. Después de completarlo, léanselo a la clase para que los demás digan la moraleja o lección moral.

Títulos

Blancanieves y los siete enanitos
Ricitos de oro y los tres osos
La Cenicienta
El nuevo traje del emperador
Caperucita Roja
Los tres cerditos
El ratón de la ciudad y el ratón del campo
El patito feo
La bella durmiente

Actividad 26 **La creación de un cuento original**   **Parte A:** Vas a escribir un cuento original. Escoge una moraleja que te parezca importante para tu cuento. La moraleja puede ser tradicional o reflejar un tema moderno como el sexismo, el ecologismo o la alta tecnología.

Parte B: Los cuentos folclóricos suelen construirse a base de ciertos elementos tradicionales. Escoge varios de los siguientes para tu propio cuento.

un rey	un castillo	un tesoro
un reino	una princesa	un lobo
un príncipe	un brujo/mago	un jorobado
una bruja (*witch*)	(*magician*)	(*humpback*)
la invisibilidad	un pájaro que habla	una receta (*recipe*)
una alfombra mágica	un lago	un sapo (*toad*)
una paloma (*dove*)	una ventana	una serpiente
un bosque	una gota de sangre	un anillo
un pez que habla	un caballo que vuela	un dragón
una llave	un espejo mágico	una torre
una lámpara mágica	una espada mágica	un árbol con
un hada madrina	un pozo de los	fruta mágica
(*fairy godmother*)	deseos (*wishing well*)	
una reina	un encanto (*spell*)	

Parte C: Piensa en los acontecimientos de tu cuento y escribe la primera versión. Recuerda que el cuento necesita los siguientes elementos.

- título
- protagonista (el/la bueno/a)
- antagonista (el/la malo/a)
- descripción del contexto o del mundo de los personajes (el lugar, el tiempo)
- moraleja

Usa expresiones de transición cuando sea necesario.

Writing a story

Act. 26A: Can be assigned. Option: Have students make up modern **moralejas.**

Act. 26B: Option 1: Have students brainstorm these in class and help them with vocabulary. Option 2: Write elements on small pieces of paper, put them in a grab bag, and allow each student to grab a handful. These items then form the basis for each student's story. Option 3: Have students brainstorm and use modern elements instead. For example: **un jacuzzi mágico, un hada madrina con teléfono móvil, una princesa feminista, una tarjeta de crédito sin límite.**

Once upon a time there was/were . . . = **Érase una vez.../ Había una vez...**

. . . and they lived happily ever after. = **... y vivieron felices y comieron perdices.**

Act. 26C: Specify requirements (length, number of versions, format, dates). Option: Have students outline in groups, then have them write their own versions individually outside of class.

Capítulo 3

La América indígena: Ayer y hoy

▲ Las ruinas de Tikal (Guatemala), ciudad construida en la época clásica de la civilización maya.

See the *Fuentes* website for related links and activities:
http://college.hmco.com/languages/spanish/students

Actividad 1 **¿Qué saben ustedes?** En parejas, miren la foto de la página
anterior e intenten contestar las siguientes preguntas.

Activating background knowledge

1. ¿Qué se ve en la foto?
2. ¿Dónde está?
3. ¿Cuándo fue construido?
4. ¿Para qué servía?
5. ¿Quiénes lo construyeron?
6. ¿Existe esa cultura hoy día?

Act. 1: Can be assigned as HW. Ask leading questions as guides: **¿Es
una ciudad o centro religioso? ¿Está en México, Guatemala o
Perú? ¿La construyeron los incas, los aztecas o los mayas?**
Provide vocabulary as needed. Let students discover exact dates later
as they read. #6 is both **sí** and **no:** the actual Maya civilization that
constructed pyramids no longer exists, but Maya cultures and languages do exist today in Yucatán, Belize, and Guatemala.

Lectura 1: Un artículo de revista

FCG links: Narration and
description in the past: imperfect, re-entry of preterit and pluperfect

ESTRATEGIA DE LECTURA

Using Sentence Structure and Parts of Speech to Guess Meaning

When using context to guess the meaning of unfamiliar vocabulary, you usually focus
on the meaning of surrounding words. However, at times it is also useful to focus on
the basic sentence structure and its parts. The larger parts of a sentence (subject, verb,
object, prepositional phrase) can often be broken down into individual words, which
can then be identified with a particular function or part of speech (noun, adjective,
verb, adverb).

The parts of speech (**las partes de la oración**) include the following:

- **el sustantivo:** A noun is a person, place, thing, or concept: **el jefe, el parque, la
albóndiga, el impresionismo.**
- **el verbo:** A verb refers to an action or state: **subir, correr, estar.** Verbs can be transitive (they take a direct object—**Canto ópera.**) or intransitive (no direct object—
Estoy bien.)
- **el adjetivo:** An adjective describes (**grande, impresionante, completo**) or limits
(**algunos, este, doce**) a noun.
- **el adverbio:** An adverb describes the action of a verb (**despacio, rápidamente,
temprano**) or describes the degree of an adjective (**muy, poco, increíblemente**).
- **el artículo:** An article marks the gender, number, and definite or indefinite nature
of a noun: **el, la, los, las, un, una, unos, unas.**
- **la preposición:** A preposition identifies the links between other words: **a, con, de,
desde, en, entre, hacia, hasta, para, por, sin, sobre,** etc.
- **la conjunción:** A conjunction connects elements within a sentence: **y, o, pero,
sino.**
- **el pronombre relativo:** A relative pronoun connects a subordinate verbal clause to
another element in the sentence: **que, quien, donde, el cual,** etc.

Identifying parts of speech may give you just enough information to determine the
basic relationships within a sentence. Try this sentence written in nonsense Spanish.
What information can you safely determine about the words?

El manículo golupeó calamente a Paco en la cloba gara.

Start with the familiar: **El** and **la** mark the nouns **manículo** and **cloba. En** is a preposition and marks off at least **la cloba** as part of a prepositional phrase. **Paco** is a common Spanish name, so the **a** could be a preposition (*to*) or **a** personal. Where's the verb? **Golupeó** looks likely since it follows the first noun (often the subject), ends in the preterit **-ó,** and is followed by an adverb ending in **-mente. Gara** is probably an adjective since it follows a noun and agrees with it in gender and number.

This sort of analysis can be useful in helping you understand difficult passages. Often, in order to get the gist of an idea, it is enough to pick out key verbs and nouns in order to know who is doing what. Then you can read on and clarify these basic ideas, since the natural redundancy of language will often lead to the same concept being repeated or referred to with different vocabulary farther on in the passage.

Determining parts of speech

Act. 2: Assign and discuss in class. These examples are taken from the beginning of the text and serve to activate background knowledge. They also serve as preparation for the strategy on syntax in Chapter 4.

Actividad 2   Las partes de la oración   Determina las partes de las siguientes oraciones que aparecen en la lectura sobre los mayas.

1. Cinco siglos después, su civilización desapareció misteriosamente.
2. Un millón de los actuales habitantes de la región habla un dialecto.
3. Los investigadores acaban de descubrir cuatro nuevos sitios arqueológicos.
4. Los últimos hallazgos clarifican las razones que llevaron a los mayas a abandonar su imperio.

Using parts of speech to guess meaning

Act. 3A: Assign and discuss in class. Point out that **guerrero** and **incendiado** can be used as more than one part of speech. Option: Help students identify meanings by having them point out related words: **esclavo, seco, guerra, hallar, sangre, escaso, incendio.**

Act. 3B: Assign and discuss in class.

Actividad 3   Palabras y oraciones   **Parte A:** Usa el glosario al final del libro para determinar el significado y la parte de la oración de cada una de las siguientes palabras.

esclavizar	sequía	alimento
guerrero	sacerdote	hallazgo
sangriento	escasez	incendiado

Parte B: En cada oración, decide la parte de la oración que se necesita para cada espacio en blanco. Después, elige una palabra de la Parte A para completar la oración, adaptando cada palabra al contexto.

1. Normalmente los mayas presentaban _____alimentos_____ como sacrificios a sus dioses, pero en ocasiones especiales ofrecían, en sacrificio, seres humanos.
2. En la religión maya, los _____sacerdotes_____ eran las personas que hacían los sacrificios para los dioses.
3. Antes se creía que la civilización maya era muy pacífica, pero ahora se cree que era una cultura bastante _____guerrera_____.
4. Algunos _____hallazgos_____ arqueológicos han revelado las causas de la desaparición de la civilización maya.
5. Los arqueólogos han encontrado evidencia de que las batallas y las guerras eran destructivas y _____sangrientas_____.
6. Los arqueólogos han encontrado edificios _____incendiados_____, lo que demuestra que una táctica de la guerra era quemar los edificios de los adversarios.

7. Muchas veces las culturas indígenas mesoamericanas _____esclavizaban_____ a los enemigos capturados en las guerras.

8. Los mayas temían las _____sequías_____, y por lo tanto construían muchos templos dedicados a Chac, dios de la lluvia.

9. Después de una sequía o un desastre natural, la gente suele sufrir _____escasez_____ de alimentos.

Actividad 4   Hacia el significado   Las siguientes oraciones aparecen en el artículo. Determina el significado de las palabras en negrita según el contexto.

Guessing meaning from context

Act. 4: Assign and discuss in class (or provide answers for self-correction). Point out that the urban organization referred to in #5 is still typical of much of the world. American middle-class suburbanization is unique. Answers: 1. **c** 2. **a** 3. **b** 4. **a** 5. **c** 6. **c**

1. ... los arqueólogos abrieron la tierra para **desenterrar** los misterios de una de las civilizaciones más complejas y desafiantes hasta ahora analizadas.
   a. ocultar   b. romper   c. descubrir

2. Sus habitantes se internaron en **la selva** para volver a sus orígenes más primitivos...
   a. el bosque tropical   b. el mar   c. la ciudad

3. ... las guerras eran batallas bien **orquestadas,** con la finalidad de conquistar el poder y esclavizar nobles rivales.
   a. musicales   b. organizadas   c. originales

4. ... las guerras llevaron a la completa destrucción del pueblo, provocando **un quiebre** en la estructura social.
   a. un colapso   b. un cambio   c. una renovación

5. Hoy se sabe que ellas [las ciudades mayas] funcionaban exactamente como **una urbe** moderna... Las ciudades eran circundadas por ciudades satélites que albergaban a la población suburbana como artesanos y obreros.
   a. una civilización   b. un estado   c. una ciudad

6. ... las **escaramuzas** entre las decenas de ciudades-estado de la región evolucionaron hacia guerras sangrientas que transformaron poderosos centros urbanos en aldeas fantasmas.
   a. distancias   b. comunicaciones   c. pequeñas batallas

Actividad 5   La muerte de una civilización   **Parte A:** La lectura trata de una cultura que desapareció de América. En grupos de tres, contesten las siguientes preguntas.

Activating background knowledge

Act. 5A: Do in class before reading. Have students scan the photos, map, title, and introductory sentence to predict contents. If students lack background in history, focus on the present. Clarify meaning of vocabulary as needed.

1. ¿Conocen Uds. algunas culturas desaparecidas?

2. ¿Qué factores podían causar la destrucción de una civilización en el pasado?

superpoblación o sobrepoblación

la guerra (nuclear)   la superpoblación
la conquista   el hambre
la destrucción del medio ambiente   las epidemias y enfermedades
la pérdida de valores morales   un desastre natural
el exceso de riqueza

Parte B: Mientras lees este artículo de la revista chilena *Qué pasa*, escribe una lista de todas las causas que se mencionan sobre la desaparición de la gran civilización maya. Después, en grupos de tres, comparen sus apuntes para ver si están de acuerdo.

Active reading, Identifying main ideas

Act. 5B: Assign as HW and discuss in class. Factors include **guerras, sacrificios y tributos excesivos, rebeliones, destrucción ecológica,** but numerous sub-factors can be mentioned: **sequías, superpoblación, erosión, desperdicio de la comida,** etc.

Autopsia de una civilización

Tras años de investigaciones, un grupo de arqueólogos descubre dos nuevos sitios arqueológicos[...] que ayudan a desentrañar el misterio de la desaparición de los mayas.

[...] Con sus monumentales ciudades en el medio de la selva y ejerciendo el dominio sobre la mayoría de los pueblos contemporáneos de la región, los mayas vivieron su época dorada a partir del año 250 de la era cristiana. Cinco siglos después, su civilización desapareció misteriosamente. Sus habitantes se internaron en la selva para volver a sus orígenes más primitivos y dejaron sólo las pruebas de su cultura: los templos y pirámides. [...] Aunque un millón de los actuales habitantes de la región habla un dialecto que se desarrolló directamente del lenguaje maya original, el misterio se ha mantenido por décadas. Sin embargo, los últimos hallazgos clarifican las razones que llevaron a los mayas a abandonar su imperio e internarse en la selva en el siglo octavo.

Los investigadores acaban de descubrir cuatro nuevos sitios arqueológicos — dos de ellos intactos — en las montañas al sur de Belice. La lectura de los jeroglíficos hallados muestra que los mayas adoraban luchar. Sus gobernantes se esmeraban en el arte de torturar y matar a los enemigos. Inauguraciones, celebraciones esporádicas y ceremonias religiosas culminaban siempre con sacrificios rituales. Los estudios del arqueólogo de la Universidad de Vanderbilt, Arthur Demarest, [...] dividen la historia del Imperio en dos períodos: antes y después del año 761 d.C.

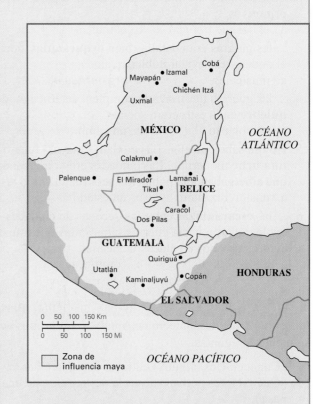

En la primera fase, las guerras eran batallas bien orquestadas, con la finalidad de conquistar el poder y esclavizar nobles rivales. "En la segunda etapa las guerras llevaron a la completa destrucción del pueblo, provocando un quiebre en la estructura social", dice Demarest[...] Lo que ocurrió fue una guerra civil, una insurrección tan violenta contra las clases dominantes de nobles y sacerdotes, que toda la cultura entró en crisis.

Sumado a lo anterior, el frágil lazo que representaba la religión se debilitó aún más. Una combinación de desastres naturales contribuyeron a ello, principalmente sequías severas provocadas por la desforestación, y la superpoblación, que elevó las tensiones sociales a niveles explosivos. La tierra ya no producía granos en cantidad suficiente para satisfacer a los sacerdotes y sus ceremonias de abundancia, en las que se quemaban grandes cantidades de alimentos, mientras el pueblo tenía hambre. La organización maya era similar a la de la antigua Grecia. Formaban ciudades-estado, organizadas independientemente y unidas sólo por la religión y la lengua, pero con enormes rivalidades. Las ciudades mayas no sólo estaban formadas por templos religiosos y por los palacios de la élite. "Hoy se sabe que ellas funcionaban exactamente como una urbe moderna", explica el antropólogo Antonio Porro. "Las ciudades eran circundadas por ciudades satélites que albergaban a la población suburbana como artesanos y obreros." Después de la era clásica, situada alrededor del año 750, las escaramuzas entre las decenas de ciudades-estado de la región evolucionaron hacia guerras sangrientas que transformaron poderosos centros urbanos en aldeas fantasmas. Prueba de ello fueron edificaciones incendiadas, arsenales militares y el aumento de las imágenes guerreras en los monumentos, evidencia encontrada en las ruinas de la ciudad de Caracol, en Belice.

Aunque existe consenso en que una de las principales causas de la decadencia de la

▼ Los famosos murales de Bonampak, que datan del siglo VIII, fueron descubiertos en la jungla de Chiapas (México) en 1946. Los murales muestran diversos aspectos de la vida diaria, la jerarquía social y, como en este mural, el conflicto violento que caracterizaba las relaciones entre las diferentes ciudades mayas de la época clásica.

civilización maya fue su descontrolado instinto guerrero, ninguno de los investigadores piensa que ésa es la única respuesta. Otro factor decisivo para la decadencia fue la superexplotación de la flora tropical, fuente de alimento y protección. Al comienzo de este año, investigadores ingleses analizaron sedimentos depositados en el lago Pátzcuaro, en México, y descubrieron que las antiguas prácticas agrícolas de la zona provocaron altas tasas de erosión del suelo, que no fueron igualadas ni por los invasores españoles.

Al analizar el polen enterrado entre los escombros de Yucatán, arqueólogos norteamericanos concluyeron que no existía flora tropical cerca de las principales ciudades mayas. "El polen encontrado muestra claramente que casi no existían más bosques para explotar", afirma Patrick Culbert, arqueólogo de la Universidad de Arizona. Desertificación, erosión, destrucción de bosques y hasta acidificación del suelo— problemas familiares para el hombre moderno— fueron responsables por la declinación de una de las sociedades más organizadas y avanzadas del pasado. Tal vez la guerra y un medio ambiente agotado impulsaron a los mayas a escapar de un mundo adverso que ya no tenía nada que entregar, y donde la única forma de renacer era volver al origen en la profunda selva tropical.

Recognizing chronological order, Describing past states

Act. 6: Assign and discuss in class. Point out to students that they are using the imperfect to describe two different past states. Ask students **¿Qué conclusiones podemos sacar de estas diferencias? ¿Cuáles son las causas de las diferencias?**

Actividad 6 Dos épocas distintas Según el arqueólogo Arthur Demarest, la vida maya era muy distinta antes y después del año 761. Decide si cada oración describe la situación **antes** (A) o **después** (D) de esta fecha clave.

1. __A__ Un ritual importante de la vida eran batallas bien orquestadas y controladas.
2. __D__ Se creaban arsenales militares y se hacían cada vez más imágenes guerreras en los templos.
3. __D__ Destruían los bosques, dañaban su medio ambiente y sufrían una escasez de comida.
4. __A__ Las guerras tenían el objetivo limitado de capturar y esclavizar nobles rivales.
5. __A__ Los mayas formaban ciudades-estado que coexistían en relativa estabilidad.
6. __D__ Los sacerdotes pedían y quemaban grandes cantidades de alimentos, mientras el pueblo tenía hambre.
7. __A__ Las ciudades eran circundadas por ciudades satélites donde vivían los artesanos y trabajadores.
8. __D__ Las guerras se hacían con el objetivo de destruir completamente las ciudades rivales.

Summarizing

Act. 7: Assign and discuss in class. Point out that these conclusions represent the reasoned beliefs of researchers, not absolute fact.

Actividad 7 Las causas de la decadencia El párrafo de la página 45 es un breve resumen de las ideas importantes de la lectura. Escoge y adapta una expresión de la lista para cada espacio en blanco.

Las investigaciones recientes parecen indicar que la civilización maya era bastante ____guerrera____. En una primera etapa, sus guerras eran bien orquestadas, parte integral de una sociedad rígida y estable, y servían para obtener víctimas para los ____sacrificios____ rituales. Sin embargo, en el siglo ____octavo____ las escaramuzas empezaron a convertirse en guerras ____sangrientas____. Después de cinco siglos de relativa estabilidad, la población ya ____había crecido____ en exceso y la tierra se había cultivado cada vez más intensamente, llevando a la desforestación. Como resultado, la tierra había sufrido ____erosión____ y acidificación, y ____había dejado de____ producir suficientes alimentos, precisamente cuando la población llegaba a su número más alto. Como no había suficiente comida para todos los habitantes, las guerras dejaron de ser un ____ritual____ religioso y se convirtieron en una manera de buscar recursos y alimentos. Esta ____búsqueda____ desesperada llevó a la destrucción de la civilización clásica de los mayas.

búsqueda
crecer
dejar de
empezar a
erosión
guerrero/a
octavo/a
pacífico/a
ritual
sacrificio
sangriento/a

Actividad 8 **Los detalles y sus implicaciones** Para entender bien una lectura, es necesario prestar atención a los detalles. En grupos de tres, terminen las siguientes oraciones, y justifiquen sus respuestas.

1. Durante el declive de la civilización clásica de los mayas, los españoles...
2. Durante los sacrificios rituales, los sacerdotes les ofrecían a los dioses...
3. El autor opina que los mayas clásicos eran...
4. El autor sugiere que los mayas posclásicos eran...

Actividad 9 **Un destino misterioso** Uds. son arqueólogos profesionales que han estudiado a los mayas y hablan sobre lo que posiblemente les pasó después de la destrucción de su civilización. En grupos de tres, túrnense para decir cuál creen que fue su destino. Especulen sobre los siguientes aspectos de la cultura maya: la religión, los trabajos, la comida, las ceremonias, las casas, la familia, el arte, la lengua, la arquitectura.

▶— Es obvio que todos los mayas se enfermaron y se murieron.
— No es verdad. Los mayas dejaron de construir grandes templos, pero...

Cuaderno personal 3-1

En tu opinión, ¿hay semejanzas entre el destino de la civilización maya y la nuestra? ¿Vamos por el mismo camino?

VIDEOFUENTES

¿Qué semejanzas y diferencias existen entre el artículo y el video respecto a los motivos de la desaparición de la civilización maya clásica? ¿Qué manifestaciones de la cultura maya existen hoy día?

Lectura 2: Panorama cultural

FCG links: Narration and description in the past: imperfect and preterit

Identifying parts of speech

Act. 10: Assign and discuss in class. Answers will vary. Point out frequent forms and clarify meanings. Elicit English equivalents but keep commentary in Spanish. Point out the use of the past participle as an adjective.

Actividad 10 Partes relacionadas La lectura "La presencia indígena en Hispanoamérica" contiene palabras relacionadas con los siguientes verbos. Para cada verbo en infinitivo (por ejemplo, **leer**), busca en el glosario o en un diccionario un sustantivo como **lector** (*reader*) o **lectura** (*reading*), y un adjetivo como **legible** (*legible*) o **leído** (*read*).

desaparecer	establecer
aislar	conservar
dominar	despreciar

Building vocabulary

Act. 11: Assign and discuss in class.

Actividad 11 Palabras útiles Después de mirar la siguiente lista, completa las oraciones que siguen con las palabras apropiadas.

los antepasados	ancestors	**el culto**	worship, adoration
el/la portavoz	spokesperson	**la prueba**	proof, evidence
el rasgo	trait, feature	**autóctono**	native
la supervivencia	survival	**el esfuerzo**	effort

1. _____El portavoz_____ del gobierno anunció que las negociaciones iban bien.
2. Una de las características de muchas religiones es el _____culto_____ a los antepasados.
3. Un _____rasgo_____ importante de la cultura norteamericana es la afición a la tecnología.
4. El científico Charles Darwin definió la teoría de la _____supervivencia_____ del más fuerte.
5. Algunos de los _____antepasados_____ de Juan Ferreira eran españoles, pero otros eran portugueses.
6. El éxito que tiene en su trabajo es _____prueba_____ de su talento.
7. La papa y el maíz no se conocían en Europa antes del siglo XVI porque son comidas _____autóctonas_____ del continente americano.
8. A pesar de sus _____esfuerzos_____, el presidente no pudo resolver la crisis.

Actividad 12 **¿Indígenas o indios?** Últimamente, tanto en Norteamérica como en Centro y Suramérica, ha habido una revaloración del indio; incluso se prefiere usar el termino **indígena** en vez de **indio.** En parejas, antes de leer la lectura siguiente, contesten estas preguntas.

Activating background knowledge

indígena americano = Native American

1. ¿Cuáles eran algunas de las características negativas que se asociaban con el término **indio** en la cultura norteamericana?
2. ¿Cuáles son algunos aspectos positivos de la cultura indígena que se aprecian hoy día?
3. Actualmente, ¿a qué problemas se enfrenta la población indígena de Norteamérica? ¿la de Hispanoamérica?

Act. 12: Mention negative stereotypes only to show why different terms are being sought. Have students compare representations in movies such as traditional westerns and more recent treatments, such as *Bailando con lobos.* Elicit direct experiences of students.

Actividad 13 **Las ideas principales** Mientras lees, escribe la idea principal de cada párrafo en el margen. Después, en grupos de tres, comparen sus apuntes para ver si están de acuerdo.

Active reading, Identifying main ideas

Act. 13: Before reading, look at the photos, title, and format to predict content. Skim opening paragraphs. Students do reading outside of class and Act. 13 as they read. Check in class and have students justify their answers by giving a few details/ examples from each paragraph. Students re-read to confirm understanding. Answers: 1. **La destrucción y la supervivencia de las culturas indígenas** 2. **el mestizaje** 3. **la religión como ejemplo del mestizaje** 4. **aislamiento de los pueblos indígenas restantes** 5. **la tradición de resistencia** 6. **nuevas iniciativas proindígenas** 7. **la formación de movimientos indígenas** 8. **la creciente importancia de los indígenas de hoy**

La presencia indígena en Hispanoamérica

Cuando Cristóbal Colón llegó al Nuevo Mundo, encontró una tierra habitada por pueblos que llevaban allí más de 30.000 años. Pueblos pequeños alternaban con los imperios de los aztecas y los incas. La conquista española y las enfermedades europeas causaron la desaparición de
5 numerosos pueblos indígenas, la destrucción de las grandes civilizaciones y el establecimiento de la lengua y la cultura españolas en gran parte de América. Sin embargo, no se borró la presencia indígena, ya que sobrevivió en el mestizaje y en la conservación de algunas de sus sociedades.

▲ En los Andes, se siguen usando instrumentos de cuerda de procedencia española, así como flautas y tambores de origen indígena.

Vocablos del taíno (Caribe): **canoa, tabaco, maíz, ají, maní.** Vocablos del náhuatl (México): **chocolate, tomate, chile, cacahuete, aguacate.** Vocablos del quechua (los Andes): **papa, chino/a** (= chico/a), **chacra** (= finca).

Un producto más conocido del mestizaje es la combinación del chocolate con el azúcar.

Take advantage of any celebration of **Día de los Muertos** that may take place in your community. Have students search the Internet for information about this day to report to the class.

Países con una importante población indígena son México, Guatemala, Ecuador, Perú, Bolivia y Paraguay.

Explain that 90% of the population in Paraguay is bilingual in Spanish and Guaraní. Mention that Quechua, along with Spanish, is an official language in Peru, but in Bolivia and Guatemala, with large indigenous populations, Spanish remains the only official language. In 2003, Guatemala approved a new **Ley de idiomas nacionales,** which states: **"El idioma oficial de Guatemala es el español. El Estado reconoce, promueve y respeta los idiomas de los pueblos maya, garífuna y xinka."**

10   La unión entre españoles y mujeres naturales de América produjo una nueva población de mestizos, personas que llevaban en las venas una mezcla de sangre europea y sangre indígena. De esta unión racial nacieron nuevas culturas, y el mestizaje llegó a sentirse en todos los aspectos de la cultura. En primer lugar, la lengua española adoptó vocablos de origen indígena, mientras que, a su vez, en la agricultura y la cocina, aparecieron pro-

15   ductos y comidas propios del mestizaje. Los productos lácteos y el arroz que trajeron los conquistadores se combinaron con maíz, papas, tomate y otros productos autóctonos para preparar nuevas comidas. Elementos igualmente inseparables se manifestaron en el campo de la expresión artística. Para dar un ejemplo, aún hoy la música andina combina instrumentos indí-

20   genas, como la flauta, con instrumentos españoles como la guitarra, en tanto que la literatura y las artes plásticas y artesanales de los diversos países muestran la riqueza de la fusión de las culturas.

Pero si la lengua y las costumbres reflejan bien esta fusión, quizás sea la religión una de las pruebas más evidentes del mestizaje. La religión

25   católica, impuesta por los españoles, fue aceptada por los indígenas como un vehículo de su expresión religiosa y las imágenes cristianas se interpretaron como representaciones de los dioses tradicionales. Así tenemos a la Virgen de Guadalupe, patrona de México, quien se reveló a un indígena en el lugar donde antes había existido un templo a Tonantzin, diosa madre de

30   los aztecas. Asimismo, la celebración católica del Día de los Muertos tomó en ese país rasgos indígenas del culto de los antepasados, convirtiéndose en una celebración de gran importancia para el mexicano actual. Por otro lado, en el Perú, la Virgen María fue asociada con Pachamama, diosa incaica de la tierra y, como tal, se la venera actualmente en muchas comunidades.

35   A pesar de que en algunos países predomina una cultura mestiza, la inmensa contribución indígena no se ha reconocido debidamente. Es verdad que las historias nacionales incorporan las historias de las grandes civilizaciones

40   perdidas, pero no existe una actitud positiva hacia las sociedades indígenas que sobreviven hoy. Éstas se han mantenido separadas, ya sea viviendo en la selva, en el campo o al margen de la sociedad

45   dominante, y sólo así han podido conservar más o menos intactas sus lenguas y tradiciones. Sin embargo, el mismo aislamiento físico y cultural que ha permitido su supervivencia también ha impe-

50   dido su participación en la vida política, económica e intelectual de sus países. A causa de su pobreza y falta de educación, se ha visto a los grupos indígenas como un obstáculo al progreso —"el

55   problema del indio"— y actualmente siguen siendo despreciados por gran parte de la sociedad.

▶ La conocidísima imagen de la Virgen de Guadalupe (Villa de Guadalupe Hidalgo, México).

◄ Un cementerio en Tzintzuntzan cerca de Pátzcuaro, Morelia, México, donde se observa la gran importancia que tiene la celebración del Día de los Muertos.

No es verdad, sin embargo, que los indígenas siempre hayan aceptado su marginación con resignación, y desde la época colonial ha existido una
60 tradición de rebelión violenta. Los indígenas andinos siempre han recordado la resistencia del último inca Túpac Amaru. Los de México recuerdan la legendaria lucha de Cuauhtémoc contra Cortés, además de la más reciente lucha de Emiliano Zapata por defender los derechos de los indígenas durante la Revolución mexicana. Hoy, el espíritu de Zapata sigue inspirando al Ejército Zapatista de Liberación Nacional (EZLN), que desde 1994
65 rando al Ejército Zapatista de Liberación Nacional (EZLN), que desde 1994 mantiene en Chiapas una lucha contra el gobierno mexicano. Los rebeldes protestan por el continuo deterioro de su situación económica y por la poca atención que en general les presta el gobierno de México.

Afortunadamente, en años recientes han aparecido iniciativas que bus-
70 can una resolución pacífica de los problemas. Una táctica ha sido ganar el apoyo de la comunidad internacional, y en esto nadie ha tenido tanto éxito como la mujer quiché Rigoberta Menchú. Menchú huyó de Guatemala en 1981, en medio de la lucha violenta entre el gobierno y los indígenas, después de que las fuerzas militares mataron a sus padres y a su hermano.
75 En el exilio contó la historia trágica de su pueblo y en 1992 ganó el Premio Nobel de la Paz por sus esfuerzos a favor de las comunidades indígenas, convirtiéndose así en portavoz principal de las comunidades indígenas del mundo.

Otra táctica ha sido la formación de federaciones de indígenas que
80 defienden sus intereses por medio de la participación activa en la política de sus países. En el Ecuador, caso ejemplar del fenómeno, los pueblos indígenas empezaron a organizarse para combatir la explotación del petróleo y la destrucción del hábitat natural, en los últimos años su partido político Pachakutik se ha transformado en una fuerza política fundamental del país.
85 El éxito de los indígenas ecuatorianos ha servido de modelo para otros, y desde México hasta Chile nuevos movimientos indigenistas van ganando influencia. Cada vez hay más representantes indígenas en el gobierno de los

La Revolución mexicana empezó en 1910.

Chiapas, cerca de Guatemala, está habitado principalmente por grupos mayas.

Los quichés son uno de más de 20 grupos mayas de Guatemala.

Menchú narró la historia de su vida y del pueblo quiché en su libro *Me llamo Rigoberta Menchú y así me nació la conciencia* (1983).

See Option 3 in Act. 16 for ways to encourage research and discussion about Menchú.

▲ Rigoberta Menchú, portavoz de los pueblos indígenas de Guatemala y del mundo.

diferentes países, y en Bolivia un indígena aymara, Evo Morales, se ha convertido en líder del segundo partido 90 político del país. Gracias a estos cambios, muchos países han modificado su Constitución para dar mayor protección a los descendientes de sus pobladores originales.

Éstos y otros acontecimientos anuncian un cambio importante en las relaciones entre los diversos grupos que 95 componen la población hispanoamericana. Durante siglos, los indígenas tuvieron que aceptar su absoluta subordinación; ahora están recobrando su voz y defendiendo sus culturas. Al mismo tiempo, se están convirtiendo en una fuerza política que tendrá que tomarse en cuenta dentro y 100 fuera de América "Latina" durante el siglo XXI.

Los aymaras representan más del 30% de la población boliviana.

El creciente contacto y cooperación entre grupos indígenas se revela en su uso de Internet para divulgar sus programas. (Ve a la página web de *Fuentes* para encontrar enlaces a varios sitios relacionados con el tema de los indígenas.)

Scanning

Act. 14: Assign and discuss in class. Elicit examples and corrections.

Actividad 14 Detalles importantes Después de leer, determina si las siguientes oraciones son ciertas (C) o falsas (F), de acuerdo con la información que aparece en la lectura. Corrige las oraciones que sean falsas.

1. __F__ La conquista española no tuvo mucho impacto en los pueblos indígenas de América.
2. __F__ Pocos hispanoamericanos llevan sangre indígena en sus venas.
3. __C__ El mestizaje ha tenido efecto en muchos aspectos de la cultura.
4. __F__ Las comunidades indígenas nunca aceptaron la religión católica.
5. __C__ Todavía hoy existen comunidades indígenas separadas de la cultura hispana.
6. __C__ Muchos indígenas son pobres y analfabetos.
7. __F__ El EZLN atacó a los indígenas por protestar contra el gobierno.
8. __F__ El portavoz y líder más conocido de los indígenas americanos es un indígena boliviano.
9. __F__ En años recientes la respuesta principal de los indígenas a su marginación ha sido la lucha armada.

Making inferences

Act. 15: Assign as HW and discuss in class. Point out that information needed to justify these inferences may be scattered throughout the text. For item 1, point out the role played by **el padre Bartolomé de las Casas** and other Spanish clergy in protecting indigenous peoples. For item 4, discuss typical physical features associated with **indígenas** and how the dominant culture often judges these features (racism).

Actividad 15 Implicaciones Las siguientes oraciones representan deducciones o inferencias que se basan en la información del texto anterior. Busca la información que apoya cada inferencia.

1. La conquista española fue bastante violenta.
2. La mayoría de la población mexicana es católica.
3. En Cuba, Costa Rica y Argentina, ya no hay una presencia indígena importante.
4. Muchos mestizos hispanoamericanos tienen vergüenza de su sangre indígena.
5. Para los indígenas modernos, la globalización representa una amenaza y una ayuda.

Actividad 16 **Comparaciones** En grupos de cuatro, dos personas son indígenas de los Estados Unidos y dos indígenas de Hispanoamérica. Comparen cómo eran sus relaciones con los europeos, cómo es su vida actual y cuál será su futuro. Temas posibles de discusión: el *mestizaje* o la separación, la comida, la religión, la música, el activismo político. Usen las expresiones:

Me parece que…	It seems to me that . . .
Creo que…	I think that . . .
En mi opinion…	In my opinion . . .
Es decir…	That is . . .
O sea…	That is . . ./In other words . . .
Ud. me dice que…	You're telling me that . . .

Act. 16: You may divide the groups the day before, and assign as HW. Suggest use of **estar** + *adjective* for description of feelings. **Estamos preocupados porque…** Option 1: Give time in class for the groups to make a list before doing the activity. Option 2: Assign specific roles using ser/estar: **La persona A es de Estados Unidos, es viejo, sus hijos hablan sólo inglés y no está contento con la situación actual. La persona B es de Bolivia, es joven, está frustrado, pero se siente optimista,** etc. In follow-up, refer to these features using **ser/estar,** and then move into practice of contrast. Option 3: Organize a debate about the 1998 accusations that Rigoberta Menchú lied in her book. Have students research the case on the Web, assign roles as accusers and defenders, and have them debate in small groups. Conclude with a whole-class discussion.

Cuaderno personal 3-2

¿Crees que los indígenas pueden defender sus culturas sin integrarse a la cultura dominante? ¿Por qué sí o no?

CP 3-2: Discuss in class to clarify problems before students write.

Lectura 3: Literatura

FCG links: Narration with imperfect/preterit, **ser/estar,** participles as adjectives

ESTRATEGIA DE LECTURA

Using the Bilingual Dictionary

Reading exposes you to new ideas and new words. As a general rule, the most efficient strategy for dealing with unfamiliar words is to try to guess their meaning from the context, or to skip over them if they do not seem important. However, there will be cases when you either need to look up a word in order to understand the passage or you are simply curious to know more. If you finally decide to use the dictionary, here are some guidelines to help you.

Ask students how they deal with new words in English.

1. Determine the part of speech.
2. Consider the context and try to guess its meaning. This may help you when you look up the word and are presented with numerous possibilities.

3. Look up the word in the Spanish half of a good bilingual dictionary. Be sure to check and compare all the possibilities given. Use the dictionary abbreviations to help you:

m. masculine noun
f. feminine noun
adj. adjective (often given in masculine form)
adv. adverb
v. tr. transitive verb
v. int. intransitive verb
v. r. (ref., pr. or **prn.)** reflexive verb

4. Scan the entry to see if the word you are looking up is actually part of an idiom. Idioms are included toward the end of an entry.

The **pr.** or **prn.** refers to the reflexive pronoun that accompanies reflexive verbs.

Using the dictionary

cho·rre·ar intr. *(fluir)* to gush, spout; *(gotear)* to drip, trickle —tr. *(derramar)* to pour; FIG., COLL. *(dar poco a poco)* to give in dribs and drabs; CUBA to tell off; ECUAD. to soak; ARG., URUG. to steal —reflex. COL. to steal.
con·fia·do, -da I. past part. see **confiar II.** adj *(presumido)* confident, assured; *(crédulo)* gullible, unsuspecting; *(que se fía)* trusting.
con·fiar §30 intr. *(fiar)* to trust, feel confident *<confiamos en que el plan tendrá éxito* we feel confident that the plan will succeed>; *(contar con)* to count, rely *<confío en mis amigos* I count on my friends>; to commit *<c. a la memoria* to commit to memory>—tr. *(encargar)* to entrust *<confiaron la tarea a un amigo íntimo* they entrusted the task to a close friend>; to confide *<c. un secreto* to confide a secret> —reflex. to trust, have faith *<me confío en usted* I have faith in you>.
en·ga·ñar tr. *(burlar)* to deceive, trick; *(encornudar)* to cuckold, be unfaithful to; *(distraer)* to ward or stave off< *e. el hambre* to stave off hunger>; *(pasar)* to kill, while away *<e. las horas* to while away the hours> —intr. to be deceptive or misleading —reflex. *(cerrar los ojos)* to deceive oneself; *(equivocarse)* to be mistaken *or* wrong.
fi·ja·men·te adv. *(con seguridad)* firmly, assuredly; *(atentamente)* fixedly, steadfastly; *(intensamente)* intensely, attentively.
fi·jo, -ja I. past part. see **fijar II.** adj. *(firme)* fixed, steady *<la mesa está f.* the table is steady>; *(permanente)* permanent *<un empleado f.* a permanent employee>; *(inmóvil)* stationary, fixed *<una estrella f.* a fixed star>; *(invariable)* fixed, set *<un precio f.* a set price>; *(estable)* stable, steady *<una renta f.* a steady income>; *(de colores)* fast, indelible; CHEM. fixed, nonvolatile ◆ **de f.** certainly, surely **III.** m. fixed salary —f. see **fija IV.** adv. fixedly, pointedly; PERU certainly.
le·cho m. *(cama)* bed; *(fondo)* bed (of a river, lake); *(capa)* layer, coat; ARCHIT. base; GEOL. bed, layer ◆ **abandonar el l.** FIG. to get up, get out of bed • **l. de roca** GEOL. bedrock.
ro·de·ar intr. *(dar la vuelta)* to go around; *(ir por el camino más largo)* to go by a roundabout way; FIG. *(hablar con rodeos)* to beat around the bush —tr. *(acorralar)* to surround *<los guardias rodearon al ladrón* the guards surrounded the thief>; *(encerrar)* to enclose, surround *<una muralla rodea el jardín* a wall encloses the garden>; *(dar la vuelta)* to go around; AMER. to round up (cattle) ◆ **r. de** to surround with —reflex. *(revolverse)* to toss and turn (in one's sleep); *(volverse)* to turn around ◆ **rodearse de** to surround oneself with *<rodearse de amigos* to surround oneself with friends>.

Actividad 17 A buscar palabras Las palabras en negrita en las siguientes oraciones aparecen en el cuento que vas a leer. Intenta adivinar el significado de cada palabra por el contexto, determina la parte de la oración, y después busca la palabra en el vocabulario que sigue o en un diccionario bilingüe. Escribe el mejor equivalente inglés al final de la oración.

1. Después del accidente, la sangre **chorreaba** de la pierna de la víctima.

2. Todos los parientes entraron en la casa para despedirse del hombre enfermo, quien estaba ya en su **lecho** de muerte.

3. El hombre se presentó muy **confiado** ante el tribunal, pero al final le condenaron a muerte.

4. Cuando la mujer se despertó, se encontró **rodeada** de todos sus amigos.

5. El prisionero intentó **engañar** a los guardias, pero no logró escaparse.

6. Los habitantes del pueblo miraban **fijamente** al recién llegado sin decir nada.

Act 17: Assign and discuss in class. Remind students to consider surrounding words in seeking English equivalents. Answers: 1. to gush, spurt 2. bed (**lecho de muerte** = deathbed) 3. confident 4. surrounded 5. to deceive, trick 6. intently (**mirar fijamente** = to stare)

Actividad 18   Con la ayuda del contexto   Lee bien las siguientes oraciones para determinar el significado de las palabras en negrita.

Guessing meaning from context

Act. 18: Assign and discuss in class.
Answers: 1. **b** 2. **a** 3. **c** 4. **b** 5. **a** 6. **c**

1. Los hombres buscaban al criminal y por fin lo **apresaron** y lo llevaron a la prisión.
   - a. mataron
   - b. capturaron
   - c. perdieron
2. El profesor tenía un gran **conocimiento** de la filosofía precolombina.
   - a. lo que sabe una persona
   - b. el grupo de amigos de una persona
   - c. la conciencia
3. Las plantas suelen **florecer** en la primavera.
   - a. perder las hojas
   - b. morir
   - c. echar flores
4. Muchos frailes españoles adquirieron un **dominio** sorprendente de lenguas indígenas como el quechua, el náhuatl y las lenguas mayas.
   - a. poder sobre alguien
   - b. capacidad de usar
   - c. superioridad
5. Los indígenas **se disponían** a empezar la ceremonia cuando llegó el fraile.
   - a. se preparaban
   - b. tomaban decisiones
   - c. se disputaban
6. El **rostro** impasible de ese hombre molesta a la gente, ya que es imposible saber lo que piensa.
   - a. la lista
   - b. la nariz
   - c. la cara

Actividad 19   La invención de una trama   **Parte A:** Las siguientes palabras aparecen en el cuento que van a leer. En grupos de tres, digan o adivinen qué significa cada palabra o a quién se refiere cada nombre.

Activating background knowledge

Act. 19A: Discuss in class before reading. Help students guess meanings, and provide information on the meaning of cultural items such as **fray/fraile, Carlos V,** etc. Option: Put the vocabulary on an overhead without revealing the title of the story.

fray Bartolomé	perdido	el sol	el corazón
la selva	el eclipse	chorrear	Guatemala
engañar	el sacrificio	Aristóteles	oscurecerse
el desdén	Carlos V	salvar	prever
España	indígenas	el calendario	astrónomos

Parte B: En parejas, miren la imagen y la lista de vocabulario, y digan qué creen que pasa en el cuento.

Parte C: Trabajando individualmente, y antes de leer el cuento, escribe un párrafo contando brevemente lo que crees que va a pasar en el cuento. Usa de seis a ocho palabras de la lista y subráyalas.

Parte D: Después de terminar tu versión del cuento, lee el cuento original para ver cuántas de tus predicciones son correctas.

▶ Representación de un sacerdote maya encontrada en Yucatán (México).

Predicting

Act. 19B: Assign pairs and discuss in class. Have one or two groups report quickly. Option: Use a document projector to show the picture and keep books closed, so that students do not see the title of the story. Then have individual students turn in possible titles for the story before leaving the classroom.

Act. 19C: Assign as HW. Make students promise not to read until they have finished their paragraphs. Return and discuss the students' predicted versions after they have read the story. Ask them to explain why they imagined what they did. Option: Simplify this activity by having students invent and justify titles only.

Augusto Monterroso (1921–2003) fue el escritor guatemalteco más importante del siglo XX. Desde muy joven se dedicó a la actividad política, la búsqueda de la justicia y la literatura. En 1944 tuvo que marcharse de su país natal a causa de la difícil situación política, para luego pasar el resto de su vida en México. En el exilio, Monterroso se hizo famoso por su especial cultivo de los minicuentos y tiene fama de haber escrito el cuento más corto de la historia: "Cuando despertó, el dinosaurio todavía estaba allí." Comenzó a publicar sus textos a partir de 1959, cuando salió su colección Obras completas (y otros cuentos), *en la que apareció "El eclipse", el más conocido de sus cuentos. En este cuento se pueden apreciar algunos rasgos fundamentales de su escritura: el humor negro, la paradoja y el interés en la justicia.*

El eclipse

Augusto Monterroso

Note that the post-Classic Maya did adopt ritual human sacrifice, and that these practices were maintained to some degree up to the time of the Spanish conquest, so Monterroso's story is at least plausible.

Cuando fray Bartolomé Arrazola se sintió perdido aceptó que ya nada podría salvarlo. La selva poderosa de Guatemala lo había apresado, implacable y definitiva. Ante su ignorancia topográfica se sentó con tranquilidad a esperar la muerte. Quiso morir allí, sin ninguna esperanza, ais-
5 lado, con el pensamiento fijo en la España distante, particularmente en el convento de los Abrojos, donde Carlos Quinto condescendiera una vez a bajar de su eminencia para decirle que confiaba en el celo religioso de su labor redentora.

Al despertar se encontró rodeado por un grupo de indígenas de rostro
10 impasible que se disponían a sacrificarlo ante un altar, un altar que a Bartolomé le pareció como el lecho en que descansaría, al fin, de sus temores, de su destino, de sí mismo.

Tres años en el país le habían conferido un mediano dominio de las lenguas nativas. Intentó algo. Dijo algunas palabras que fueron comprendidas.
15 Entonces floreció en él una idea que tuvo por digna de su talento y de su cultura universal y de su arduo conocimiento de Aristóteles. Recordó que para ese día se esperaba un eclipse total de sol. Y dispuso, en lo más íntimo, valerse de aquel conocimiento para engañar a sus opresores y salvar la vida.

—Si me matáis —les dijo— puedo hacer que el sol se oscurezca en su
20 altura.

Los indígenas lo miraron fijamente y Bartolomé sorprendió la incredulidad en sus ojos. Vio que se produjo un pequeño consejo, y esperó confiado, no sin cierto desdén.

Dos horas después el corazón de fray Bartolomé Arrazola chorreaba su
25 sangre vehemente sobre la piedra de los sacrificios (brillante bajo la opaca luz de un sol eclipsado), mientras uno de los indígenas recitaba sin ninguna inflexión de voz, sin prisa, una por una, las infinitas fechas en que se producirían eclipses solares y lunares, que los astrónomos de la comunidad maya habían previsto y anotado en sus códices sin la valiosa ayuda de
30 Aristóteles.

Actividad 20　Personajes　Termina las siguientes oraciones según la información en el cuento.

> Fray Bartolomé era...
> Al principio del cuento, fray Bartolomé estaba...
> Al final del cuento fray Bartolomé estaba...
> Las personas que rodeaban a fray Bartolomé eran...
> Los indígenas eran/estaban...

Scanning

Act. 20: Assign and discuss in class. Accept all correct answers. Remind students to use the imperfect for description in the past and encourage correct use of **ser/estar** and participles as adjectives: **perdido, aislado, rodeado, muerto.**

Actividad 21　¿Qué pasó?　**Parte A:** Pon las siguientes frases en orden cronológico para formar un resumen del cuento.

　　_1_　Se perdió fray Bartolomé en la selva de Guatemala.

　　_9_　Los sacerdotes esperaron el momento exacto del eclipse, y entonces le sacaron el corazón a fray Bartolomé.

　　_3_　Recordó su juventud en un convento de España y el momento en que había conocido al emperador Carlos V.

　　_2_　El fraile se sentó a esperar la muerte.

　　_4_　Se durmió en la selva.

　　_6_　Como había estudiado la ciencia de Aristóteles, recordó que iba a ocurrir un eclipse solar.

　　_8_　Los sacerdotes mayas reaccionaron sin sorpresa, porque ya habían previsto el eclipse y sabían cuándo iba a ocurrir.

　　_5_　Cuando se despertó, estaba en un altar, rodeado de sacerdotes indígenas que preparaban el sacrificio.

　　_7_　Decidió engañar a los sacerdotes mayas y les dijo que iba a causar un eclipse si no lo ponían en libertad.

Parte B: Después de poner los acontecimientos en orden, usa expresiones de transición como **al principio, luego, después, en seguida, por fin** y **al final** para crear un resumen coherente.

Recognizing chronological order

Act. 21: Assign and discuss in class. Option 1: Take this activity out of the book by doing as a strip story. Type up each sentence on a sheet, cut sentences into strips, and hand out one set of strips to each group of three. Have the first group to finish read their answers, and have students add in transition expressions. Ask other questions about the story. Option 2: Transition to a discussion of indirect objects by having students answer two questions: **¿Qué les dijo fray Bartolomé a los indígenas? ¿Qué le dijeron los indígenas a fray Bartolomé?**

Actividad 22　Consideraciones y especulaciones　Los cuentos siempre comunican las perspectivas de sus autores, pero también tienen implicaciones no previstas por el autor, al mismo tiempo que nos hacen pensar en cuestiones relacionadas. En parejas, comenten las siguientes preguntas.

1. ¿Cuál es el mensaje que Monterroso nos quiere comunicar sobre los indígenas? ¿Es positiva o negativa su perspectiva de los indígenas?
2. ¿Qué —o a quiénes— representa el personaje de fray Bartolomé? ¿La Iglesia Católica? ¿Los conquistadores? ¿Los españoles? ¿La cultura y la civilización europeas? ¿Cuál es la perspectiva de Monterroso sobre cada uno de estos grupos?
3. Muchos frailes católicos no tuvieron la mala suerte de fray Bartolomé. De hecho, las comunidades indígenas de Mesoamérica adoptaron la fe católica con gran rapidez. Se ha dicho que esto ocurrió porque el cristianismo y las religiones de los aztecas y mayas compartían una creencia fundamental en la importancia del sacrificio humano. ¿Están de acuerdo?

Making inferences

Act. 22: Discuss in class. Have students justify answers by citing the text. Option 1: Use the dramatic opening scene from the film *The Mission* to show how indigenous peoples sometimes reacted to missionaries. *The Mission* presents a very positive image of the "sacrifices" made by the Jesuit priests in Paraguay. Would Monterroso agree? Option 2: Have students research the figure of **el padre Bartolomé de las Casas** (possibly alluded to in the story), and then lead a discussion on the two aspects of Spanish expansion: conquest and conversion. Where they really different?

CP 3-3: Lead a discussion about this topic in class. Consider that "primitive" only works when applied to technology (including building practices). Languages cannot be described as primitive, and in fact many technologically "primitive" societies have languages with very complex grammars and sound systems. Can art, music, religion, or social customs be "primitive"? Whose interest does it serve to call indigenous societies "primitive"?

Cuaderno personal 3-3

¿Crees que es válido hablar de sociedades "primitivas" y sociedades "avanzadas"? ¿Por qué sí o no?

Redacción: Un mito

Listening, Note taking

la historia = the story; history

Act. 23: Before doing this activity, explain or have students read the introductory paragraph. Then have them tell a story of creation according to the Judeo-Christian tradition, which most students know. Mention only basics: **los siete días, Adán y Eva, Edén, la serpiente,** perhaps **Noé y el diluvio.** Option 1: Elicit classical or other myths. Point out that myths usually involve gods and explain a basic aspect (mystery) of life. Option 2: Read the excerpt twice. Students listen for gist on first reading and take notes on second.

Act. 23A: See p. IAE 15 of the IAE for text. Before telling: Pre-teach and group important vocabulary on the board: e.g. **gallinas–cacarear, vacas–mugir,** etc. Use TPR when appropriate. Emphasize corn as Native Americans' major food source. *Tell* (don't read) the story using the text as a base. Keep transitions simple: **y, pero.** Use gestures.

Act. 23B: Begin the story, and then have individuals add one or two sentences at a time. Option: Photocopy the story and have students take notes on it as HW.

Actividad 23 El origen del ser humano La literatura empezó en muchas culturas para explicar los orígenes y enseñar los valores, y se transmitía de generación en generación por vía oral. En el *Popol Vuh*, el libro sagrado de los mayas quiché, se cuenta el mito de la creación de los hombres. Así como los mayas, todas las culturas tienen historias que explican el origen de la humanidad. En este país, la tradición judeocristiana es la que mejor se conoce.

Parte A: Ahora tu profesor/a va a contar la historia de la creación de los hombres según el *Popol Vuh*. Escucha y toma apuntes para poder volver a contar la historia después. Usa el siguiente esquema para tus apuntes.

- dos o tres características del mundo que crearon los dioses
- lo que decidieron hacer los dioses después de crear el mundo y por qué
- cómo resultó esta creación
- otra decisión de los dioses
- características de los tres tipos de Hombre y cómo resultó ser cada uno

Características	Resultados
1.	
2.	
3.	

Parte B: Ahora, usando tus apuntes, ayuda a recrear la leyenda con el resto de la clase.

ESTRATEGIA DE REDACCIÓN

Using the Bilingual Dictionary

When you write, try to express yourself as much as possible with vocabulary that is already known to you. This will make it easier for you to compose directly in Spanish. Nevertheless, there will be cases when you need to look up specific vocabulary in order to communicate your thoughts. Here are some guidelines to help you better use the dictionary when writing.

1. Determine the part of speech of the word you want. If you need to look up a phrase or idiom, look under the key word or words.

2. Look up the word in the English-Spanish section of the dictionary. Find the equivalents that match the same part of speech. If the word you are seeking is part of an English idiom, it may be listed later in the entry or under another key word. Remember that the Spanish equivalent may be quite different from the English, as in *to be 10 years old* and **tener 10 años.**

3. If you find more than one Spanish equivalent, you may need to cross-check each of these in the Spanish-English section of the dictionary.

4. When looking up a verb, determine whether you need to use it as transitive, intransitive, or reflexive, in which case the verb is used with a reflexive pronoun. Read the examples to determine if preposition(s) should be used with the verb. Make sure you do not try to translate English phrasal verbs (such as *to get up, to get off, to get over,* etc.) too literally. Many such verbs have a specific Spanish equivalent that may or may not be accompanied by a preposition.

Act. 24: Assign and discuss in class. Have students identify the part of speech in English before looking up the Spanish. Point out the difficulties with prepositional phrases such as "in a different light." Option 1: Have students bring their own dictionaries to class or distribute a few to groups. Give other contextualized examples for further practice: *charge, lie, down, ride, lead.* Option 2: Give sentences with phrasal verbs and have students use bilingual dictionaries to determine meanings. Examples: *to get away / over / on / off / back / in / out / used to; to run over / on / in / up / down / across / around; to turn in / out / on / off / around / up / down.*

Actividad 24   Los equivalentes en español   La palabra *light* tiene varios equivalentes en español. Usa el vocabulario que aparece al lado para buscar la traducción española de *light* según el contexto de cada oración.

Using the dictionary

1. Could you turn off the lights?
2. Have you got a light?
3. Then he saw things in a different light.
4. Priests often light candles during religious ceremonies.
5. They decided to paint the room light blue.
6. Experienced tourists prefer to travel light.

Actividad 25   Tu propio mito   Ahora, vas a escribir tu propio mito. Primero, piensa en el aspecto del mundo o de la vida que quieres explicar. Luego, haz un esquema de los puntos importantes que vas a desarrollar en la historia, con una lista del vocabulario necesario. Usa el diccionario para encontrar nuevas palabras. Luego, escribe el mito, usando palabras de transición y el pretérito y el imperfecto.

Using the dictionary

Act. 25: Specify requirements. See IAE introduction for suggestions related to the **Redacción** sections.

You may want to collect outlines before students write the myth, or have them write two drafts before turning in the final copy.

light¹ (līt) **I.** s. *(lamp)* luz *f* <*turn the lights on* enciende las luces>; *(radiation)* luz <*ultraviolet l.* luz ultravioleta>; *(illumination)* luz, iluminación *f*; *(daylight)* luz <*the l. of the day* la luz del día>; *(streetlamp)* luz, farol *m*; *(traffic light)* luz, semáforo; *(window)* ventana; *(skylight)* claraboya; *(headlight)* luz, faro; *(lighthouse)* faro, fanal *m*; *(flame)* fuego <*have you got a l.?* ¿me puedes dar fuego?>; FIG. *(spiritual awareness)* luz, iluminación; *(viewpoint)* aspecto, punto de vista <*I never saw the matter in that light* nunca vi el asunto desde ese punto de vista>; *(luminary)* lumbrera, eminencia <*he is one of the leading lights of science* él es una de las destacadas lumbreras de la ciencia>; *(gleam)* brillo <*the l. in her eyes* el brillo en sus ojos>; PINT. luz <*l. and shade* luz y sombra> ♦ **at first l.** al rayar la luz del día • **in l. of** en vista de, considerando • **in the cold l. of day** FIG. fríamente, desapasionadamente • **lights** FIG. *(opinions)* luces, conocimientos • **to bring to l.** FIG. sacar a luz, revelar • **to shed** o **throw l. on** FIG. arrojar luz sobre, aclarar • **to come to l.** salir a la luz, ser revelado • **to give the green l.** FIG. aprobar la realización (de un proyecto) • **to see in a different l.** FIG. mirar con otros ojos, mirar desde otro punto de vista • **to see the l.** FIG., RELIG. iluminarse; *(to understand)* comprender, darse cuenta • **to see the l. of day** salir a luz, nacer **II.** tr. **light·ed** o **lit** (līt), **light·ing** *(to ignite)* encender; *(to turn on)* encender, prender <*who lit this lamp?* ¿quién encendió esta lámpara?>;
light² (līt) **I.** adj. **-er, -est** *(lightweight)* ligero, liviano; *(easily digested)* ligero, liviano; *(not forceful)* suave, leve; *(slight)* fino <*a l. rain* una lluvia fina>; *(faint)* débil; *(easy)* ligero, liviano <*l. work* trabajo liviano>; *(frivolous)* superficial, de poca importancia <*a l. chat* una charla de poca importancia>; *(blithe)* alegre, contento <*a l. heart* un corazón alegre>; *(low in alcohol)* de bajo contenido alcohólico ♦ **as l. as air** liviano como el aire • **l. in the head** mareado • **to be l. on one's feet** ser ligero de pies, moverse con agilidad • **to make l. of** no tomar en serio, restar importancia a **II.** adv. **-er, -est** ligeramente ♦ **to travel l.** viajar con poco equipaje

África en América: el Caribe

Video suggestions: *La Cuba mía* (documentary in Spanish on Celia Cruz and Cuban music, U.S., 2002), *The Mambo Kings* (in English, with Celia Cruz), *Plaff* (Cuba, 1990), a comedy on **santería.**

See the *Fuentes* website for related links and activities:
http://college.hmco.com/languages/spanish/students

Actividad 1 **¿Qué saben del Caribe?** Usando sus conocimientos y la información del mapa, en grupos de tres miren el mapa, lean las siguientes oraciones y determinen cuáles son ciertas y cuáles son falsas. Si no están seguros, adivinen.

1. __F__ Haití y Jamaica son los únicos países del Caribe que tienen una fuerte influencia africana.
2. __F__ La comida caribeña es muy similar a la comida mexicana.
3. __C__ La salsa es muy popular en el Caribe.
4. __F__ El español es el idioma oficial de todas las naciones caribeñas.
5. __F__ Hay grandes comunidades indígenas en las islas caribeñas.
6. __C__ En el pasado, había muchas plantaciones con esclavos en el Caribe.
7. __F__ La música caribeña no conserva las tradiciones de la música española.
8. __C__ En el Caribe, la influencia africana ha sido más importante que la influencia indígena.

Lectura 1: Una reseña biográfica

ESTRATEGIA DE LECTURA

Using Syntax and Word Order to Understand Meaning

In the previous chapter, you practiced analyzing sentences in terms of parts of speech. These small units are organized into larger units that are fundamental to the meaning of a sentence.

- **El verbo:** The verb describes an action or state; it may be simple, compound, or linked in a series to form a verb phrase (**frase verbal**) as in **El hijo de Carmen no *pudo ir.*** All sentences contain either a verb or verb phrase.
- **El sujeto:** Nearly every verb has a subject with which it agrees. A subject may be one word or several: ***El hijo de Carmen* no pudo ir.** Remember that the subject is often not explicitly expressed in Spanish. In this case, it is necessary to look at surrounding context to determine the subject. A few verbs have no subject: ***Hay* veinte personas aquí.**
- **El complemento directo:** The direct object receives the action of the verb. It can be one word or more as in **Yo vi *al hijo de Carmen.*** Notice that persons or person-like things are introduced by the **a personal.**
- **El complemento indirecto:** The indirect object is the recipient of the direct object or the beneficiary of the action of the verb: **Paco *le* dio un libro *al hijo de Carmen.*** Notice in the example that the indirect object is preceded by the preposition **a** and marked redundantly with the indirect-object pronoun **le.**

Act. 1: Discuss in class. When finished, check ideas and discuss. Option: Return to this activity after completing readings. Notes/corrections: 1. **Casi todos los países.** 2. **La comida mexicana refleja la influencia indígena y española. La caribeña refleja la influencia indígena, española y africana.** 3. Item is intentionally ambiguous. Have students speculate on why salsa music is so named. 4. Other languages include English, French, Dutch, creoles. 5. Most indigenous communities disappeared in the 1500s. 7. For example, the **guitarra.**

FCG links: Narration/description with preterit and imperfect, expressing past intentions and obligations (**tuvo que, no quiso**), expressing abstract ideas with **lo** + *adjective* and **lo que**

- **El complemento circunstancial:** This unit tells under what circumstances the action occurs (when, where, how, why) and often begins with a preposition such as **a, de, en, con, por, para. El hijo de Carmen llegó *a la fiesta* y se quedó *hasta las doce.***

If you have problems understanding a sentence, you may want to slow down, analyze the sentence, and figure out *when* or *where who* did *what* to *whom,* while remembering that the subject, verb, and objects are often groups of words. It helps to locate the verb first, determine its number, and look for a subject that corresponds. In Spanish, the subject may appear before the verb (as in English), after the verb, or at the end of the sentence. For example, these two sentences are both true of Celia Cruz and Tito Puente, yet they differ in meaning:

Conoció Celia a Tito Puente.
Conoció a Celia Tito Puente.

Can you explain this difference in meaning?

Using syntax and word order to understand meaning

Act. 2: Assign and discuss in class. Answers. 1. **S - V - CD - CC.** 2. **CC - V - S.** 3. **S - V - CC - CC.** 4. **S - V - CD.** 5. **CC - S - CD - V - CC.** 6. **CC - (S) - V - CC - CD.**

 Actividad 2   La estructura de las oraciones   En parejas, analicen las siguientes oraciones que van a ver en la lectura sobre la cantante cubana Celia Cruz e identifiquen en cada una si hay sujeto (S), verbo (V), complemento directo (CD), complemento indirecto (CI) o complemento circunstancial (CC). Subráyenlos si aparecen.

1. Esta mujer tiene un significado trascendental en la historia de la música caribeña.
2. En esa época empezaban... el chachachá y el mambo.
3. La salsa empezó en 1967, en Nueva York.
4. Toda la música tiene su encanto.
5. Cuando todavía era estudiante, un familiar la inscribió en un concurso radial.
6. Desde hace años ha incluido en ese trabajo a algunos puertorriqueños.

Guessing meaning from context

Act. 3: Assign and discuss in class, or provide answers so that students can self-check. Answers: 1. **c** 2. **c** 3. **b** 4. **a** 5. **c**

Actividad 3   ¡Adivina!   Lee estas oraciones basadas en el artículo sobre la cantante cubana Celia Cruz y escoge el sinónimo de las expresiones indicadas en negrita.

1. Su carrera profesional empezó cuando ganó el primer lugar en **un concurso** de radio.
   a. un canal   b. un curso   c. una competición
2. La salsa es **el conjunto** de todos los ritmos cubanos mezclados en uno solo.
   a. el grupo musical   b. la conjunción   c. la combinación
3. Los instrumentos de la salsa incluyen instrumentos de cuerda, como la guitarra y **el bajo.**
   a. un tipo especial   b. un tipo especial   c. un tipo especial
      de tambor   de guitarra   de flauta
4. Los arreglos de sus canciones son **realizados** por un músico cubano.
   a. hechos   b. apreciados   c. financiados
5. Esta música la **tildaban** de callejera, de música cualquiera, sin crédito.
   a. decoraban   b. apreciaban   c. caracterizaban

Actividad 4   La palabra apropiada Lee las siguientes oraciones sobre la vida de Celia Cruz, y complétalas con una palabra de la lista.

grabación   salida
arreglos   encanto
bondad   incansable
significado

1. Le gusta mucho esta _____grabación_____ de la canción. Se oye muy bien.

2. Una canción puede tener muchos _____arreglos_____ distintos, según los instrumentos que se usen.

3. Esa mujer nunca para. Es verdaderamente _____incansable_____.

4. Celia era honesta, paciente y generosa. Su gran _____bondad_____ era bien conocida por todos.

5. Después de su _____salida_____ de Cuba, Celia se fue a vivir a Estados Unidos.

6. Su música tiene un _____encanto_____ especial que sigue atrayendo a la gente.

7. Es difícil exagerar el _____significado_____ que ha tenido Celia Cruz para la música afrocaribeña.

Actividad 5   Los nombres de Celia **Parte A:** Mira el título, el primer párrafo y la foto del artículo. Luego, en parejas, hagan una lista de todos los nombres y títulos de Celia y digan qué temas se comentan en el artículo.

Parte B: Mientras lees el artículo, decide cuántos de los siguientes temas se comentan en la lectura.

____✓____ los orígenes de la salsa

____✓____ las características de la salsa

_____ los planes de Celia

_____ los orígenes de la música cubana o caribeña

____✓____ la historia de la carrera profesional de Celia

_____ lo que dicen los críticos de la música de Celia

Celia Cruz murió en 2003, pero el artículo que vas a leer fue publicado antes de su muerte.

Act. 4: Assign and discuss in class, or provide answers so that students can self-check.

Skimming and scanning

Act. 5A: Can be assigned as HW. Option: Before doing Act. 5, help students understand Celia's status

Active reading

as an icon of Latin music, and have students brainstorm the names of famous people associated with other types of music (**el rock, la ópera, el jazz, el soul, el rap, el reggae, el heavy metal, la nueva era, el pop, el country**) and give some of their titles: the Queen of Soul, the King of Rock.

Act. 5B: Discuss briefly after students have read. Emphasize that the article was written while Celia was still alive.

La Reina Rumba habla de la 'salsa'

▲ Celia, embajadora de la música caribeña, durante un concierto en Hamburgo, Alemania.

Norma Niurka

Redactora de *El Miami Herald*

Celia Cruz es algo más que una cantante de "salsa", término que era desconocido cuando empezó su carrera interpretando ritmos que se conocían como la rumba y la guaracha. Aún en vida, se ha convertido en leyenda: *la Reina Rumba, la Guarachera de Cuba, la Reina de la Salsa.*

Admirada por antillanos[1], suramericanos, europeos y estadounidenses, esta mujer tiene un significado trascendental en la historia de la música caribeña. El Olympia de París, el Madison Square Garden de Nueva York; el Palacio de la Salsa en México; han temblado ante esa figura incansable, llena de energía, gracia y bondad, que canta, baila a su aire y despliega una fascinante personalidad escénica.

Cuando Celia se iniciaba en el ambiente artístico, en la radio cubana, estaba familiarizada con la guaracha y la rumba; en esa época empezaban a ponerse de moda el chachachá y el mambo.

"Lo que ahora se llama salsa, en la época en que empecé a cantar era la rumba. La salsa, para mí, es el conjunto de todos los ritmos cubanos metidos en uno solo." Celia tiene sus teorías acerca del surgimiento de la palabra "salsa".

"La salsa empezó en 1967, en Nueva York, yo ya estaba en Estados Unidos. En ese año, estuve en Venezuela, en un programa de Fidias Danilo Escalona, que se llamaba *La hora de la salsa...* Para mí no hubo cambio, yo seguí cantando de la misma forma que he cantado siempre."

Celia cita tres cambios en el proceso de rumba a salsa: los instrumentos, los arreglos y una cierta influencia de Estados Unidos.

"Los arreglos te dan más oportunidad de desarrollar un número. Cuando grabé *La bemba colorá* duraba tres minutos, ahora dura diez. Los instrumentos para la salsa son electrónicos. Yo nunca con la Sonora toqué con bajo eléctrico. Antes los pianos eran grandísimos, el pianista necesitaba un camión para él solo. Ahora son electrónicos, pequeños, y se llevan como un violín."

Sus arreglos son realizados por el cubano Javier Vázquez (pianista de la Sonora Matancera), pero desde hace años ha incluido en ese trabajo a algunos puertorriqueños que se han formado en Estados Unidos. Éstos, según Celia, han impregnado su música de otros sonidos.

"En estos pasajes de arreglos de salsa hay un poco de la esencia del jazz, por haber ellos estudiado aquí, aunque sea música del Caribe. La música cubana no pierde sus raíces, ahí están el bajo, la tumbadora, el bongó y, a veces, la maraca; pero yo a esta música le pondría jazz latino si no tuviera el nombre de salsa."

Sin embargo, aclara que no ha cantado jazz ni lo hará.

"En Cuba éramos muy adeptos a oír la música americana. Conocimos muy bien a Ella Fitzgerald y a Count Basie. Toda la música tiene su encanto, pero nunca me interesó cantar ese tipo de música. Si no lo haces en inglés, no sale igual. Si yo hago una guaracha en inglés no me va a salir lo mismo." Con su buen sentido del humor, comenta: "No es lo mismo que en vez de decir ¡Azúca!, diga ¡Sugar!"[2]

A pesar de aceptar que entre sus admiradores se encuentran muchos americanos, Celia no es optimista en cuanto al interés del país en la salsa. "Cuesta trabajo entrar un disco de salsa en español en el mercado americano. El idioma es la barrera."

De origen muy humilde, Celia se crió entre catorce primos y hermanos, en una casa que compartía su madre, con su hermana y su prima. Cuando todavía era estudiante, un familiar la inscribió en un concurso radial y ése fue el comienzo de una carrera brillante en el campo de la música popular.

Continuó interpretando ritmos afrocubanos y muy pronto se estableció su estilo en la guaracha. Su nombre siempre estuvo asociado a la orquesta La Sonora Matancera, con quien grabó hasta su salida de Cuba, continuando la unión más tarde, en el exilio.

"Si hoy tengo un par de aretes me lo he ganado cantando", dice. "He dado un ejemplo, no sólo con mi música, sino porque me he dado a respetar. Esta música la tildaban de callejera, de música cualquiera, sin crédito. Hoy es música de mucho valor, es folklore y es cultura, es una música que todo el mundo respeta. Y yo me he dado a respetar comportándome como una dama. En el escenario canto y bailo, pero cuando me bajo de ahí todos me tienen que respetar."

1 **antillano** = de las Antillas (las islas del Caribe)
2 Celia solía gritar **¡Azúca(r)!** cuando interpretaba una canción.

Celia Cruz murió en 2003, pero este artículo fue publicado cuando aún vivía.

Actividad 6 Celia   Determina si las siguientes oraciones son ciertas o falsas. Corrige las oraciones falsas.

1. __F__ Celia era de familia bastante rica.
2. __C__ Celia empezó su carrera musical cantando guarachas y rumbas en los años 50.
3. __F__ Celia se hizo famosa sólo en Cuba, Miami y Nueva York.
4. __C__ Celia nació y vivió en Cuba hasta que se fue a Estados Unidos.
5. __F__ Celia cantaba bien, pero tenía una personalidad difícil.
6. __C__ A Celia no le gustaba cantar en inglés.

Actividad 7 La salsa según Celia   Celia explica la historia de la salsa, dando información y opiniones propias. Lee cada detalle y contesta la pregunta que le sigue.

1. Había cuatro ritmos cubanos que eran populares antes de la salsa. ¿Cuáles eran?
2. Hubo tres cambios que llevaron a la creación de la salsa. ¿Cuáles fueron?
3. Existía otro nombre posible para la salsa. ¿Cuál era?
4. La salsa y la música caribeña no entraban fácilmente en los EE.UU. ¿Por qué?
5. La música que cantaba era especial. ¿Por qué?
6. Hubo varios lugares y culturas que contribuyeron a la creación de la salsa. ¿Cuáles fueron?

Actividad 8 Una canción de Celia   **Parte A:** Ahora vas a escuchar una canción de Celia Cruz, típica del Caribe. Primero, mira el cuadro de abajo y de la página siguiente.

¿Cómo describes esta canción?

Título: _____

Marca todas las palabras que reflejen tus reacciones a la canción.

_____ aburrida	_____ cómica
_____ dulce	_____ monótona
_____ religiosa	_____ sabrosa
_____ sosa	_____ triste
_____ apasionante	_____ desagradable
_____ inspiradora	_____ política
_____ repetitiva	_____ salvaje
_____ trágica	_____ con buen ritmo
_____ bailable	_____ divertida
_____ lenta	_____ rápida
_____ romántica	_____ sensual
_____ tranquila	_____ de mensaje social

(continúa en la página siguiente)

Marca todas las frases que reflejen tus opiniones.

_____ Es demasiado larga.

_____ Tiene buen arreglo.

_____ Tiene buena letra.

_____ Tiene una letra tonta.

_____ Quiero escucharla otra vez.

_____ Se la regalaría a un amigo.

_____ Me gustaría asistir a un concierto.

Creo que la persona que canta:

_____ es sincera

_____ es aburrida

_____ está aburrida

_____ está enojada

_____ está enamorada

_____ está divirtiéndose

Using additive connecting words

Act. 8B: Model the activity with a student. Set a time limit and discuss student reactions when finished. Option: Listen to and compare a different type of song (e.g., a Mexican **ranchera**) so that students become aware of different Hispanic traditions.

Act. 9: Before doing the activity, brainstorm with the class different possibilities. Have students consider blues, country, gospel, hip-hop. Ask what music they consider "typically" American. Have students consider rhythm, instruments, lyrics, etc., when discussing how influences are manifested.

Parte B: Ahora, en parejas, comparen sus reacciones y digan por qué reaccionaron así. Para conectar sus ideas, usen las siguientes expresiones: **también, además (de)** (*in addition, besides*), **es más** (*what's more*).

Actividad 9 Influencias en la música   En la lectura sobre Celia Cruz se dice que la salsa y la música caribeña, en general, muestran gran influencia africana. En grupos de tres, discutan si existe o no esta misma influencia y otras influencias en la música de su país. Den ejemplos concretos y expliquen cómo se manifiestan esas influencias. Piensen en el rock, el jazz, el reggae, etc.

Cuaderno personal 4-1

Muchos músicos respetaban a Celia Cruz tanto por su talento como por su personalidad. ¿A qué músico o cantante respetas? ¿Por qué?

Videofuentes: Use these questions for pair or group discussion during class, or as written HW.

¿Qué aspectos del artículo se reflejan bien en el video? ¿Qué muestra el vídeo que no muestra el artículo? ¿Por qué Celia es una figura tan importante para la gente hispana y latina?

Lectura 2: Panorama cultural

 FCG links: Narration and description with preterit and imperfect

Actividad 10 **Del contexto al significado** Adivina el significado de las palabras en negrita según el contexto de la oración.

1. Los esclavos africanos **aportaron** varios elementos de sus propias culturas a las culturas caribeñas.
   a. eliminaron   b. copiaron   c. contribuyeron
2. Los instrumentos son de variada **procedencia:** el güiro parece ser de origen indígena, pero la guitarra vino de España.
   a. origen   b. forma   c. manera de tocar
3. Luego se sofríen en aceite cebolla, pimientos, tomate y jamón en una **olla** grande.
   a. recipiente para   b. recipiente para   c. recipiente para
      la basura   servir comida   cocinar
4. De África se adoptaron todos los instrumentos que marcan el ritmo, todo tipo de **tambores...**
   a. instrumentos   b. instrumentos   c. instrumentos
      de cuerda   de viento   de percusión
5. El ritmo es **primordial** en la música caribeña, mientras que la melodía ocupa un nivel secundario.
   a. de principal   b. de muy poca   c. de interés para
      importancia   importancia   el especialista

Guessing meaning from context

Act. 10: Assign and discuss in class or provide answers so that students can self-check. Answers: 1. **c** 2. **a** 3. **c** 4. **c** 5. **a**

Actividad 11 **El verdadero significado** Busca las siguientes palabras en la lectura de esta sección, "El sabor africano del Caribe", y trata de deducir su significado según el contexto. Después, usa un diccionario bilingüe o el glosario para determinar si has deducido correctamente. Escribe el significado correspondiente en el espacio en blanco.

1. (línea 8) la cuenca   _____basin_____
2. (línea 30) la yuxtaposición _____juxtaposition_____
3. (línea 39) comestible   _____edible, related to food_____
4. (línea 44) el culto   _____religion, veneration_____
5. (línea 65) fundirse   _____to fuse or merge_____
6. (línea 67) la bahía   _____bay_____

Guessing meaning from context, Using the dictionary

Act. 11: Assign and discuss in class or provide answers so that students can self-check.

ESTRATEGIA DE LECTURA

Distinguishing Main Ideas and Supporting Details

Texts that seek to inform and explain (as opposed to narratives, which tell stories) are normally organized around a central topic and certain main ideas. The main idea is often the topic of a paragraph, though several paragraphs may also develop one main idea. The body of the paragraph is made up of supporting details. Correctly distinguishing main ideas from supporting details and ideas can greatly improve your overall comprehension of a text.

Actividad 12 **¿Idea principal o detalle?** Lee rápidamente cada párrafo de
la lectura para ver cuál de las dos frases es la idea principal del párrafo y cuál
es un detalle de apoyo. Luego lee todo el texto sin interrupción para ver la
interrelación entre las ideas.

Párrafo 1
a. la mezcla cultural del Caribe
b. los ingredientes del sancocho

Párrafo 2
a. orígenes y definición de "mulato"
b. orígenes y naturaleza de la presencia africana

Párrafo 3
a. los "moros y cristianos", resultado de la mezcla cultural
b. el tipo de mezcla cultural

Párrafo 4
a. el impacto culinario de los africanos
b. métodos de cocinar de los africanos

Párrafo 5
a. la importación de los orishas
b. la creación de religiones sincréticas

Párrafo 6
a. los instrumentos musicales de origen africano
b. las características africanas de la música caribeña

Párrafo 7
a. el desarrollo de bailes y ritmos cubanos
b. el origen de la salsa en Nueva York

El sabor africano del Caribe

Hay muchas variaciones de este
plato.

Los indígenas caribeños taínos y
caribes desaparecieron, pero dejaron
contribuciones a la cultura regional:
instrumentos musicales, el uso de
varias comidas y el cultivo y uso del
tabaco. Sólo hubo un breve período de
mestizaje antes de la destrucción de
los pueblos indígenas.

"Se cocinan carne de res, un rabo de buey y un pollo picado en pedazos.
Luego, en una olla grande, se sofríen en aceite un pedazo de jamón,
cebolla picada, pimientos, tomate y tocino. Se añaden las carnes, y se echa
agua para hervir pedazos de papa, batata, ñame, yautía, yuca, plátano y
5   mazorcas de maíz..." Así empieza la receta para lo que se llama ajiaco en
Cuba y Colombia, o sancocho en la República Dominicana y Puerto Rico.
Esta "supersopa" es un plato típico del Caribe. Y como en la sopa, en la
cuenca del Caribe se han mezclado elementos de muchas culturas: las indígenas, pero también las de los muchos inmigrantes que llegaron a la región
10   después del año 1492. Se nota, desde luego, la presencia europea, ya que
llegaron no sólo españoles sino también portugueses, holandeses, ingleses
y franceses. Hoy día se hablan allí varias lenguas europeas —el inglés en
Jamaica, el francés en Haití— aunque el idioma español y la cultura hispana todavía predominan en la región. Sin embargo, todas las islas y gran
15   parte de la costa caribeña comparten una importante influencia africana que
se refleja en la comida, la religión, la música y el baile.

Durante los años de la colonia (siglos XV–XIX), los españoles —y más tarde los franceses, ingleses y holandeses— necesitaban trabajadores para sus plantaciones de caña de azúcar, café y tabaco. Al principio usaron a los
20 indígenas, pero sus comunidades desaparecían a causa de las enfermedades europeas y las duras condiciones de trabajo. Por esa razón, se llevaron esclavos africanos al Caribe, práctica que se mantuvo hasta el siglo XIX. Los esclavos provenían especialmente de la cultura yoruba (o lucumí), de países de África Occidental, en lo que hoy se conoce como Nigeria y Benin.
25 Con el tiempo, la población africana creció enormemente y empezó a mezclarse con la europea. Como resultado, los mulatos o personas que lle-van en sus venas tanto sangre europea como africana, forman hoy día gran parte de la población caribeña.

En el Caribe, sin embargo, una cultura no absorbe a la otra, sino que se
30 crea un sincretismo, una yuxtaposición de elementos de las dos culturas en la que ambas coexisten conservando cada una elementos propios. Esta mez-cla racial y cultural se ve reflejada en el plato cubano "moros y cristianos" que consiste en cocinar arroz blanco con frijoles negros: un ingrediente no absorbe al otro, sino que los dos se complementan.

35 Así pues, la llegada de los africanos contribuyó no sólo a la riqueza racial sino también a la riqueza culinaria. Y aunque la dieta caribeña con-tiene productos autóctonos que consumían los indígenas, como la malanga y la guayaba, e ingredientes y métodos de cocinar de los españoles, los africanos introdujeron productos comestibles como el ñame, los gandules,
40 el plátano y el banano, y aportaron sus costumbres culinarias como el uso de mucho aceite y la frecuente mezcla de los frijoles con el arroz.

La influencia africana se extiende además a las creencias religiosas. La santería, culto muy popular en Cuba,
45 Puerto Rico y en comunidades cubanas y puertorriqueñas de los Estados Unidos, es un buen ejemplo del sincretismo entre las culturas española y africana occidental.
50 Cuando los africanos entraron en con-tacto con los santos de la religión católica, los esclavos empezaron a identificar elementos similares entre los santos cristianos y los orishas o
55 dioses yorubas. De esa manera —y a pesar de las prohibiciones de la Iglesia Católica— los esclavos comenzaron a adorar a los santos en reuniones secretas llamadas cabildos,
60 sin abandonar sus ritos africanos ni sus dioses lucumíes. Sus ritos incluían música y baile, altares con flores y comida, oraciones y magia. Los españoles denominaron como santería a esos ritos y a esa fusión de figuras religiosas. Así, por ejemplo, aun
65 hoy día, San Lázaro, santo patrón de los enfermos, se funde con Babalú Ayé, el dios que causa y cura las enfermedades, y la Virgen de Regla, patrona de la Bahía de La Habana, es en santería Yemayá, diosa del mar y fuente de la vida.

El tabaco es una planta autóctona del Caribe y América. La caña de azúcar, de origen asiático, fue llevada a España por los árabes, y los españoles la llevaron al Caribe, donde se convirtió en el producto más importante de la región. El café, originalmente de Etiopía, fue llevado al Nuevo Mundo por los franceses, y en el siglo XVIII se empezó a cultivar en Cuba, Colombia y Brasil.

◄ Un altar casero de santería dedicado a Santa Bárbara, la patrona de los militares, quien se sincretiza con Changó, el dios lucumí del trueno y de la guerra.

La música caribeña refleja también la mezcla de culturas. Los instru-
70 mentos son de variada procedencia: el güiro y las maracas parecen ser de
origen indígena, mientras que la guitarra proviene de España. De África se
adoptaron los instrumentos de percusión, todo tipo de tambores que luego
se convirtieron en bongoes, congas, timbales y tumbadoras. El ritmo que
establece el tambor es primordial en este tipo de música, en tanto que la
75 melodía tiene un papel secundario.Y puesto que el ritmo se crea con los
instrumentos de percusión, la improvisación musical, tan típica de la música
caribeña, también se deriva en gran parte de la influencia africana.

Debido a su fuerte ritmo, la música del Caribe está íntimamente asociada con el baile. Aunque la República Dominicana ha contribuido con el
80 merengue, Puerto Rico con la plena y Colombia con la cumbia, fue en Cuba
donde se crearon más bailes basados en ritmos africanos. A partir de los
años treinta, bailes cubanos como la rumba, el mambo y el chachachá se
hicieron famosos en todo el mundo. A finales de los sesenta se comenzó a
desarrollar la salsa, un producto de la fusión de todos esos bailes y ritmos.
85 La salsa es popularísima en el Caribe, pero se inició entre los hispanos—
principalmente cubanos y puertorriqueños— que vivían en Nueva York.

Algunos de los iniciadores de la salsa neoyorquina
son Celia Cruz, Willie Colón, Johnny Pacheco y
Héctor Lavoe. Más tarde, éstos y otros artistas
90 difundieron la salsa por todo el Caribe y el resto
de Hispanoamérica. Una segunda generación de

La cumbia es de origen colombiano, pero se ha convertido, con adaptaciones, en uno de los ritmos y bailes más populares de los mexicanos y los mexicoamericanos.

◄ En esta procesión santera de Trinidad, Cuba, los hombres tocan los tambores batá, instrumentos sagrados de origen africano que sirven para llamar y alabar a los orishas.

los timbales

las claves

la tumbadora

los bongoes

el güiro

Act. 13: Assign and discuss in class. Answers: 1. **inglés en Jamaica, francés en Haití** 2. **África occidental** 3. **africano y europeo** 4. **indígenas, europeas y africanas** 5. **Mezclaron la religión cristiana con su propia religión.** 6. **Todavía se practica.** 7. **El ritmo es más importante.** 8. **Cuba.** Follow-up: Remind students of **mestizaje** (mix of European and indigenous American). What parallels exist? What differences? What examples of syncretism have students seen previously?

Capítulo 4   69

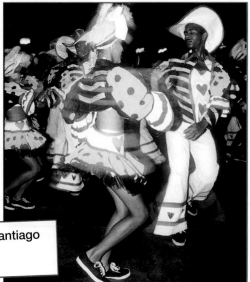

músicos elaboraron aun más la salsa; Rubén Blades introdujo el mensaje de protesta social y política a la salsa, Lalo Rodríguez fue uno de los cantantes de la
95 "salsa cama", de sentido más sensual y romántico, y Juan Luis Guerra combinó canciones de mensaje social con otras de amor. Ahora salseros tan conocidos como Marc Anthony y La India continúan esta tradición, y hay también intérpretes que mezclan los ritmos de salsa con
100 rap, techno y otros estilos musicales.

Hoy en día, la música caribeña ha llegado a ocupar un lugar de importancia mundial. Sin embargo, el Caribe es mucho más que su música: es un mundo rico y vibrante cuya riqueza cultural, ya sea religiosa, culinaria o musical,
105 proviene de la unión de razas de África y Europa sobre la tierra del continente americano.

▶ Bailando la conga en Santiago de Cuba.

Actividad 13 ¡Datos incorrectos! Las siguientes oraciones son todas incorrectas. Corrígelas de acuerdo con la información de la lectura.

1. Todas las naciones del Caribe son de habla española.
2. La mayor parte de los esclavos africanos en el Caribe eran del norte de África.
3. Los mulatos son personas de origen indígena y europeo.
4. La comida caribeña es una combinación de contribuciones africanas, asiáticas e indígenas.
5. Los esclavos africanos adoptaron totalmente la religión cristiana.
6. La santería ya no se practica.
7. La melodía tiene especial importancia en la música africana.
8. Puerto Rico ha sido la fuente de la mayoría de los ritmos y bailes afrocaribeños.

Act. 14: Assign as HW. Be sure students understand that they are to relate the elements to the appropriate category. Some items can be related to more than one category. Check by having students co-construct the mind map with you on the board. Conclude by having students identify different origins of some elements: **batá y bongó** (**África**), **maracas** (**América**), **guitarra** (**España**). If you plan to read **"Habanasis,"** then try to make sure that students can recognize key elements of that story. Option: After doing activity, discuss Caribbean life and influence in the U.S., especially on the East Coast and in Florida.

Actividad 14 La cultura caribeña Los términos de la siguiente lista representan detalles y ejemplos de la lectura. Para ver si has entendido bien, haz un mapa mental que refleje la organización de la lectura. Comienza con el siguiente esquema y relaciona cada elemento con la categoría correspondiente.

la historia   la comida
La cultura afrocaribeña
la religión   la música   el baile

Elementos

la rumba	las plantaciones	los mulatos	el ajiaco
la malanga	los cabildos	mucho aceite	Nueva York
los esclavos	moros y cristianos	la improvisación	Yemayá
el merengue	la caña de azúcar	el plátano	San Lázaro
el sincretismo	bongoes	Willie Colón	el café
el banano	la salsa	el ritmo	el mambo
la plena	el tabaco	timbales	Juan Luis Guerra
Marc Anthony	Celia Cruz	tumbadoras	Rubén Blades
los yorubas	la Virgen de Regla	Babalú Ayé	???

Act. 15: Begin the discussion by talking about your own heritage. Try to emphasize the role of immigration in cultural mixing. Check by having a few students report on their partner's responses. Use the present perfect: **¿Qué tradiciones han sobrevivido en tu familia?**

CP 4-2: Discuss briefly with the class to generate ideas and vocabulary.

Actividad 15   Tu propia herencia   En parejas, usen el esquema básico de la Actividad 14 para hablar de las tradiciones étnicas y culturales que han influido en sus propias familias. También pueden mencionar otros aspectos, como lenguas o costumbres típicas que se mantienen en sus familias.

Cuaderno personal 4-2

¿Sobre qué aspectos de la cultura norteamericana han tenido influencia las culturas y las tradiciones africanas?

Lectura 3: Literatura

FCG links: Review of narration/description with preterit and imperfect, **lo** + *adjective*

Identifying register and genre

Act. 16: Assign and discuss in class. The sentences are from **la Biblia, el libro de Génesis.** Ask students to describe the kind of language used in their translations: informal, formal, frozen? Answers: 1. In the beginning God created the heavens and the earth. 2. Let there be light (note that we give a modern form here, rather than the traditional **Sea/Hágase la luz**).

En España, las formas de vosotros se asocian con el trato informal, pero en Latinoamérica su uso se asocia más bien con el lenguaje bíblico o literario.

Actividad 16   Frases conocidas   El cuento "Habanasis" que vas a leer, se basa en una historia muy conocida. Las siguientes frases aparecen en esa historia judeocristiana. Lee todas las frases e identifica el nombre de esa historia o el libro donde se incluye esa historia. Después, escribe una traducción inglesa de cada frase.

1. "En el principio creó Dios los cielos y la tierra."
2. "Que haya luz."
3. "Júntense en un solo lugar las aguas que están debajo del cielo, y descúbrase lo seco. Y así fue."
4. "Y vio Dios que era bueno."
5. "Fructificad y multiplicaos."
6. "Y Dios quedó complacido."

3. Let the waters under the heavens be gathered together unto one place, and let the dry land appear: and it was so. 4. And God saw that it was good. 5. Be fruitful and multiply. 6. And God was pleased.

Using syntax and word order to understand meaning

Act. 17: Assign and discuss in class. Answers: 1. **S-V-CD** 2. **V-S-CD** 3. **(S)-CI-V-CD** 4. **S-V-CD-CC** 5. **CC-S-V.** Option: Have students analyze the double object structure of sentences with **llamar** and **nombrar**: **La fértil tierra roja la llamó Cuba.**

Actividad 17   El orden de las palabras   Para entender las oraciones y las historias, es importante poder determinar quién hizo qué. Determina los componentes de las siguientes oraciones: S, V, CD, CI y/o CC.

1. Dios... dijo: "Que haya música."
2. Dijo Dios: "Que haya luna y estrellas..."
3. Le daré buenos compañeros.
4. Dios formó un Taíno de un puñado de arcilla roja.
5. El séptimo día, Dios sonrió.

Guessing meaning from format

Actividad 18   A leer   Parte A: En parejas, miren el título, las fotos y la primera línea del cuento, y decidan a qué se refiere el título.

Active reading, Identifying tone

Parte B: Mientras lees el cuento, piensa en el tono en el que el autor lo ha escrito. ¿Tiene un tono serio, trágico, cómico, irónico, positivo, negativo...?

Act. 18: Assign and discuss in class. It is not necessary that students identify all elements or understand all vocabulary in order to understand the gist of the story. Option: Read the text aloud, in the reverential tone of a religious reading. Have students give their personal reactions to the story. Point out humorous references such as the closing command ("**comed carne de puerco**") mixed with the **tono reverencial** of praise. Ask why the author mixes these tones.

Richard Blanco es un poeta cuya historia personal es todo un símbolo de la mezcla cultural. Según el mismo autor, él fue "creado en Cuba, ensamblado en España, e importado a los Estados Unidos". Esto significa que su madre, embarazada de siete meses, y su familia se fueron de Cuba al exilio, primero a Madrid, donde nació el poeta en 1968, y después a Nueva York. Blanco también ha vivido en Miami y Washington, D.C. Ha trabajado como ingeniero y poeta, y también se divierte fabricando muebles, tocando el bongó y sacando fotos submarinas. Su primer libro de poemas y cuentos, City of a Hundred Fires *(1997), recibió muchos elogios, ganó un premio importante y lanzó su carrera como poeta. El cuento/poema de "Habanasis" es una celebración de Cuba, tierra de origen de su familia.*

Habanasis
Richard Blanco

En el principio, antes de que Dios creara Cuba, la tierra era un caos, vacía y sin forma, y sin música. El espíritu de Dios despertó sobre las oscuras aguas tropicales, y dijo: "Que haya
5 música". Y se oyó el ritmo suave de una conga, que comenzó a marcar un uno-dos en lo más profundo del caos.

Entonces Dios convocó a Yemayá y dijo: "Júntense todas las aguas bajo los cielos, y
10 descúbrase la tierra". Y así fue. La fértil tierra roja Dios la llamó Cuba, y las aguas las llamó el Caribe. Y Dios quedó complacido, marcando suavemente con los pies el ritmo de la conga.

Después dijo Dios: "Que haya papaya, coco y
15 la masa blanca del coco; malanga y mango en tonos de oro y ámbar; que haya tabaco y café, y azúcar para el café; que haya ron; que haya ondulantes plataneros y guayabos y todo lo tropical". Y Dios quedó complacido y entonces creó las palmeras —su *pièce de résistance*.

20 Dijo Dios: "Que haya luna y estrellas para alumbrar las noches tropicales sobre Tropicana, y sol los 365 días del año". Y Dios quedó complacido. Y Dios nombró la noche vida nocturna, y el día lo llamó paraíso.

Luego Dios dijo: "Que haya peces y aves de todo tipo".

Y hubo enchilado de camarones, fricasé de pollo y frituritas de bacalao.
25 Pero Dios quiso algo aun más sabroso y dijo: "Basta. Que haya carne de puerco". Y hubo masitas de puerco fritas, hubo asados, chicharrones y chorizos. Dios creó los chivos y usó sus pieles para bongoes y batúes; hizo claves y maracas y todos los cueros habidos y por haber.

Entonces, de un puñado de arcilla roja, Dios formó un Taíno, y lo puso
30 en una ciudad que llamó La Habana. Luego Dios dijo: "No es bueno que Taíno esté solo. Le daré buenos compañeros". Y así Dios creó la mulata

▲ Las hermosas palmeras de la isla de Cuba.

papaya, coco, mango, guayaba = frutas tropicales

malanga = una raíz similar a la papa o patata

ron = una bebida alcohólica hecha a base de caña de azúcar

Tropicana = club de espectáculos de La Habana

bacalao = un tipo de pescado

chivo = un animal cuya piel o cuero se usa para fabricar tambores

cuero = tambor

Taínos = el pueblo indígena más importante de Cuba

guaguancó y son = ritmos y bailes afrocubanos

quajiro = campesino cubano

Cachita = nombre coloquial de la Virgen de la Caridad del Cobre,
patrona de Cuba, asociada en santería con
Ochún, diosa del amor y la maternidad

para bailar el guaguancó y el son
con Taíno; el guajiro para cultivar
su tierra y su folklore, la santera
35 Cachita para marcar el compás de
su música, y un poeta para elaborar
los versos de su paraíso.

Dios les otorgó poder sobre
todas las criaturas y todos los
40 instrumentos musicales y les dijo:
"Creced y multiplicaos, comed
carne de puerco, tomad ron, tocad
música y bailad". El séptimo día, al
contemplar los festejos y escuchar
45 la música, Dios sonrió y descansó
de sus labores.

▲ Se ve una rica variedad de
frutas y comidas en los
mercados callejeros de Cuba.

Actividad 19 Lo cubano En "Habanasis" el autor representa lo cubano
como una fusión de muchos elementos de origen variado. En grupos de tres,
comenten las siguientes preguntas sobre el cuento.

1. ¿Por qué creen Uds. que el autor escogió el título "Habanasis"?
2. Según el cuento, ¿cuáles son los elementos esenciales de Cuba?
3. ¿Cuáles son tres cosas mencionadas en la lectura que se asocian con lo
   indígena? ¿Lo europeo? ¿Lo africano?
4. ¿El autor presenta las cosas y los elementos en el orden en que aparecieron
   en Cuba (primero lo indígena, después lo español, y luego lo africano), o
   los mezcla libremente? ¿Por qué?
5. ¿Hay algunos elementos que no tienen un solo origen? ¿Hay algunos que se
   crearon por primera vez en Cuba o el Caribe?

Actividad 20 Más allá de lo bonito El cuento de "Habanasis" es una gran
celebración de lo cubano. En parejas, reflexionen sobre su significado al
contestar las siguientes preguntas.

1. ¿Por qué o para qué creen que el autor escribió este cuento? ¿Creen que su
   historia personal influyó en el tono del cuento?
2. ¿Por qué decidió usar como base la historia judeocristiana de Génesis en
   vez de alguna leyenda de creación africana o indígena?
3. En el cuento el autor nos presenta una imagen de Cuba como un "paraíso".
   ¿Creen que esta presentación de Cuba está completa? ¿Por qué creen que se
   enfoca en los aspectos presentados y no en otros?

Cuaderno personal 4-3

¿Cuáles son los elementos o ingredientes
fundamentales de la cultura de tu país? ¿Crees que
tu país se puede presentar como un "paraíso"?

Redacción: Una biografía

FCG links: Preterit and imperfect, present perfect, expressing past intentions, **lo** + *adjective*

Actividad 21 **La biografía y sus elementos** **Parte A:** En parejas, contesten las siguientes preguntas.

1. ¿Por qué se escriben biografías?
2. ¿Qué tipos de personas se escogen para las biografías?
3. ¿En qué consiste una buena biografía?
4. ¿Qué elementos o tipo de información contiene una biografía? Hagan una lista de cinco elementos.

Parte B: Ahora, en parejas, comparen su lista de tipos de información con la lista de tipos y preguntas que aparece abajo. ¿Creen que hay que incluir más elementos?

1. **Nacimiento:** ¿Dónde nació? ¿Cuándo nació?
2. **Historia de su familia:** ¿Dóndo vivió su familia? ¿De dónde era su familia? ¿Qué efecto tuvo (o ha tenido) la historia familiar sobre su personalidad y perspectiva sobre la vida?
3. **Fechas claves:** ¿Cuándo empezó sus estudios? ¿Cuándo se casó/divorció/mudó? ¿Cuándo murió?
4. **Educación:** ¿Cómo influyeron sus estudios en su perspectiva sobre la vida?
5. **Experiencias importantes:** ¿Cómo influyeron sus experiencias en su perspectiva sobre su vida?
6. **Metas y objetivos:** Cuando era joven, ¿qué quería hacer? ¿A qué se dedicó?
7. **Personalidad:** ¿Qué tipo de persona era? ¿Cómo era?
8. **Creencias:** ¿En qué creía? ¿Qué era lo más importante de su vida?
9. **Éxitos:** ¿Qué pudo o quiso hacer en la vida? ¿Qué éxitos o logros tuvo?
10. **Remordimientos:** ¿Qué iba a hacer o quería hacer que nunca pudo hacer? ¿Qué hizo que lamentaba o se arrepintió de haber hecho?

ESTRATEGIA DE REDACCIÓN

Providing Smooth Transitions

Transition words provide the glue that holds a piece of writing together. Transition words often refer to sequence; however, there are others that can be used to express other types of relations and that can be important for describing and explaining actions in a biography.

así que...	so . . . (*result*)
como resultado	as a result
entonces	so (*logical result*)
por eso	that's why
por lo tanto	therefore
sin embargo/no obstante	however
a pesar de (eso)	despite, in spite of (that)

Providing smooth transitions

Act. 22A: Assign and discuss in class. Answers: 1. **así que, entonces** 2. **Sin embargo, A pesar de eso** 3. **Por eso, Como resultado, Por lo tanto** 4. **entonces, por eso,** etc.

Act. 22B: Encourage students to brainstorm. Follow-up with a class sharing. For item 2, point out that this question can be answered only if you have detailed knowledge of the person's biography, so it is important that they find out a lot about the person they choose to write their biography about. Option: Focus on living persons if you want students to incorporate more use of the present perfect.

Activating background knowledge

Actividad 22 **La inmigración y sus consecuencias** **Parte A:** La biografía de los inmigrantes y de sus descendientes suele ser muy marcada por su historia de inmigración. Por ejemplo, en la Lectura 1 leímos una reseña biográfica de Celia Cruz, para quien el tema de la inmigración tuvo gran importancia. Termina las siguientes oraciones con una expresión de transición apropiada.

1. Celia se opuso a Fidel Castro, _____ decidió abandonar su país y emigrar a los Estados Unidos.

2. Celia salió de Cuba en 1960. _____ ella nunca olvidó su país de origen y lo recordó en casi todos sus conciertos.

3. A diferencia de algunos inmigrantes, Celia no quería salir de su país de origen. _____ conservó una gran nostalgia por Cuba y todo lo cubano durante sus más de cuarenta años en los Estados Unidos.

4. Los antepasados y parientes de Celia eran de origen africano y eran santeros, _____ ella también era santera y cantaba música afrocubana.

Parte B: En grupos de tres, completen las siguientes actividades sobre la biografía y la inmigración.

1. Hagan una lista de inmigrantes famosos (del pasado o del presente) cuyas vidas son muy interesantes para Uds.

2. Escojan una de esas personas. ¿Qué efectos tuvo la inmigración sobre su vida? Den dos ejemplos.

Organizing information

Act. 23: Prepare a handout with your specifications (audience, length, sources, versions, deadlines; see front matter of IAE for models). Option 1: Have students use and turn in a copy of at least one source in Spanish (for vocabulary). Option 2: Link this activity to the discussion of Latinos in the U.S. in Chapter 5 by limiting choices to famous Hispanic immigrants to the U.S.

Actividad 23 **La investigación y la escritura** Ahora escoge a un/a inmigrante famoso/a y escribe una breve biografía. Puede ser un/a pariente o una persona famosa que identificaron en la actividad anterior. Presta atención a las siguientes sugerencias al preparar la biografía.

1. Usa Internet o enciclopedias para encontrar información sobre la persona.

2. Decide qué efectos tuvo la inmigración sobre su historia familiar y personal.

3. Decide qué es lo más interesante o lo más importante de su vida.

4. Decide la relación entre sus logros y su experiencia como inmigrante. ¿Tuvo éxito o problemas a causa de ser inmigrante o a pesar de ser inmigrante?

5. Decide qué información hay que incluir en la biografía y qué información se puede excluir y escribe su biografía.

Capítulo 5

Latinos americanos

◄ Juan Luis Gómez Pereira
Lugar de nacimiento: Guanajuato, México
Fecha de nacimiento: 1974
Ocupación: Ingeniero civil
Residencia actual: Los Ángeles

► María Eugenia Zamora Li
Lugar de nacimiento: La Habana, Cuba
Fecha de nacimiento: 1989
Ocupación: Estudiante
Residencia actual: Miami

◄ Mercedes Roca Salinas
Lugar de nacimiento: San Antonio, Texas
Fecha de nacimiento: 1974
Ocupación: Banquera
Residencia actual: Houston

► Gonzalo Perales Cruz
Lugar de nacimiento: Ponce, Puerto Rico
Fecha de nacimiento: 1982
Ocupación: Modelo
Residencia actual: Nueva York

See the *Fuentes* website for related links and activities:
http://college.hmco.com/languages/spanish/students

Activating background knowledge

Act. 1: Option: Have students review **Lectura 2** in Chapter 1 before doing this activity. Point out the different meaning of **americano** in terms such as **hispanoamericano** and **mexicoamericano.** Discuss the play on words in chapter title. Option: Discuss the varied racial makeup of these groups. Emphasize the difference between traditional meanings and acquired meanings specific to the U.S., for example, **latino/hispano.** Have students investigate the use of these terms in the U.S. (on the Internet or by interviewing friends).

Actividad 1   **¿De quiénes estamos hablando?**   **Parte A:** En parejas, definan cada término y digan los idiomas que se hablan en cada grupo.

hispanos	hispanoamericanos
latinos	latinoamericanos
mexicanos	mexicoamericanos
chicanos	centroamericanos
caribeños	suramericanos
cubanos	cubanoamericanos
puertorriqueños	neorriqueños
norteamericanos	americanos

Parte B: Miren las fotos e información de la página anterior y digan cuáles de los términos de la Parte A se pueden usar para caracterizar a cada individuo. ¿Son todos inmigrantes?

Lectura 1: Una entrevista

FCG links: Influencing and suggesting with the subjunctive, presentational use of impersonal and passive **se**

Guessing meaning from context

Act. 2: Assign and discuss in class or provide answers so that students can self-check. Option 1: Have students use the **red/web** to find out basic information on the RAE: when founded (1713), purpose (determine Standard Spanish) major ongoing projects (**Diccionario de la Real Academia Española or DRAE**), where it is (Madrid), related organizations (many American academies, including the **Real Academia de la Lengua Norteamericana** since 1985). Option 2: Select expressions from the reading and have students guess English equivalents: *emisora de radio, cadena de televisión, leí en un diario puertorriqueño, hay novelas que tiran 3.000 ejemplares, los poetas nuyorriqueños están empezando a destacar.* Option 3: Point out the play on words **Webón/huevón.**

Actividad 2   **Palabras y nombres**   Busca una definición de la primera lista que corresponda con una palabra en negrita de las oraciones. Luego escribe la letra de la definición en el espacio. Estas palabras aparecen en la entrevista que vas a leer sobre el spanglish.

a. dos autores del siglo de oro de España, famosísimos por su uso elegante del español
b. la Real Academia (de la Lengua) Española, institución oficial fundada en Madrid en 1713 que publica diccionarios y gramáticas
c. un lenguaje muy coloquial y poco prestigioso que cambia rápidamente
d. desear algo que tiene otra persona
e. el sistema de computadoras conectadas por medio de la telecomunicación
f. un golpe en la cara
g. palabra o frase que se identifica o se asocia con un grupo u organización

1. ___b___ En el mundo hispano, el diccionario de mayor prestigio es el publicado por la **RAE.**
2. ___g___ El **lema** de la RAE es "limpia, fija y da esplendor".
3. ___a___ En el mundo hispano, las obras de **Góngora** y **Quevedo** se consideran ejemplos del buen uso del español.
4. ___c___ Los estudiantes universitarios tienen fama de usar mucho **argot,** como "uni", "biblio" y "facu".
5. ___e___ El español se usa cada vez más para el envío de mensajes electrónicos en la **red.**
6. ___d___ Muchas personas **envidian** a Bill Gates por su dinero y su poder.
7. ___f___ En las películas tradicionales de Hollywood, las mujeres enojadas les daban **bofetadas** a los hombres "frescos".

ESTRATEGIA DE LECTURA

Recognizing Symbols, Similes, and Metaphors

When reading, you must be careful not to take everything too literally. Many words and expressions are used for their symbolic potential. A symbol (**un símbolo**) signifies or represents something else, often more powerfully than a direct reference. For example, the skull and crossbones is a visual symbol used to warn of dangerous poisons. Similes and metaphors are comparisons between elements, which are often used with symbolic significance in writing. A simile (**un símil**) is explicit and uses the words *like* or *as* (**como**): *He's as cold as ice.* A metaphor (**una metáfora**) directly equates two elements <u>without</u> the use of *like* or *as*: *All the world's a stage.* Symbols, similes, and metaphors are used in all types of writing, though they are especially frequent in songs and poetry.

Act. 3A: Discuss in class, perhaps when going over HW assignments. Can also be assigned. Students will tend to (mis)identify Spanglish as merely slang. A well-known example is Ricky Martin's **"Livin' la vida loca."**

Act. 3B: Assign and discuss in class. Check by listing symbols/metaphors: **mestizaje, cruce, revolución, cohabitación, kenedito, el sabor de los sueños, se parece al jazz, dos prisiones, atraparlo en un diccionario.**

Actividad 3 **Más allá de lo literal** **Parte A:** En parejas, miren el título y la foto del artículo y comenten las siguientes preguntas.

1. ¿Qué simboliza el título?
2. ¿De qué va a tratar la lectura?
3. ¿Qué opinan del spanglish? ¿Quiénes lo hablan?
4. ¿Conocen algún ejemplo de spanglish?

Parte B: Mientras lees individualmente, subraya las palabras o expresiones que se usan como símbolos, símiles o metáforas.

Activating background knowledge, Predicting

Option: Discuss the source of the article (the newspaper *La Vanguardia* in Spain) and ask students to identify comments aimed at the intended Spanish audience.

Active reading, Identifying symbols, similes and metaphors

"¿Cómo estás you el día de today?"

Entrevista con Ilán Stavans

Ima Sanchís, *La Vanguardia*

Nacido en Ciudad de México, Ilán Stavans es profesor en Amherst College, Massachusetts, donde tiene la primera cátedra de spanglish en Estados Unidos.

—*Buenas tardes, señor Stavans.*

—Hallo, gringa. ¿Cómo estás you el día de today?

—*Sin respuesta.*

—Verá, el spanglish no son sólo unas cuantas palabras en argot, es un mestizaje verbal entre el inglés y el español, un cruce de dos lenguas y dos civilizaciones. Es una revolución subversiva. ¿Y sabe qué es lo mejor?

—*Pues no.*

—Que el spanglish va más allá de la clase social, la raza, el grupo étnico y la edad. Lo hablan 40 millones de personas.

—*¿Y cuándo empezó a hablarse?*

—En 1848, en el momento en que México le vende por 15 millones de dólares a Estados Unidos dos terceras partes de su territorio con sus pobladores. Luego en 1898 la guerra hispano-americana arraiga todavía más la cohabitación verbal y cultural.

—*Pero otras lenguas han desaparecido de Estados Unidos.*

—Sí, el alemán, el francés, el polaco, el ruso, el italiano o el yiddish terminaron por desaparecer a partir de la segunda generación de inmigrantes. Sin embargo, el castellano tiene muchísima presencia, hay más emisoras de radio en California que en toda Centroamérica, dos cadenas nacionales de televisión y periódicos de amplia difusión.

—*¿Escriben y hablan en spanglish?*

—Sí, el otro día en un diario puertorriqueño leí: "Una de las actividades favoritas de la región es el

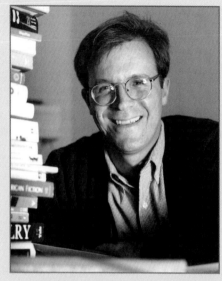

▲ Ilán Stavans

jangueo en los malls..."
—¿Y qué significa?
—Janguear, que viene del verbo inglés "to hang out", significa pasar el rato, divertirse, perder el tiempo. En su mayoría esas expresiones son adaptaciones literales del inglés, como "llamar pa'tras", que viene de "to call you back"; o "vacunar la carpeta", que significa pasar el aspirador por la alfombra.
—La RAE no debe estar muy contenta.
—No, pero es absurdo. ¿Cuál es el español puro y legítimo, el de Góngora y Quevedo? ¿Y quién lo habla en la actualidad? Que el lema de la RAE sea todavía el de "limpia, fija y da esplendor" me parece ofensivo.

—¿Y cómo lo llevan los americanos?
—En algunos estados se ha llegado a promulgar la ley English Only, pero EE.UU. es un país bilingüe... La realidad está en la calle y también tiene mucho que ver con los webones.
—¿?
—Los que se pasan todo el día conectados a la red... Pero todos somos webones, la cultura se ha webatizado en los últimos diez años.
—¿Ciber-spanglish?
—Sí, un lenguaje que se disemina por todo el mundo. Incluso ustedes hablan de "chatear" en lugar de charlar, del "maus" en lugar del ratón y "printean" en vez de imprimir.
—¿Y los anglosajones hablan spanglish?
—En los últimos años muchos lo hablan porque es muy cool.
—¿Se ha puesto de moda?
—Muchísimo. Veo que esa palabra la conoce. ¿Conoce coolísimo?
—Ésa ya no.

—Es un mexicanismo. Y los cubanos llaman al traidor "kenedito". El spanglish tiene muchas tipologías según el territorio en el que se desenvuelve; está el dominicanish, el spanglish cubano, el chicano.
—¿Y hay literatura?
—Hay novelas escritas en spanglish que tiran 3.000 ejemplares y los poetas nuyorriqueños están empezando a destacar.
—¿Se convertirá en un idioma?
—Yo creo que tiene futuro. Hay mucho que escribir y que soñar, y cuando se sueña en spanglish el sabor de los sueños es distinto, es más divertido porque es un idioma muy imaginativo, muy creativo, muy espontáneo, muy libre, se parece al jazz.
—¿Y usted? ¿Se ha lanzado a hablar en spanglish?
—Antes de que me entrara esta pasión por el spanglish tenía la sensación de vivir

𝒲e la gente de los Unaited Esteits, pa'formar una unión más perfecta, establisheamos la justicia, aseguramos tranquilidá doméstica, provideamos pa'la defensa común, promovemos el welfér, y aseguramos el blessin de la libertad de nosotros mismos y nuestra posterity, ordenando y establisheando esta Constitución de los Unaited Esteits de América.

▲ ¿Se debe usar el spanglish en documentos importantes?

encerrado en dos prisiones, la del idioma español y la del idioma inglés.

—*Así que estudiaba el spanglish, pero no lo hablaba.*

—Sí, y envidiaba a la generación de mis sobrinas y a mis estudiantes porque hablaban spanglish, pero

yo como profesor y como intelectual tenía que mostrar la corbata, el buen corte de pelo, el afeitado...

—*¿Se atrevió?*

—Sí, de repente me lancé y decidí utilizarlo incluso en mis clases, y en ese momento una libertad interior me invadió... Le pare-

cerá una estupidez, pero soy más feliz.

—*¿Difícil atraparlo en un diccionario?*

—Sí, se reinventa continuamente. Yo sé que en el momento en que se publique mi diccionario, el idioma se habrá transformado nuevamente.

—*Pues dígame: a día de hoy, ¿qué se le dice a una mujer para conquistarla?*

—"Olle, yo te lovyu muchísimo", y si no te da una bofetada es que la has conquistado.

Actividad 4   ¿En qué consiste el spanglish?   Parte A: Los expertos dicen que el spanglish consiste en dos tipos de mezcla:

Analyzing

- **los préstamos:** palabras o expresiones tomadas de un idioma y usadas en otro, típicamente con cambios de pronunciación y forma. Por ejemplo, el inglés usa varios préstamos del español: *burrito, taco, tapa, patio, plaza, ranch.* Las traducciones literales también son préstamos.

- **el cambio de código:** la alternancia entre un idioma y otro, entre oraciones, dentro de una oración o con una sola palabra; cada palabra, expresión u oración mantiene su pronunciación y gramática original: "María llegó tarde. *I was really angry.* Siempre está *promising* cosas, pero *then she doesn't follow through.*"

préstamo = borrowing or loanword

Act. 4A: Assign and discuss in class. The text is a transcription of a conversation, so we must guess about pronunciation. Emphasize that all languages

cambio de código = code-switching

use borrowings from other languages. Use of borrowings does not require knowledge of two languages. Answers: 1. **cambio de código** 2. **préstamo y cambio de código** (*malls* is not a normal Spanish plural) 3. **préstamos** 4. **préstamos** (used in many countries to discuss Internet/technology) 5. **préstamo** (borrowing of an entire expression through **traducción literal**)

En grupos de tres, decidan qué tipo de mezcla se usa en cada ejemplo tomado de la entrevista con Ilán Stavans.

1. ¿Cómo estás *you* el día de *today*?
2. el jangueo en los malls
3. vacunar la carpeta
4. chatear, maus, printear
5. llamar pa'trás

Act. 4B: Assign and discuss in class. 1. Code-switching is not used frequently because many readers in Spain do not understand English. 2. Knowledge of the vocabulary, grammar, and pronunciation of two languages. 3. Most users of Spanglish can also use either English or Spanish without the other. Speakers may use borrowings from English (**vacunar la carpeta, chatear**) even when speaking only in Spanish. Stavans considers any use of borrowings from English to be Spanglish.

pa'trás = **para atrás** = back, backwards

Parte B: En grupos de tres, contesten las siguientes preguntas sobre el cambio de código.

1. ¿Por qué no aparecen muchos ejemplos del cambio de código en la entrevista?
2. ¿Qué requiere el cambio de código que no requiere el uso de los préstamos?
3. Muchos dicen que se usa el spanglish porque sus hablantes no saben usar ni inglés ni español. ¿Creen que esto es verdad?

Act. 5: Assign and discuss in class. Answers: 1. **No. Se usa en una variedad de lugares, estilos y comunidades, y existe desde hace tiempo.** 2. **No, lo usan personas hispanas de todo tipo.** 3. **No, en EE.UU. existe desde 1848, por lo menos.** 4. **No, hay diferencias entre**

Actividad 5   Siete ideas populares   Las siguientes oraciones representan creencias populares sobre el spanglish. Después de leer la entrevista, imagina que eres Ilán Stavans y responde a cada idea.

1. El spanglish no es más que un argot.
2. El spanglish sólo lo usan los pobres y los ignorantes.
3. El spanglish es un fenómeno muy reciente.
4. El spanglish se habla igual en todas partes.
5. El español y el spanglish van a desaparecer pronto en los Estados Unidos.
6. El spanglish se habla pero no se escribe.
7. El español siente la influencia del inglés sólo en los Estados Unidos.

Skimming and scanning, Summarizing

el spanglish de cada comunidad, y entre el spanglish pasado, actual y futuro. 5. **No, va a durar porque la presencia hispana va a durar.** 6. **No, aparece en periódicos, en Internet o la Web, en la literatura.** 7. **Sí y no: el cambio de código sólo es frecuente en comunidades bilingües, pero los préstamos ocurren por todas partes, (en parte por la influencia de Internet).**

Distinguishing fact from opinion

Act. 6A: Discuss in class. Emphasize that "pure" and objectively superior language varieties do not exist (but dictionaries/grammars encourage us to think otherwise). Still, there is a practical need for a common standard language, so it makes sense to learn to use standard Spanish in Spanish classes. Item 4: Have students guess your opinion if you have not revealed it. Item 5: Point out its key use to mark a bilingual/ bicultural identity. Item 6: Borrowing of English words is fre-

Recommending

quent everywhere. Continuing immigration favors Spanglish (with code-switching). Loss of Spanish among some descendents of immigrants disfavors it.

Act. 6B: Discuss in class. This activity can give closure to the discussion, and serve as transition to/from use of the subjunctive in **FCG**. Take advantage of item 4 to make explicit your policy on the use of Spanglish in class. You might want to have students use Spanglish in a creative piece (poem or story) but restrict its use elsewhere, since they need to focus on standard Spanish.

 Actividad 6 **Diferencias de opinión** **Parte A:** El spanglish es un tema que inspira reacciones muy fuertes en diferentes personas y grupos. En parejas, comenten las siguientes preguntas.

1. ¿Qué opina la RAE del spanglish? ¿Por qué?
2. ¿Qué opina Ilán Stavans? ¿Cómo se sentía antes de usar el spanglish en sus clases? ¿Cómo se siente ahora? ¿Por qué?
3. ¿Qué opinaban Uds. del spanglish antes de leer la entrevista? ¿Qué opinan ahora? ¿Por qué?
4. ¿Qué opina su profesor/a del spanglish? ¿Por qué?
5. En su opinión, ¿por qué surgió el spanglish? ¿Por qué se sigue usando?
6. ¿El spanglish va a sobrevivir en este país? ¿Por qué?

Parte B: En parejas, completen las siguientes oraciones según la información dada en la entrevista y la información que ha salido durante la discusión en clase.

1. La Real Academia Española les exige a los hispanohablantes que...
2. Ilán Stavans les recomienda a los hablantes que...
3. Nosotros les aconsejamos a los otros estudiantes de la clase que...
4. Nuestro/a profesor/a nos pide que...

Cuaderno personal 5-1

¿Tiene más sentido llamar esta mezcla lingüística spanglish, espanglish o espanglés? ¿Por qué? ¿Hay otras posibilidades?

CP 5-1: If you discuss this item in class, point out that Spanglish seems English, **espanglés** Spanish, while **espanglish** combines features of both.

 Lectura 2: Panorama cultural

FCG links: Impersonal and passive **se**, recycling of narration in the past

Building vocabulary

Actividad 7 **La palabra adecuada** Estudia la siguiente lista de palabras y expresiones de la lectura "La cara hispana de los Estados Unidos", y luego termina las oraciones de la página 81.

el crisol	melting pot
el desafío	challenge
el desempleo	unemployment
fomentar	to encourage, to promote
la herencia	heritage; inheritance
hispanohablante/hispanoparlante	Spanish-speaking, Spanish speaker
humilde	humble, modest, lowly
el orgullo	pride

1. Desde los años 60, los miembros de grupos étnicos de los Estados Unidos han mostrado más _____orgullo_____ de sus orígenes e historia.

2. Desde los años 70 _____el desempleo_____ ha sido un gran problema en varias de las antiguas ciudades industriales del noreste de los Estados Unidos.

3. Los habitantes de gran parte de los Estados Unidos y Canadá son angloparlantes, mientras que los habitantes de Honduras, Venezuela y Uruguay son _____hispanohablantes/hispanoparlantes_____.

4. En los Estados Unidos la imagen o metáfora dominante para describir o comprender los procesos de inmigración y americanización es _____el crisol_____.

5. La comida es un aspecto esencial de _____la herencia_____ cultural de muchas comunidades de inmigrantes.

6. En las comunidades hispanas de los Estados Unidos existen organizaciones para _____fomentar_____ la cooperación y la ayuda mutua.

7. Con frecuencia, los inmigrantes son personas _____humildes_____, sin mucho dinero ni otras ventajas como estudios avanzados.

8. Para la sociedad norteamericana es un gran _____desafío_____ facilitar la convivencia entre tantos grupos étnicos diferentes.

Actividad 8   ¿Qué saben Uds. de los hispanos? En grupos de tres, contesten y comenten las siguientes preguntas. Luego, lean la siguiente lectura para ver si contestaron correctamente las preguntas 2, 3 y 4. ¿Hay información que les llame la atención?

1. ¿Conocen a algunos hispanos? ¿De dónde son? ¿Qué idioma hablan?
2. ¿En qué partes de los Estados Unidos viven los hispanos?
3. ¿De dónde son los hispanos que viven en los Estados Unidos?
4. ¿Cuándo llegaron los primeros hispanos a los Estados Unidos?

La cara hispana de los Estados Unidos

Nueva York, Miami, Los Ángeles, Chicago, San Antonio... Por todo el país encontramos evidencia de que los Estados Unidos son un país multilingüe y multicultural. La nación tiene una larga tradición de abrir sus puertas a los extranjeros, y durante las últimas décadas ha visto la entrada
5 de un número mayor de inmigrantes que durante cualquier época anterior. La mayor parte de ellos han llegado de Latinoamérica y el Caribe, y de éstos, la gran mayoría habla español. Su presencia ha hecho de los Estados Unidos el quinto de los países de habla española, y su llegada en masa ha convertido a los hispanos en el grupo étnico más grande del país, con unos
10 40 millones de personas de origen hispano. No obstante, es erróneo verlos a todos como miembros de un solo bloque monolítico, ya que su país de origen no es siempre el mismo, no todos son inmigrantes, no todos hablan español y no todos se identifican de la misma manera.

Act. 7: Assign and discuss in class, or provide answers so that students can self-check.

Act. 8: Before students read, elicit responses without correcting. After reading, open a discussion by having students comment on information that they found surprising.

Note: **Hispano** and **latino** are both used in this reading: **hispano** as the more general term, **latino** usually with reference to the new identity created in the U.S. Actual meanings and responses vary according to individual and community preferences. Some people object strongly to **hispano**/Hispanic, because they see it as a) being blindly imposed on them by the U.S. government, or b) glorifying Spanish imperialism. **Latino** is used by U.S. Hispanics to mark a more mixed heritage, but this term derives from **Latinoamérica,** which was invented by 19th-century French imperialists to

Activating background knowledge, Active reading

justify their invasion of Mexico.

Option: Have students brainstorm and discuss other groups of immigrants that have come to the U.S., considering their own families. What happened to each group over time? Point out the typical pattern of (nearly) complete assimilation.

Los cuatro primeros países hispanohablantes: México, España, Colombia y Argentina.

La creciente población hispana de EE.UU.: 22.000.000 (1990), 35.000.000 (2000), 44.000.000 (2010), 55.000.000 (2020). La población hispana de Canadá: casi 1.000.000 de los 30.000.000 de canadienses (2000).

la guerra de 1846 = the Mexican American War. La guerra terminó con el Tratado de Guadalupe Hidalgo y les cedió a los EE.UU. los territorios de Nuevo México, Arizona, California, Nevada, Utah y parte de Colorado.

Anglosajón = una persona de origen europeo que no es hispana.

chicanos = término preferido por muchos mexicoamericanos nacidos en EE.UU., que también se asocia con una tradición de protesta política.

la guerra de 1898 = the Spanish American War (between Spain and U.S.)

Boricua (puertorriqueño) y **Borinquen** (la isla de Puerto Rico) son términos que usaban los taínos, habitantes originales de la isla.

Estado Libre Asociado = Commonwealth

Orígenes de la población hispana de los Estados Unidos

Los primeros hispanos "americanos" fueron los mexicanos, quienes estaban
15 establecidos desde 1598 en los territorios que perdió México después de la guerra de 1846. El núcleo español/mexicano más importante era el de Nuevo México, pero, por lo general, la región del suroeste tenía una población escasa hasta la segunda mitad del siglo XIX, cuando llegaron numerosos pioneros anglosajones. A principios del siglo XX, empezaron a llegar inmi-
20 grantes mexicanos que cruzaban la frontera para trabajar en la nueva industria agrícola de California y para construir y mantener los ferrocarriles. En un principio, los hispanos del suroeste vivían y trabajaban en el campo, donde no tenían acceso ni a la educación ni a las demás oportunidades que ofrecía la ciudad. Sin embargo, a partir de los años 60, este grupo comenzó
25 a urbanizarse a grandes pasos. Ahora, la gran mayoría de la población de origen mexicano vive en las ciudades, y un número creciente de ellos forma parte de la clase media. Al mismo tiempo, la llegada de inmigrantes mexicanos ha continuado y ha convertido a los mexicoamericanos y chicanos en el grupo hispano más importante de Estados Unidos.

A diferencia de los mexicanos, los puertorriqueños o boricuas han lle-
30 gado a los Estados Unidos siendo ya ciudadanos estadounidenses. La isla de Puerto Rico fue convertida en territorio de los Estados Unidos después de la guerra de 1898; en 1917 sus residentes fueron declarados ciudadanos de este país, y en 1948 la isla fue declarada Estado Libre Asociado.
35 Después de 1945, se inició una migración masiva de puertorriqueños a las ciudades del norte, especialmente a Nueva York, donde se necesitaban trabajadores industriales. Los puertorriqueños llegaron con vistas a mejorar

► Las identidades y las lealtades hispanas son diversas y cambiantes. Aquí, un niño latino lleva ropa mexicana tradicional mientras agita una bandera tejana durante las celebraciones del Día de la Independencia de Texas, en Austin, Texas.

Option: Explain how in the 1960s movements such as César Chávez's United Farm Workers struggled to improve the working and living conditions of rural chicanos.

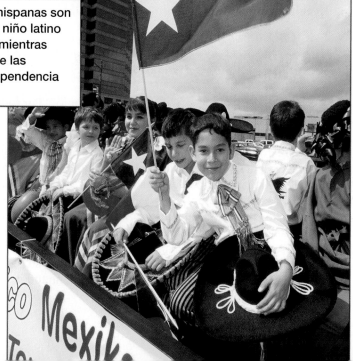

sus posibilidades económicas, las cuales se hallaban limitadas en la isla
debido al constante desempleo. Con el pasar de los años, muchos puerto-
40 rriqueños pudieron abandonar los barrios pobres de Nueva York y formar
parte de la clase media, dispersándose por otras partes de los Estados
Unidos, al mismo tiempo que gran número de profesionales huían de la
isla y se extendían por el país. Por otro lado, muchos pobres sin formación
profesional se quedaron atrapados en los barrios pobres de las ciudades
45 norteñas después del declive del sector industrial en los años 70.
Actualmente, la comunidad boricua de Nueva York, más que ninguna otra
comunidad hispana, se ve plagada de problemas de pobreza y desempleo.
A pesar de estos problemas, los "nuyoricans" mantienen un fuerte orgullo
étnico y luchan por curar los males que afligen a su comunidad.
50   Los cubanos forman el tercero de los tres grandes grupos hispanos de los
Estados Unidos. Los primeros inmigrantes cubanos se escaparon del régimen
comunista de Fidel Castro después de 1959 y llegaron a Miami y Nueva York
como refugiados políticos. A diferencia de otros grupos de inmigrantes, los
primeros inmigrantes cubanos eran en su mayoría de las clases alta y media y
55 trajeron consigo conocimientos y experiencia de las profesiones y los negocios. Pronto se dieron cuenta de que no podían volver a Cuba y se dedicaron a
crear una nueva vida. Su éxito ha sido notable: llegaron a extender sus negocios a toda Latinoamérica y convirtieron a la ciudad de Miami en una de las
principales capitales financieras del continente. El panorama cambió algo a
60 partir de 1980, cuando empezaron a llegar cubanos de origen más humilde,
pero los cubanoamericanos siguen constituyendo hoy día el único grupo hispano de los Estados Unidos que, por lo general, disfruta de un nivel de vida
parecido al de los americanos anglosajones.

La forja de la cultura latina en los Estados Unidos

Además de las tres comunidades principales de hispanos en los Estados
65 Unidos, hay varios millones de inmigrantes de diversos países, como la
República Dominicana, Colombia, Ecuador, Guatemala, Honduras, El
Salvador y Nicaragua. Sus razones de emigrar a los Estados Unidos varían
según el país de origen. Los disturbios políticos han causado el éxodo de
algunos, pero por lo general, la oportunidad económica ha atraído a los
70 demás. En todos los centros de población hispana, la presencia de estos inmigrantes ha contribuido a crear y extender el concepto de comunidad latina o
hispana, a diferencia de la estrictamente mexicana, cubana o puertorriqueña.
El gran desafío que la cultura latina ha presentado al país ha sido su
La nueva identidad latina se ve expresada en su producción cultural. La
salsa, música creada entre las islas caribeñas y Nueva York, combina ritmos
75 de muchos países sin ser de ninguno de ellos. En la literatura, autores como
Sandra Cisneros (chicana de Chicago), Cristina García (cubana de Miami),
Oscar Hijuelos (cubano de Nueva York) y Tato Laviera (puertorriqueño)
publican libros que tratan de las experiencias de los latinos en los Estados
Unidos. El arte mural que durante mucho tiempo se asoció sólo con México,
80 ahora se ha convertido en medio de expresión no sólo de la comunidad
chicana sino de otras comunidades hispanas, sobre todo la puertorriqueña.
El gran desafío que la cultura latina ha presentado al país ha sido su
ataque a la imagen y al mito del gran crisol norteamericano. En vez de aceptar la supuesta necesidad de abandonar su propia cultura para asimilarse y
85 desaparecer dentro de la cultura dominante de los Estados Unidos, muchos
latinos, junto con los representantes de otras minorías, han propuesto un

Los residentes de Puerto Rico eligen a sus líderes locales y participan en las fuerzas armadas de los EE.UU., pero no votan para elegir presidente de los EE.UU. ni pagan impuestos federales.

La palabra **barrio** significa vecindario, pero en los EE.UU. tiene la connotación negativa de *ghetto*.

Roberto Goizueta, antiguo presidente de Coca-Cola, inmigró a los EE.UU. después de 1959.

Miami es la "capital cubana" de EE.UU. Se caracteriza por el bilingüismo, aunque no se reconoce a nivel oficial, y ha tenido más de un alcalde de origen cubano.

▶ El arte mural empezó como forma de expresión de la comunidad mexicoamericana, pero se ha extendido a otros grupos latinos. Este mural celebra la vida cultural puertorriqueña del Barrrio (*East Harlem*) en Nueva York.

modelo según el cual los distintos grupos étnicos pueden conservar su cultura y su lengua, formando así una "ensalada" o un "mosaico" cultural que permite la diferencia dentro de la unidad. Conservando su lengua y su cul-
90 tura no sólo mantienen viva la herencia de sus antepasados, sino que aportan a su país adoptivo la riqueza de una población bilingüe y bicultural.

La realidad, sin embargo, es que, a pesar de las apariencias, los latinos están asimilándose y adoptando el inglés como otros grupos inmigrantes. Lo que los diferencia de los grupos anteriores es que conservan el uso de la
95 lengua materna a la vez que aprenden el inglés. Esto ocurre por varias razones: la inmigración de los hispanos es superior a la de cualquier grupo anterior; el número de hispanohablantes y la constante llegada de nuevos inmigrantes fomentan el uso continuo del español; el avión, el teléfono e Internet hacen posible mantener fácilmente el contacto con la tierra natal,
100 cosa que no ocurría con los inmigrantes anteriores. Además, el concepto del multiculturalismo que surgió de los movimientos de los años 60, también ha fomentado una nueva actitud hacia la diferencia cultural al ver en ella un motivo de orgullo. Todos estos factores han contribuido a mantener vivo el uso del español en los Estados Unidos, pero la realidad es que la mayoría de
105 los hijos de los inmigrantes aprenden a usar el inglés junto con el español, y que los nietos ya tienen el inglés como primer, y a veces, único idioma. De hecho, los autores latinos más importantes tienden a escribir mayormente en inglés.

La importancia de la población hispana es innegable. Se manifiesta en
110 la elección de numerosos candidatos políticos de origen latino y en una mayor dispersión de su influencia cultural y económica. Los hispanos, como tantos grupos anteriores, están haciendo contribuciones importantes a la cultura de los Estados Unidos, cambiándola al mismo tiempo que se asimilan a ella. De hecho, la mutua adaptación y asimilación entre la
115 sociedad mayoritaria de los Estados Unidos y su minoría principal es uno de los grandes desafíos del siglo XXI.

Actividad 9 Los tres grupos originales Parte A: Asocia cada uno de los siguientes rasgos o hechos con los mexicanos o mexicoamericanos (M), los cubanos o cubanoamericanos (C) o los puertorriqueños (P).

1. __M__ antepasados que llegaron antes del siglo XIX
2. __C__ la revolución de 1959, refugiados políticos
3. __P__ ciudadanos de los Estados Unidos antes de llegar
4. __M__ la guerra de 1846 y el Tratado de Guadalupe Hidalgo
5. __P__ la guerra de 1898, el Estado Libre Asociado
6. __C__ Miami y Nueva York, una comunidad comercial de gran éxito
7. __P__ Nueva York y ciudades norteñas, dispersión de la clase media por los EE.UU.
8. __M__ la industria agrícola y los ferrocarriles del suroeste, urbanización posterior

Parte B: En parejas, reconstruyan la historia de uno de los tres grupos principales, usando como base la lista de detalles de la Parte A.

Actividad 10 Una nueva identidad En grupos de tres, contesten las siguientes preguntas.

1. ¿En qué sentido es nueva la identidad latina?
2. ¿A qué se debe esta nueva identidad?
3. ¿Cuáles son algunas manifestaciones de la cultura latina?
4. ¿Cuál es el problema o desafío que presenta la cultura latina en los Estados Unidos?
5. ¿Creen que va a sobrevivir la cultura latina o representa sólo un paso hacia la asimilación total?

Actividad 11 ¿Americanización? Parte A: En la historia de los Estados Unidos, la mayoría de los inmigrantes se han asimilado a la cultura dominante. En parejas, digan cuáles de los aspectos siguientes u otros son los más importantes para mostrar que se es plenamente norteamericano. Si es posible, usen expresiones como **Se habla..., Se viste..., Se come..., Se maneja...**

la comida (las bebidas)	tener ciudadanía legal
la ropa	tener hijos nacidos en Estados Unidos
manejar un carro	estar casado/a con un/a norteamericano/a
otras costumbres (¿cuáles?)	tener padres norteamericanos
el número de años que lleva en los Estados Unidos	hablar inglés
	no hablar otro idioma
tener pasaporte	

Parte B: En parejas, comenten las siguientes preguntas.

1. ¿Es posible ser latino (o chino, coreano, ruso, etc.) y norteamericano al mismo tiempo? ¿Por qué sí o no?
2. ¿Qué significa ser "plenamente (norte)americano"?
3. ¿Es posible definir una identidad latina —diferente de la "angloamericana"— a base de lo que se habla, se come o se viste?

Scanning

Act. 9A: Assign and discuss in class. Some items are applicable to more than one group.

Act. 9B: Assign one group to each pair. To check: One student reads aloud as others listen to see if all information is correctly linked. Option 1: Check comprehension by playing Jeopardy. Divide the class into two or more teams and name a detail students must identify: **guerra de 1846 > los mexicanos.** Option 2: Discuss the issue of immigration after viewing the film *El Norte.* Option 3: Discuss the

Summarizing

present-day importance of varying interpretations of the history of the Alamo after seeing (part of) the English-language films *Alamo* or *Lone Star* (focus on the brief PTA debate scene).

Act. 10: Have students discuss the history and different meanings of the word **latino.** See also Chapter 1, **Lectura 2.**

Act. 11A: Follow up with a whole class discussion. To enliven the discussion, present counterarguments to each point presented by students. Option: Set up an Oprah-style talk show to discuss prohibiting or maintaining (Hispanic) immigration to the U.S. Assign roles (e.g., person opposed for fear of losing job, another in favor because of tradition of acceptance, another hard-working immigrant who favors). Plant questions in the audience. You should play the host and elicit questions and commentaries.

Actividad 12 **¿Cómo debe ser?** En parejas, contesten las siguientes preguntas, imaginándose que son de El Salvador y que llegaron a los Estados Unidos a la edad de 13 años.

1. ¿Hablan mejor español o inglés?
2. ¿Se identifican como salvadoreños, hispanos, latinos u otra cosa?
3. ¿Se sienten "americanos"?
4. ¿Qué opinan de la cultura y las personas norteamericanas?
5. ¿Qué opinan de su cultura salvadoreña?

Cuaderno personal 5-2

¿Cómo ves a la sociedad norteamericana, como un crisol o como un mosaico (o una ensalada)? ¿Crees que a largo plazo los latinos van a mantener una identidad distinta o van a asimilarse completamente a la cultura general?

VIDEOFUENTES

¿Cómo refleja la experiencia personal de John Leguizamo la historia de los grupos hispanos en los Estados Unidos? ¿Las opiniones de Leguizamo sobre los hispanos reflejan o contrastan con las perspectivas presentadas en la lectura "La cara hispana de los Estados Unidos"? ¿Cómo?

Lectura 3: Literatura

FCG links: Discussing the U.S.Latino experience, food vocabulary (used as symbols)

ESTRATEGIA DE LECTURA

Approaching Poetry

Poetry is often written to express deep feelings. Relative to prose writing, it is marked by its careful, limited use of vocabulary and powerful use of symbols. Fewer words and more metaphors can make interpretation more challenging and more interesting. Some familiarity with the topic and with basic poetic devices (**recursos poéticos**) can aid comprehension. Many poems are characterized by:

- a rhythmic use of language (**el ritmo**)
- the grouping of words into lines (**versos**), stanzas (**estrofas**), and refrains or repeated lines (**estribillos**)
- the repetition (**la repetición**) of sounds, words, phrases, or structures to emphasize important aspects
- rhyme (**la rima**)
- frequent use of metaphors (**metáforas**) and symbols (**símbolos**)

This poem, actually the lyrics of a song by Willie Colón and Héctor Lavoe, contains examples of some poetic devices.

Ausencia

versos — El día que tú te fuiste / Triste me quedé llorando; / Ay, regresa, te lo pido, / Que por tu amor / Te juro me estoy matando. (rima, estrofa, metáfora)

No importa tu ausencia / Te sigo esperando. (estribillo)

Yo vi llorar a un hombre ante un espejo / Por un amor que le negara el cielo / Y asombrado me dio un escalofrío / Al ver en el espejo / El rostro mío. (repetición, rima)

No importa tu ausencia / Te sigo esperando. (estribillo)

Actividad 13   Dos poemas bilingües Los dos poemas que Uds. van a leer fueron escritos por hispanos de los Estados Unidos y hablan de sus experiencias bilingües y biculturales. Teniendo en cuenta esta información, en parejas, hagan una lista de temas, ideas o elementos que piensan que van a aparecer en estos poemas.

Actividad 14   Contenido y forma **Parte A:** Lee los dos poemas "Where you from?" y "Bilingual Blues". Después, en parejas, decidan las semejanzas y las diferencias entre los dos poemas, enfocándose en los siguientes aspectos.

- el origen del/de la poeta: ¿De dónde es?
- su mensaje: temas y sentimientos
- el uso del inglés y el español: ¿Por qué se usan los dos? ¿Cuándo se usa cada uno? ¿Cuál domina?
- el tono: enojado, amargado, triste, cómico, juguetón, serio, irónico, nostálgico

Parte B: En parejas, identifiquen los recursos poéticos que emplea cada poema. Busquen por lo menos un ejemplo de cada uno de los siguientes recursos.

	"Where you from?"	"Bilingual Blues"
el estribillo		
la repetición de palabras o expresiones		
la rima o la repetición de sonidos		
el ritmo		
símbolos o metáforas		

Parte C: En parejas, identifiquen las relaciones entre el contenido del poema y su forma. ¿Cómo refleja y refuerza la forma las ideas contenidas en el poema? ¿Es posible separar el contenido y la forma de cada poema?

Gina Valdés nació en Los Ángeles, California y se crio a los dos lados de la frontera entre Estados Unidos y México. Estudió en la Universidad de California–San Diego y ha enseñado cursos de literatura chicana y de escritura en universidades a través de los Estados Unidos. En su poesía explora las múltiples barreras que existen entre las personas, las culturas y los países.

Where you from?
Gina Valdés

Soy de aquí
y soy de allá
from here
and from there
5 born in L.A.
del otro lado
y de éste
crecí en L.A.
y en Ensenada
10 my mouth
still tastes
of naranjas
con chile
soy del sur
15 y del norte
crecí zurda°
y norteada°
cruzando fron
teras crossing
20 San Andreas
tartamuda°
y mareada°
where you from?
soy de aquí
25 y soy de allá
I didn't build
this border
that halts me
the word fron
30 tera splits
on my tongue.

left-handed ("wrong, clumsy")
affected by the cold north wind

stuttering
dizzy

▲ Barrera cerca de Tijuana y San Diego que marca la frontera entre México y los Estados Unidos.

Gustavo Pérez Firmat nació en La Habana pero se crio en Miami. Tiene doctorado en literatura comparada de la Universidad de Michigan y enseñó durante muchos años en la Universidad de Duke en Carolina del Norte. Ahora es profesor de la Universidad de Columbia en Nueva York. Además de escribir obras de crítica literaria, se ha dedicado a explorar la vida cubanoamericana a través de la poesía.

Bilingual Blues
Gustavo Pérez Firmat

Soy un ajiaco° de contradicciones   *sopa caribeña de muchos*
I have mixed feelings about everything.   *ingredientes*
Name your tema, I'll hedge;
name your cerca°, I'll straddle it   *fence*
5 like a cubano.
I have mixed feelings about everything.
Soy un ajiaco de contradicciones.
Vexed, hexed, complexed,
hyphenated, oxygenated, illegally alienated,
10 psycho soy, cantando voy:
You say tomato,
I say tu madre;
You say potato,
I say Pototo°.   *Personaje cómico del teatro*
15 Let's call the hole   *cubano*
un hueco, the thing
a cosa, and if the cosa goes into the hueco,
consider yourself en casa,
consider yourself part of the family.
20 Soy un ajiaco de contradicciones.
un puré de impurezas:
a little square from Rubik's Cuba
que nadie nunca acoplará°.   *fit together*
(Cha-cha-chá)

Option: Have students look at the picture and imagine how it reflects or contrasts with the images of the poem. Point out tensions of movement/stasis and synthesis/separation.

► ¡CHA-CHA-CHÁ!

Making inferences

Act. 15: Assign and discuss in class. Option 1: Shorten the activity by assigning only one question to each pair. Have students review the recipe of **ajiacoin**, Chapter 4, Lectura 2. Option 2: Have students read and react to the Tato Laviera poem "My graduation speech" after they read these two poems.

Act. 16: Assign poems to ensure balance. If students need help, break up the activity into clear stages with checks. Help with pro-

Analyzing

nunciation, and ask students to decide whether each line should be read with English or Spanish accent (*Where you from?* with a Spanish accent might be [gwer yu fron]). Movements for "Bilingual Blues" might include students back to back, hands knotted together, moving in a circle, breaking into dance, etc.; "Where you from?" might have readers facing each other across a static line, or straddling that line. Follow up by having students justify why they assigned and read lines as they did.

Act. 17A: If students have difficulty, give examples of contrasting "cultures" within American society: adults, teenagers, seniors; women, men; gay/lesbian, straight; urban, rural; American, foreign; Native American, Anglo-American, African-American, Jewish, Hispanic; middle class, working class.

Act. 17B: Brainstorm topics with students: **el amor, la carne y el vegetarianismo, la televisión, las drogas, las clases y la universidad, Internet y las computadoras, la vida moderna y el consumismo, los carros y el medio ambiente, la política y el mundo.** Brainstorm mixing metaphors based on food, and provide Spanish terms if possible (suggest use of English if the term has specific cultural connotations). Provide specific guidelines, including a maximum length (10-15 lines) and proportions of Spanish/English.

Actividad 15 Reacciones personales En parejas, comenten las siguientes preguntas.

1. ¿Creen que las fotos que acompañan cada poema representan bien sus ideas? ¿Qué otras imágenes visuales se pueden usar para representar cada poema? ¿En qué línea(s) se basa su selección?
2. Imaginen que alguien quiere usar uno de los poemas como la letra de una canción. ¿Con qué tipos de música se puede combinar cada poema? ¿Cuál les parece mejor a Uds.?
3. Imaginen que Uds. tienen la oportunidad de conocer a uno de los dos poetas. ¿Cuál les parece más interesante como persona? ¿Qué preguntas sobre el poema tienen para ella o él?

Actividad 16 Voces dramáticas Cada poema incluye una variedad de voces: una voz en español, otra en inglés, una voz hispana, otra anglosajona. En grupos de cuatro, hagan una representación dramática de uno de los poemas.

1. Decidan qué voz o voces dice(n) cada línea o palabra, y con qué tono se debe leer cada línea o palabra (con alegría, tristeza, irónicamente, etc.).
2. Asignen cada verso o palabra a una persona o combinación de personas, y practiquen, enfatizando la pronunciación y la expresión.
3. Decidan si los movimientos físicos pueden ayudar a comunicar el significado del poema.

Actividad 17 Una identidad desdoblada **Parte A:** En cada poema se revela una personalidad desdoblada (*split*) entre diferentes fuerzas culturales. En parejas, compartan sus reacciones a las siguientes preguntas.

¿Se pueden sentir igualmente divididas las personas que no son inmigrantes? ¿Cómo? ¿Cuándo?

¿Te has sentido alguna vez "desdoblado" entre diferentes culturas o fuerzas culturales?

Parte B: Individualmente, escribe un breve poema bilingüe en el que expreses tus sentimientos de desdoblamiento o tus diferentes sentimientos respecto a algún aspecto de la vida. Para hacerlo debes:

• decidir el tema y la idea más importante: se puede expresar en una frase repetida o un estribillo
• escoger una metáfora central para expresar la idea principal y la idea de mezcla: se puede usar una imagen basada en una comida y sus ingredientes
• decidir cómo puedes usar la combinación de inglés y español para expresar diferentes perspectivas y sentimientos

Cuaderno personal 5-3

¿Qué símbolo o metáfora representa mejor tus sentimientos sobre tu identidad? ¿Por qué?

Redacción: Una entrevista

ESTRATEGIA DE REDACCIÓN

Interviewing

Interviews are the most effective means of finding out what individuals think about a specific topic. A successful interview begins with planning <u>before</u> the interview.

1. Decide the main topic(s) of the interview. The topic guides all other decisions. For example, for the interview you will conduct, the main topics are Hispanic cultural identity and Spanish language.

2. Find an appropriate Spanish speaker to interview. Explain to your candidate that the interview is for a Spanish class and what it is about, and politely ask if he or she can participate. Tell him/her that you would like to conduct the interview in Spanish but that some English is acceptable. Arrange a mutually convenient time and place for the interview.

3. Develop a list of questions to guide the interview. Decide if you will use both Spanish and English during the interview. Use open-ended questions whenever possible (yes-no questions lead to short, uninteresting answers).

4. Decide how long the interview should last.

5. Decide if you will take notes, record, or videotape the interview.

During the interview you should keep in mind the following tips.

1. Greet and thank your interviewee politely.

2. Ask one clear question at a time.

3. Listen carefully to your interviewee and be flexible. Ask a few questions that are not on your list in order to get more details, or simply respond appropriately to what is being said.

4. Avoid inappropriate and offensive questions. For example, in the interview you will conduct, do not assume that a person of Hispanic background is an immigrant, and do not ask directly about a person's immigration or residency status.

5. Don't talk about yourself: the interview is about what the other person thinks.

After the interview, prepare a written version, keeping in mind the following points.

1. Write up the interview (or at least your notes) as soon after the interview as possible.

2. Decide who your audience is and consider how this should affect your presentation.

3. Think of an interesting title.

4. Decide what parts of the interview are relevant to the topic. Discard those parts which are not.

5. Edit your content. Exclude filler words and sounds such as **este, aahhh, pues..., well, um,** etc. Eliminate unnecessary words or comments, but try not to alter the meaning of what the person said. You may need to change the order of actual questions and answers in order to keep the written version short and interesting.

Planning the interview

Act. 18: Item 1: Brainstorm locations: community centers, shopping malls, restaurants, Internet chatrooms, or personal ads. Interviewing over the Internet is easier, but remind students to interview U.S. Hispanics. Items 2, 3, and 4: Recommend or require strategies. A taped interview makes a better record, but students need to ask for permission and obtain equipment. Suggest a maximum of 20-25 minutes. Use of Spanish with some

Actividad 18   Quién, dónde, cómo, cuándo   Uds. van a hacer entrevistas con personas hispanas que viven en los Estados Unidos. Las entrevistas deben enfocarse en cuestiones de identidad y lengua. Aunque hay muchas personas hispanas en los Estados Unidos que no hablan español, para esta entrevista deben buscar una persona que hable español. En parejas, respondan a las siguientes preguntas para prepararse.

1. ¿Dónde y cómo se pueden poner en contacto con personas que hablan español?
2. ¿Es necesario grabar la entrevista o es suficiente tomar apuntes?
3. ¿Cuánto tiempo debe durar la entrevista? ¿Cuándo se puede hacer?
4. ¿Se puede usar algo de inglés durante la entrevista?

Preparing interview questions

English may make the task easier and more interesting for students and interviewees. Option: Point out the code-switching that occurs in the video interview of John Leguizamo.

Act. 19: Assign and discuss in class. The interviewee's age may or may not be relevant, but in no case should it be asked directly at the beginning. Questions about length of time in the U.S. and **país de origen** are inappropriate unless the person indicates that he/she is an immigrant. Tell students not to ask immigrants about their legal status. Students should use **Ud.** unless the other person is about the same age and switches to **tú.** Emphasize that it is not necessary to ask all questions, or even these exact questions.

Actividad 19   Preguntas apropiadas... e inapropiadas   Es necesario llegar a la entrevista con una lista de preguntas preparadas. En parejas, decidan cuáles de las siguientes preguntas son apropiadas y cuáles no, y expliquen por qué. Una pregunta puede ser inapropiada por ser irrelevante, de poca importancia o por ser (posiblemente) ofensiva.

1. ¿Cómo se llama Ud.?
2. ¿Cuántos años tiene?
3. ¿Tiene familia? ¿Cómo es?
4. ¿De dónde es Ud.? ¿Dónde nació? ¿Cuánto tiempo lleva en Estados Unidos?
5. ¿Cómo se identifica Ud.? (como hispano, latino, American, americano, mexicoamericano, guatemalteco) ¿Se asocia mucho con otras personas de origen _____?
6. ¿Qué tradiciones culturales conserva de [su país de origen]?
7. Generalmente, ¿habla español o inglés?
8. Cuando Ud. era niño/a, ¿qué lenguas se hablaban en su casa?
9. ¿Prefiere Ud. hablar español o inglés? ¿En qué situaciones habla español? ¿e inglés?
10. ¿Ha tenido Ud. problemas o experiencias positivas por hablar español?
11. ¿Ud. mira la televisión o escucha la radio en español? ¿En inglés?

12. ¿Quiere que sus hijos aprendan a hablar español? (¿Es probable que lo hagan?)
13. ¿Qué opina Ud. del spanglish?
14. ¿Qué aspectos de la vida de este país le gustan más? ¿menos?
15. ¿Prefiere la vida en Estados Unidos o en su país de origen?
16. ¿Quisiera hacer un comentario final?

Actividad 20   De lo oral a lo escrito   Después de la entrevista, prepara una versión escrita de la entrevista. Imagina que escribes una entrevista para estudiantes de español. Para hacerlo, piensa en los siguientes aspectos.

1. Decide si tienes mejor información sobre el tema de la identidad o el tema de la lengua. Puedes enfatizar uno de los dos temas.
2. Escribe un título interesante que refleje las opiniones de la persona entrevistada. El título puede ser una cita directa.
3. Decide qué comentarios son más importantes e interesantes. La entrevista escrita no necesita incluir todo lo que se ha dicho en la entrevista oral. Además, es probable que tengas que cambiar el orden de algunas preguntas y respuestas para ayudar a los lectores de tu entrevista escrita.

Capítulo 6

Dictadura y democracia

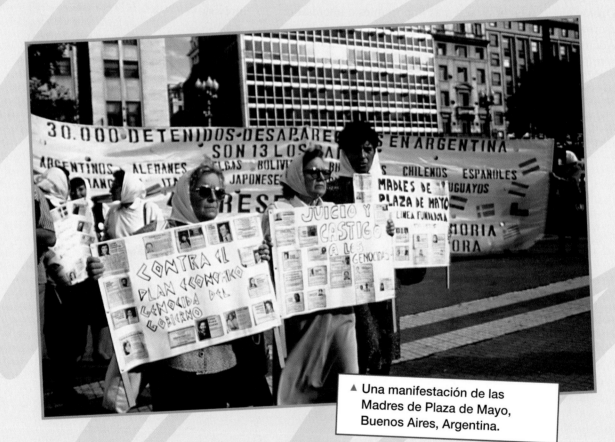

▲ Una manifestación de las Madres de Plaza de Mayo, Buenos Aires, Argentina.

See the *Fuentes* website for related links and activities:
http://college.hmco.com/languages/spanish/students

Actividad 1 **Las responsabilidades de un gobierno** **Parte A:** En grupos de tres, numeren las responsabilidades de un buen gobierno según su importancia (1 = la más importante; 11 = la menos importante). Después, decidan qué tipo de gobierno —dictadura o democracia— cumple mejor esas responsabilidades.

a. _____ la distribución justa de los recursos de la sociedad
b. _____ el mantenimiento de una economía estable
c. _____ el control del crimen
d. _____ la protección de los derechos humanos
e. _____ el mantenimiento de los valores dominantes de la sociedad
f. _____ la protección de los derechos civiles
g. _____ la conservación del medio ambiente
h. _____ la adquisición de nuevos recursos o territorios
i. _____ el mantenimiento de relaciones de paz con otros países
j. _____ la protección de la salud de los ciudadanos
k. _____ la defensa de las libertades (de palabra, de religión, etc.)

Parte B: La foto de la página anterior es de las Madres de Plaza de Mayo de Argentina. Los hijos de estas mujeres eran, en su mayoría, intelectuales y estudiantes que desaparecieron misteriosamente por protestar contra la junta militar de 1976–1983. Hubo más de diez mil desaparecidos, la mayoría de los cuales murieron después de ser torturados. Las manifestaciones de las madres ayudaron a poner fin a la dictadura y a restaurar la democracia. ¿Qué responsabilidades de la Parte A no cumplió el gobierno de la junta militar argentina?

Activating background knowledge

Act. 1A: Can be assigned. Ensure that students understand vocabulary; discuss in class. Ask students what factors might contribute to unrest that can lead to a dictatorship. Have students speculate on which members of a society might support a dictatorship and why.

Actualmente, las madres y abuelas siguen protestando contra la injusticia y mantienen un sitio de web: www.madres.org

Act. 1B: Discuss details of the photo with students. Possible answers: **d, f, j, k.**

Lectura 1: Una reseña de cine

FCG links: Expressing opinions with present and present perfect subjunctive, vocabulary of politics, recycling of **cine** vocabulary

ESTRATEGIA DE LECTURA

Dealing with False Cognates

English and Spanish have many cognates or words that have a similar form and meaning: **posible** = *possible*, **generosidad** = *generosity*. As you've studied, recognizing cognates can make reading much easier. However, some words, though of similar form, have slightly or completely different meanings: **asistir a** = *to attend*, **atender** = *to wait on/pay attention*, **embarazada** = *pregnant*. If you encounter an apparent cognate that does not seem to make sense in a particular context, it is likely to be a false cognate. The context may be sufficient to guess the meaning, but, if not, you will need to look up the word in the dictionary.

Dealing with false cognates, Using the dictionary

La historia oficial se estrenó en el año 1984.

Act. 2: Assign and discuss in class or provide answers so that students can self-check. Answers: 1. stories 2. way/manner 3. part/role 4. performance 5. demonstrations 6. history, background

Actividad 2   Amigos falsos   Las siguientes oraciones contienen cognados falsos que aparecen en la reseña de la película *La historia oficial*. Piensa en el contexto de la oración para adivinar el significado de cada palabra en negrita. Luego, busca la palabra en un diccionario bilingüe o en el glosario para ver si adivinaste.

1. En la película, vemos a una madre que le cuenta **historias** a su hija, como las de "El patito feo" y "Los tres cerditos".
2. El director narra la triste historia de una **forma** muy elegante.
3. La actriz Salma Hayek hizo el **papel** de Frida en la película del mismo nombre.
4. La **actuación** de Ian McKellan en *El señor de los anillos* me pareció muy buena.
5. A veces hay **manifestaciones** y protestas cuando se estrena una película de tema político o religioso.
6. A ese actor no le dieron el trabajo porque tenía malos **antecedentes.**

Guessing meaning from context

Act. 3: Assign and discuss in class. Answers: 1. home 2. press 3. screen 4. I didn't realize 5. search 6. affair/issue 7. script 8. play 9. troubled/sad. Option: After students read, do further practice by having students guess the meaning or connotation of these words: **galardonada, derrumbarse, faena, diestro, cicatriz.**

Actividad 3   Del contexto al significado   Antes de leer la reseña, escribe la traducción de las palabras en negrita, usando el contexto como guía.

1. _____ Cuando vuelvo a casa, siempre digo: "**Hogar,** dulce hogar".
2. _____ Los políticos suelen odiar a los reporteros y otros miembros de la **prensa.**
3. _____ No es lo mismo ver una película en video que en **pantalla** grande.
4. _____ Llegué tarde a la reunión porque **no me di cuenta de** la hora.
5. _____ Él buscó trabajo, pero su **búsqueda** no sirvió de nada.
6. _____ La cuestión de los desaparecidos es un **asunto** muy complicado.
7. _____ La película se basa en una novela, pero el **guion** de la película no fue escrito por el autor de la novela.
8. _____ Arnold Schwarzenegger solía **desempeñar** el papel del macho fuerte.
9. _____ Es una mujer **afligida:** no deja de llorar.

Activating background knowledge

Act. 4: Suggest more recent films if possible. Solicit responses from a few pairs. Option: Have students see *La historia oficial.* While discussing the film, use the **FCG** vocabulary related to politics.

Actividad 4   Los filmes políticos   La siguiente lectura es una reseña de una película argentina de contenido político. Esas películas suelen personalizar la política, es decir, mostrar los resultados de las acciones o pensamientos de un individuo en ciertas situaciones causadas por la política del país. Al mismo tiempo suelen enseñar una lección. En parejas, escojan una película de contenido político y describan su trama y cómo afecta la política a los personajes. ¿Cuál es la moraleja de la película? Posibilidades:

El pianista   *La lista de Schindler*
Malcolm X   *Bowling for Columbine*

Actividad 5　**Durante la lectura**　Mientras lees la reseña tomada de *El Nuevo Herald* de Miami, Florida, busca los siguientes datos.

La historia oficial

Director:

Guionistas:

Lugar de producción:

Actores y papeles:

Premios recibidos:

Opinión de la redactora de la reseña:

LA HISTORIA OFICIAL

Por Beatriz Parga
Redactora de *El Nuevo Herald*

Ganadora de un Oscar a la mejor película extranjera, *La historia oficial,* una producción sobre el drama de "los desaparecidos" en Argentina, narra la tragedia de una madre que de pronto se enfrenta a esa dolorosa verdad cuando decide averiguar el origen de su hija adoptiva.

Los interrogantes del filme

El drama comienza cuando Alicia, la valiente madre protagonizada en la película por la galardonada actriz Norma Aleandro, empieza a preguntarse la razón por la que su hija adoptiva llegó hasta su hogar, después de ver una manifestación de familiares de los desaparecidos durante la dictadura militar, en la década de los setenta.

Impecable actuación

El papel desempeñado por Aleandro en la película, ha recibido la mejor crítica de la prensa mundial. Además, por su actuación en *La historia oficial,* la actriz argentina obtuvo un Oscar y premios en Cannes, Italia y Cartagena.

　　Entre los comentarios favorables que ha recibido esta película, se destaca la forma en que el drama fue llevado a la pantalla, en una forma mesurada y digna. La decidida investigación de Alicia sobre los antecedentes de la niña pone fin a su tranquilidad, dentro del ambiente cómodo en el que disfruta de las ventajas propias de una familia de buena posición económica y buenas conexiones.

　　Ese mundo feliz en el que ella vive, empieza a derrumbarse en la medida que va recogiendo las evidencias y se da cuenta de que una terrible verdad rodea el pasado de la pequeña Gaby, esa niña que desde su adopción se ha convertido en el centro de su vida.

El dolor de una madre

Solamente la angustia y el amor de una madre pueden hacer que la búsqueda se convierta en una faena realizada con la meticulosidad de un diestro investigador. Comenzando por los archivos del hospital donde nació la niña, Alicia empieza a encontrar las verdaderas raíces familiares de la niña que tiene bajo su tutela maternal.

▲ Alicia con su hija adoptiva Gaby.

　　Todo se complica cuando ella empieza a hacer preguntas, tropezando siempre con la preocupación y el hermetismo de su esposo Roberto, interpretado por Héctor Alterio, artista con otras dos grandes películas en su historia profesional: *Cría cuervos* y *Camila.*

Dudas y conflictos

Las dudas y conflictos de Alicia no encuentran en Roberto respuesta ni apoyo. Poco a poco, se va dando cuenta de que esa verdad que ella quiere descubrir a toda costa, no es vista con buenos ojos por su esposo, que prefiere que el pasado de la niña continúe permaneciendo en el misterio.

Finalmente, Alicia llega hasta la abuela legítima de su hija adoptiva, una mujer afligida que —entre lágrimas— habla de sus recuerdos mientras muestra fotos y papeles arrugados, el único testimonio que le queda de su hija y de su yerno, ambos desaparecidos en una forma inexplicable.

Pero ningún descubrimiento logra impactar tanto a Alicia como el conflicto que surge al sospechar la razón por la que su esposo prefiere el silencio a la descarnada verdad y la pared que se ha interpuesto entre ambos. Mientras que para ella la honesta búsqueda de la verdad es un asunto vital, Roberto está demasiado ligado a las fuerzas paramilitares y a los comerciantes que se han beneficiado de la corrupción oficial.

Desesperado final

Dirigida por Luis Puenzo, con guion de Puenzo y Aida Bortnik, esta película —con subtítulos en inglés— culmina cuando Alicia decide confrontar a su esposo con la verdad y éste reacciona con violencia y crueldad, reprochándole su intromisión en un mundo en el que el silencio es más importante que la misma existencia. Afligida, Alicia se da cuenta de que la búsqueda del pasado de su hija no solamente ha dejado una dolorosa cicatriz en su vida y un interrogante sin respuesta, sino que, además, ha destruido su matrimonio, la ha dejado con un sabor amargo y las manos vacías.

Identifying chronological organization

Act. 6: Assign and discuss in class. Option: Do as a strip story. Write the statements on a sheet of paper (number of copies = number of groups) and cut up the sentences into strips. Give each group a complete set and have students arrange the pieces of paper. Have the first group to finish read their answers aloud, so that other students can check their own sequences, ask questions, and make comments.

Actividad 6 La trama de la película La reseña de *La historia oficial* incluye un resumen bastante completo de la trama (*plot*) de la película. Pon los siguientes sucesos en orden lógico y luego compara tus resultados con los de un/a compañero/a.

a. __2__ Un día, Alicia ve una manifestación de las madres de los desaparecidos.

b. __4__ Preocupada, se dedica a investigar el pasado de Gaby.

c. __6__ También le hace preguntas a su marido, pero él no la quiere ayudar.

d. __7__ Entonces, ella se da cuenta de que su marido no quiere que ella descubra la verdad.

e. __3__ Como resultado, empieza a pensar en los orígenes de su hija.

f. __1__ Alicia y Roberto adoptan a una niña, Gaby.

g. __10__ Al final, Alicia se encuentra sola con su dolor.

h. __5__ Comienza su búsqueda en los archivos del hospital donde nació la niña.

i. __8__ Sin embargo, con el tiempo, Alicia encuentra a la abuela de Gaby, quien le muestra fotos de su hija y su yerno.

j. __9__ Después de eso, Alicia confronta a su marido con la verdad y él se pone furioso.

Making inferences, Reacting to reading

Act. 7: Assign supporting information as HW and discuss in class. Do the first item with the class as a model. Option 1: Give other statements and have students react; encourage use of the present perfect subjunctive: **Es sorprendente que Alicia haya vivido...** Option 2: If students view the film, have them share their reactions and compare them to those of the reviewer.

Actividad 7 Deducciones y opiniones En parejas, busquen en la reseña la información que apoye cada una de las siguientes deducciones. Después reaccionen a estas deducciones y a lo que pasó en la película, usando expresiones como **es lamentable / sorprendente / bueno / malo / fantástico / horrible / una pena que...**

▶ Es lamentable que mucha gente de negocios haya apoyado a la dictadura.

1. Al principio de la dictadura, Alicia vivía sin muchas preocupaciones.
2. Bajo la dictadura, los niños recién nacidos de los desaparecidos fueron robados.
3. Muchos miembros del mundo de los negocios apoyaron la dictadura.
4. Hubo diferencias de opinión hasta dentro de las familias.
5. El director de la película hizo una crítica de la dictadura.

Actividad 8 **El dolor de varias generaciones** Las acciones de la dictadura tuvieron un impacto terrible sobre la vida de tres generaciones de personas, por lo menos: los abuelos, los hijos/padres y los nietos (como Gaby). En parejas, hagan una lista de efectos, con un efecto para cada generación. Después, expresen su opinión sobre cada efecto, usando expresiones como **nos da pena que..., lamentamos que..., estamos tristes de que...** Finalmente, expresen un deseo para las víctimas, usando la expresión **esperamos que...**

▶ Es terrible que los abuelos hayan perdido a sus hijos y nietos.

Actividad 9 **Mi película** Individualmente, piensa en una película que hace un comentario político. Luego, busca una pareja y cuéntale brevemente la trama de la película. Explícale el comentario político que hace la película y después dile tu opinión de la actuación, del guion, del mensaje y por qué piensas asi. Después, escucha los comentarios que hace tu compañero/a sobre su película.

Cuaderno personal 6-1

Imagina que tú eres Alicia al final de la película. ¿Cómo te sientes? ¿Qué vas a hacer?

VIDEOFUENTES

¿En qué se parecen o se distinguen la historia de Gaby en la película y la de Horacio en la vida real? ¿Por qué fue tan importante para Horacio descubrir la verdad? ¿Estás de acuerdo con él?

Lectura 2: Panorama cultural

ESTRATEGIA DE LECTURA

Recognizing Word Families

Many words with similar spelling and meaning share a common stem (**la raíz**) which is found in a base word. The base word is usually a shorter form, often a noun or verb and sometimes an adjective. For example: **enfermar, enfermo/a, un enfermo, enfermedad, enfermero** form a word family. **Enfermar(se)** (*to get sick*) is a verb and **enfermo/a** (*sick*) is an adjective. Either can be considered the base form for others in this group. **Un enfermo** (*a sick person*) is a noun, as are **una enfermedad** (*an illness*) and **un enfermero** (*a nurse*). Though each form has a precise meaning, they are all related to the concept of sickness. By combining your knowledge of base forms with information from the context, you can often guess the exact meaning of related words.

Recognizing word families

Adjectives such as **rico** and **desaparecido** can be turned into nouns: **el rico, los desaparecidos.**

Act. 10A: Assign and discuss in class.

Actividad 10   Familias de palabras   **Parte A:** Mira esta lista de palabras emparentadas y decide el significado de cada una. Algunas de sus formas aparecen en la lectura "Política latinoamericana: Pasos hacia la democracia". Si sabes el significado de cada palabra base (la que está en negrita), debes poder adivinar el significado de las otras formas, pero también puedes consultar el glosario o un diccionario.

Sustantivo	Verbo	Adjetivo
el asesinato / el **asesino**	asesinar	asesinado/a
la desaparición	**desaparecer**	desaparecido/a
el desarrollo	**desarrollar**	desarrollado/a
la elección	**elegir**	elegido/a
la (in)estabilidad	estabilizar	(in)**estable**
el gobierno / el gobernador	**gobernar**	gobernado/a
la (des)igualdad	igualar	(des)**igual**
la riqueza	enriquecer(se)	**rico/a**

Act. 10B: Assign and discuss in class or provide answers so that students can self-check. Accept any correct answer.

Parte B: Completa las siguientes oraciones con una forma apropiada de las familias de palabras que aparecen en la Parte A.

1. La _____desigualdad_____ económica es una de las causas de la inestabilidad política.
2. Los _____gobiernos_____ militares de los años 70 y 80 encarcelaron y torturaron a muchas personas.
3. Se suele decir que el _____desarrollo_____ de una tradición democrática requiere tiempo y cierta igualdad social y económica.
4. Decimos que existe un problema de corrupción cuando las miembros de un gobierno usan su posición para _____enriquecerse_____.
5. El _____asesinato_____ de John F. Kennedy ocurrió en 1963.
6. Entre 1976 y 1983, _____desaparecieron_____ muchas personas que habían protestado contra la dictadura de Argentina.
7. En el momento actual, casi todos los países latinoamericanos tienen un presidente _____elegido_____.

Building vocabulary

Act. 11: Assign and discuss in class or provide answers so that students can self-check. Further discussion may be necessary since some students may not fully understand all these terms in English.

Actividad 11   La política   Después de estudiar esta lista de palabras que aparecen en la lectura sobre la política latinoamericana, escoge la palabra adecuada para completar cada una de las oraciones.

derechista (de derecha)	rightist
exigir	to demand
la guerrilla	guerrilla warfare
la ira	ire, anger, wrath
izquierdista (de izquierda)	leftist
la jerarquización	hierarchization
la junta	board, council
la medida	measure, step
la renuncia	resignation
el soborno	bribery, bribe

1. En los parlamentos franceses, los conservadores se sentaban hacia la derecha y por lo tanto se llamaban _____derechistas_____.

(continúa en la página siguiente)

2. En el siglo XX los socialistas y los comunistas se consideraban
   _____izquierdistas_____.

3. En 1998, algunos políticos querían _____exigir_____ la
   _____renuncia_____ del entonces presidente Clinton.

4. La _____guerrilla_____ lucha contra un gobierno establecido por medio
   de pequeños ataques militares contra las instalaciones del gobierno.

5. El _____soborno_____ ocurre cuando uno tiene que pagar por servicios o
   autorizaciones que normalmente no se pagan.

6. Una _____junta_____ militar es un grupo de generales u oficiales
   militares que gobiernan un país.

7. La _____jerarquización_____ consiste en una división de la sociedad en varias
   clases desiguales, con una élite que controla la riqueza y el poder.

8. El aumento de los impuestos y otras _____medidas_____ implementadas
   por el gobierno provocaron la _____ira_____ de los ciudadanos.

Actividad 12   Formas de gobierno   En grupos de tres, contesten y
comenten las siguientes preguntas antes de leer el texto.

1. ¿Qué es una democracia?
2. ¿Qué es una dictadura?
3. ¿Cuál de estas formas de gobierno es más difícil de establecer? ¿Por qué?
4. ¿Cuál de estas formas de gobierno asocian Uds. con Latinoamérica? ¿Por
   qué?

Activating background knowledge

Act. 12: Assign as HW and discuss
in class. Develop written definitions
on the board. Use 3 and 4 to have
students generate possible content
of reading, but avoid specifics.

Actividad 13   Las ideas principales   La siguiente lectura contiene diez
párrafos. Para cada párrafo, subraya la oración que resume la idea general o
escribe al lado una oración original que resuma la idea general del párrafo.

Active reading, Identifying main
ideas

Act. 13: Assign and discuss in class.
Point out the focus on Latin America
and **el Cono Sur.** Option: Cull a list
of terms used in the reading (cognates and familiar vocabulary); have
students associate each item with
democracy or dictatorship and
explain why.

Política latinoamericana:
Pasos hacia la democracia

Golpes de estado, dictaduras, revoluciones, violencia e inestabilidad:
estas son las nociones que se han asociado con la política latinoamericana durante los dos últimos siglos. Sin embargo, al empezar el siglo XXI,
casi todas las naciones de Latinoamérica gozan de presidentes elegidos y de
5 gobiernos democráticos, y se puede afirmar que la extensión general de la
democracia representa la nueva tendencia "revolucionaria" de la política
latinoamericana.

Las dictaduras

Aunque la democracia ha sido el ideal de casi todas las repúblicas latinoamericanas desde su nacimiento a principios del siglo XIX, es un ideal
10 que ha tardado mucho en hacerse realidad. Es difícil generalizar sobre todos
los países, pero se pueden señalar varios factores que han contribuido a su
historia turbulenta. En primer lugar, trescientos años de dominio imperial
español impidieron el desarrollo de tradiciones e instituciones democráti-
cas, dejando en cambio una fuerte tradición de control autoritario y patriar-

La mayoría de los países
hispanoamericanos se
independizaron entre 1810
y 1828, aunque Cuba no
logró su independencia
hasta 1898, y Puerto Rico
forma parte de los Estados
Unidos desde ese año.

¹⁵ cal. La tradición autoritaria se ha manifestado en la figura del caudillo político o líder de un ejército que mantenía la paz social por medio de la fuerza. Otro factor que ha impedido el desarrollo de una tradición estable ha sido la enorme división entre pobres y ricos, complicada por el problema racial en algunos países, y la acumulación de riqueza y poder político en

²⁰ manos de pequeñas élites. En tercer lugar, la inseguridad económica ha contribuido a la inestabilidad política, ya que es difícil para un gobierno elegido mantener el orden en momentos de crisis económica.

Estas generalizaciones, sin embargo, sólo son más o menos válidas según el país del que se hable. En el siglo XIX, surgieron fuertes democra-

²⁵ cias en algunos países, como Costa Rica, Chile y Uruguay. En otros, como Paraguay, Bolivia y algunos países de Centroamérica, diversos tipos de dictadura se establecieron como norma desde el momento de su fundación como repúblicas independientes. En la mayoría de los países latinoamericanos, sin embargo, generalmente ha existido una alternancia entre gobier-

³⁰ nos elegidos y gobiernos autocráticos bajo un caudillo o dictador.

Un elemento común ha caracterizado a casi todos estos gobiernos: la necesidad del apoyo de las fuerzas militares. El ejército siempre ha tenido gran importancia en los países de la región y su función ha sido no tanto defender al país de enemigos externos como mantener el orden interno.

³⁵ Tradicionalmente, el ejército sólo intervenía directamente en la política nacional durante breves períodos para restablecer el orden, pero a partir de 1960, el ejército de varios países suramericanos empezó a tomar el poder y a establecer juntas militares para gobernar de forma relativamente permanente. Esto ocurrió en Brasil, Argentina, Perú, Ecuador, Uruguay y Chile.

⁴⁰ De estas dictaduras, fueron especialmente sorprendentes las de Uruguay y Chile, países que se reconocían como tradicionalmente democráticos. En Uruguay, los militares tomaron el poder en 1973 para combatir a grupos revolucionarios que buscaban el cambio social radical. En el mismo año, el ejército de Chile, bajo el mando del general Augusto

⁴⁵ Pinochet, asesinó al presidente legalmente elegido, Salvador Allende, durante un período de disturbios sociales, económicos y políticos. La dictadura de Pinochet, que duró

⁵⁰ dieciséis años, se conoció por su abuso de los derechos humanos, la tortura y la desaparición de más de tres mil personas.

Aun más notorio fue el régimen

⁵⁵ militar que se estableció en Argentina en 1976. Una junta militar se apoderó

A excepción de Costa Rica, Centroamérica se ha conocido por numerosas y largas dictaduras tradicionales, como la de la familia Somoza en Nicaragua (1933–1979).

México no encaja bien en estas generalizaciones. Aunque hubo elecciones, durante la mayor parte del siglo XX, el país estuvo bajo el control de un solo partido político, el Partido Revolucionario Institucional (PRI). En el año 2000 Vicente Fox y su Partido de Acción Nacional ganaron las elecciones presidenciales, iniciando así una época de nuevas opciones políticas.

► Muchos artistas y cantantes latinoamericanos lucharon contra los abusos de los derechos humanos de los años 70 y 80, entre ellos, la conocida cantante argentina Mercedes Sosa. Sus apasionadas interpretaciones de canciones de resistencia como "Solo le pido a Dios" animaron la lucha por la justicia.

del gobierno durante una crisis política y económica, agravada por
ataques de la guerrilla. Durante la campaña de represión y terror del
gobierno contra los disidentes, desaparecieron unas treinta mil personas,
60 muchas de ellas jóvenes estudiantes. Finalmente, en 1983, las protestas de
las familias de los desaparecidos, la pérdida de la guerra de las Malvinas
contra Gran Bretaña y una economía en estado de caos llevaron a la caída
de la junta militar.

Las democracias

Los años 80 y 90 vieron el retorno de gobiernos constitucionales. Hubo
65 elecciones en casi todos los países que habían vivido bajo la dictadura y, en
gran parte, los militares se alejaron del campo político. Casi la última dictadura en caer fue la de Chile, donde en 1988 se realizó un histórico
plebiscito, por medio del cual los ciudadanos rechazaron el gobierno de
Pinochet. El regreso a la democracia en Latinoamérica se debe a diversos
70 factores. En primer lugar, la violación de los derechos humanos provocó la
ira de la población contra las dictaduras. En segundo lugar, los militares
fueron generalmente incapaces de manejar la economía. Y, por último, la
caída de la Unión Soviética y el fin de la Guerra Fría hicieron que los
Estados Unidos, que habían temido los movimientos revolucionarios
75 izquierdistas, no vieran la necesidad de apoyar a gobiernos represivos de la
extrema derecha.

Aunque los países recibieron a la democracia con aclamación casi total,
los gobiernos se siguen enfrentando a graves problemas que amenazan la
estabilidad. Desde los años 80, se ha observado un aumento constante en la
80 desigualdad entre pobres y ricos, un factor que siempre ha sido causa de
inestabilidad; y, en las dos últimas décadas, la adopción de medidas
económicas para establecer un mercado competitivo ha empeorado aun más
la situación de los pobres. Entonces, si se presentan disturbios sociales que
el gobierno civil no pueda controlar, es posible que los ejércitos, que todavía
85 tienen poder, estén dispuestos a imponer el orden, o que aparezcan políticos
"populistas" que sepan aprovechar la
frustración popular para llegar al poder
y acabar con la democracia.

Otro gran desafío al que se enfrenta
90 Latinoamérica es la eliminación de la corrupción. En toda la región, existe una larga
historia de favoritismo y soborno causada
por la jerarquización social, en que los
caudillos y una élite de grandes familias
95 controlaban los recursos y el poder, y
quien tenía un cargo político lo usaba para
enriquecerse y ayudar a sus familiares.
Para tener éxito, tradicionalmente ha sido
más importante tener buenos contactos
100 que estar bien capacitado y preparado. De
esta manera, no se desarrolló el sentido de
responsabilidad cívica necesaria en toda
democracia. Sin embargo, en años recientes
se han creado grupos cívicos que exigen una
105 conducta más responsable de parte de sus

Las protestas más eficaces contra
la dictadura argentina fueron las de
las Madres y Abuelas de Plaza de
Mayo.

la guerra de las Malvinas = The
Falkland Islands War (1982)

En varios países, hubo un intento de
castigar a los militares por sus
abusos contra los derechos
humanos y, en Argentina, algunos
fueron juzgados y encarcelados.
Pero en general no se castigaron.
En 1998, el juez español Baltasar
Garzón intentó procesar a Pinochet
por crímenes contra ciudadanos
españoles ocurridos durante su
dictadura, pero ese intento fracasó.

El favoritismo también se ve
reflejado en el frecuente uso de las
expresiones **tener palanca** y **tener
enchufe,** que significan *to have
connections.*

▲ La renovación política de Latinoamérica se pudo
constatar en la reunión en 2004 de la Organización
de los Estados Americanos, donde todos los líderes
presentes habían sido elegidos democráticamente.

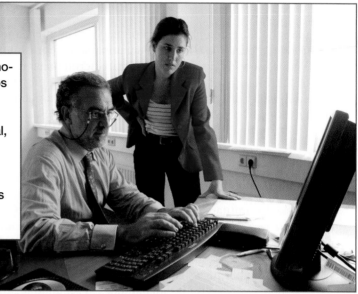

▶ Durante los años 80 el argentino Luis Moreno-Ocampo sirvió como fiscal que procesó a los antiguos jefes de la dictadura militar de su país. En los años 90 se convirtió en un líder del nuevo grupo Transparencia Internacional, que lucha contra la corrupción. Ahora sirve como el primer Fiscal General de la Corte Penal Internacional en La Haya, Holanda, donde investiga casos de genocidio, abusos de los derechos humanos y crímenes de guerra en todas partes del mundo.

El presidente venezolano Hugo Chávez, elegido en 1998, ha sido una figura polémica. Muchos venezolanos lo ven como un líder que puede acabar con la corrupción y los privilegios de la élite tradicional, pero otros lo ven como un político oportunista que ha prometido lo que no puede cumplir —una resolución inmediata de los problemas económicos— para ganar el poder y acabar con la democracia.

representantes elegidos. Por ejemplo, en los años 90 la activista indígena Rigoberta Menchú y la élite financiera de Guatemala se unieron para forzar la renuncia del presidente Jorge Elías Serrano por corrupción. Y en los últimos años, se han formado nuevos grupos internacionales, como
110 Transparencia Internacional (TI) y Periodistas Frente a la Corrupción (PFC), que luchan por eliminar la corrupción. La formación de grupos como éstos representa un gran cambio cultural, ya que por primera vez los ciudadanos están exigiendo una conducta responsable por parte de sus representantes.
115 No cabe duda de que el siglo XXI representa un momento de optimismo e incertidumbre para Latinoamérica. Por primera vez en su historia, casi todas las naciones gozan de un presidente legítimamente elegido, aunque hay que reconocer que algunos de ellos disfrutan de un poder tal vez excesivo y que la corrupción podría llevar de nuevo a la intervención
120 militar. Sin embargo, si se logra la estabilidad económica y un mejor nivel de vida, quizá la democracia sobreviva y se establezca como la nueva norma de la vida latinoamericana.

Act. 14: Assign as HW and discuss in class. Remind students to use both the present and present perfect subjunctive (for past events).

Scanning

Es verdad = es cierto

Answers: 1. **Falso: los años 80**
2. **Falso. Hay tres factores: división entre pobres y ricos; 300 años de colonia; inestabilidad económica y política.** 3. **Verdad** 4. **Verdad**
5. **Falso: la junta militar de 1976–1983** 6. **Verdad** 7. **Falso. Hay tres factores: abusos bajo las dictaduras; mal manejo de la economía; final de la Guerra Fría.**
8. **Falso. Se preocupan muchos ciudadanos y grupos como Transparencia Internacional y Periodistas Frente a la Corrupción.**

Actividad 14 Datos y detalles Decide si cada oración es correcta o incorrecta según la lectura, y evalúa cada oración usando las expresiones **Es verdad que...** o **No es verdad que...** Después corrige todas las oraciones incorrectas con información de la lectura.

▶ La guerra de las Malvinas ocurrió en 1999.
No es verdad que la guerra de las Malvinas haya ocurrido en 1999. Ocurrió en 1982.

1. La vuelta a la democracia empezó en la década de los años 70.
2. La desigualdad entre ricos y pobres ha sido la única causa del lento desarrollo de la democracia en Latinoamérica.
3. Los caudillos eran figuras autoritarias tradicionales.
4. Durante la mayor parte de su historia, Chile, Uruguay y Costa Rica han funcionado como democracias.

5. Los grupos TI y PFC organizaron una campaña de terror y la desaparición de unas treinta mil personas en Argentina entre 1976 y 1983.

6. En 1988, los ciudadanos de Chile rechazaron el régimen de Pinochet en un plebiscito histórico.

7. La vuelta a la democracia durante los años 80 y 90 se puede explicar como el resultado de un solo factor: el fin de la Guerra Fría.

8. En la actualidad pocas personas o grupos se preocupan por el problema de la corrupción.

ESTRATEGIA DE LECTURA

Distinguishing Fact from Opinion

When reading informational texts, it is easy to assume that all the information is factual or true. However, nearly all texts contain opinions of the author. These are not necessarily flaws, since even in deciding what information to include and what not, the writer expresses an opinion. However, as a reader you must be alert to this distinction so that you can make decisions about the validity of what is being said. For example, it is a fact that there have been numerous dictatorships in Latin America. However, whether these dictatorships were necessary, good, bad, or counterproductive is a matter of opinion. In this sense, histories are often opinions that attempt to make sense of sets of observable facts.

Actividad 15 Hechos u opiniones **Parte A:** En parejas, miren las oraciones de la Actividad 14 ya corregida y decidan qué ideas describen hechos y cuáles dan opiniones.

Parte B: Ahora, miren las siguientes oraciones y decidan si describen hechos, opiniones o una mezcla de los dos. Luego, si son opiniones, decidan si están de acuerdo o no.

1. En 1973, el ejército de Chile, bajo el mando del general Augusto Pinochet, asesinó al presidente legalmente elegido, Salvador Allende, durante un período de disturbios sociales, económicos y políticos.

2. En los años 80 hubo elecciones en casi todos los países que habían vivido bajo la dictadura.

3. En 1983, las protestas de las familias de los desaparecidos, la pérdida de la guerra de las Malvinas contra Gran Bretaña y una economía en estado de caos llevaron a la caída de la junta militar de Argentina.

4. En su lucha contra los comunistas e izquierdistas durante la Guerra Fría, los Estados Unidos tuvieron que apoyar muchas dictaduras latinoamericanas.

5. La corrupción es uno de los mayores problemas de los gobiernos latinoamericanos.

6. El nepotismo es una clara señal de corrupción.

7. La libertad de prensa es fundamental para combatir la corrupción.

8. Es evidente que los países latinoamericanos necesitan un poder político central y un líder fuerte.

Act. 15A: Assign and discuss in class. Most describe facts, but some are informed opinions (e.g., 2, 7, 8), based on close observation and interpretation of facts.

Distinguishing fact from opinion

Act. 15B: Assign and discuss in class. Items 1–7 appear or are implied in the reading. Item 8 does not appear in the reading, but has often been expressed in the past. Answers: 1. **Hecho,** but Cuba is not included in the generalization. 2. **Hecho,** but note that Cuba is not included in the generalization. 3. **Opinión experta,** based on observation and interpretation of facts by experts. 4. **Opinión.** 5. **Hecho + opinión:** depends on how **corrupción** and **problema** are defined. 6. **Opinión.** Many societies see nepotism as a moral ideal, not a social ill. Point out that the extended family functioned as an economic unit and had to be protected. 7. **Opinión...** but one which seems to be confirmed by experience. 8. **Opinión.** Ask students if past history necessarily determines future directions.

Actividad 16 Desde otra perspectiva   **Parte A:** En grupos de tres, definan qué son los derechos humanos y decidan si el gobierno tiene la obligación de defenderlos. ¿Qué debe hacer un gobierno para defender los derechos humanos a nivel internacional?

Parte B: Aunque algunos dicen que las relaciones entre los Estados Unidos y los países latinoamericanos están mejor que nunca, no todos están de acuerdo. Hay muchos latinoamericanos que desconfían de la política exterior de los Estados Unidos. Lean la tira cómica y comenten la opinión del artista hacia los Estados Unidos. Según el artista, ¿qué es lo que quieren los Estados Unidos? ¿A Uds. les parece justa o injusta la opinión del artista?

Chenchito   ## Joaquín Velasco

Actividad 17 ¿Qué opinan ustedes?   **Parte A:** En grupos de tres, hagan una lista de tres hechos históricos o políticos comentados en la lectura y expresen sus opiniones.

▶ Nos sorprende que no hayan castigado a los dictadores como Pinochet.
▶ Esperamos que duren las democracias latinoamericanas.

Parte B: En grupos de tres, piensen en algunos hechos históricos o políticos mundiales y expresen sus opiniones. Por ejemplo, el comunismo, el Holocausto, los conflictos de los Balcanes, el 11 de septiembre, la invasión de Afganistán, la guerra de Irak, etc.

▶ Dudamos que el comunismo tenga importancia en el futuro.
▶ Esperamos que jamás vuelvan a ocurrir incidentes terroristas como el del 11 de septiembre.

Cuaderno personal 6-2

¿Es posible que un dictador tome el poder en los EE.UU.? ¿Por qué sí o no?

Lectura 3: Literatura

FCG links: Expressing reactions with the subjunctive; cause, purpose, and destination with **por/para**

Actividad 18   Palabras fundamentales   Usa las palabras de la siguiente lista para terminar las oraciones.

Building vocabulary

Act. 18: Assign and discuss in class or provide answers so that students can self-check.

el baldío	empty land, wasteland
jactarse de algo	to brag about something
la mancha de sangre	blood stain
el matorral	thicket, bushes, scrubland
el mendigo	beggar
la picana eléctrica	electric (cattle) prod
el puesto de canje	stall or booth for small trades or exchanges
el orificio de bala	bullet hole

1. Los _____mendigos_____ suelen pedir dinero a la gente que pasa por la calle.
2. Los habitantes de Buenos Aires adoran a su ciudad y suelen _____jactarse de_____ sus glorias.
3. Muchas personas abandonan cosas inútiles y basura en los _____baldíos/matorrales_____ de las afueras de la ciudad.
4. El policía, quien había estado en una pelea violenta, tuvo que tirar su camisa a la basura, ya que tenía varias _____manchas de sangre_____.
5. Aunque uno puede comprar todo tipo de ropa en los grandes almacenes, las personas más humildes tienen que comprar ropa usada en pequeños _____puestos de canje_____.
6. El vaquero usaba una _____picana eléctrica_____ para obligar a las vacas a moverse.

Actividad 19   Familias de palabras   Busca el significado de la palabra base de estas familias de palabras, y después termina las oraciones con formas apropiadas de cada familia de palabras.

Identifying word families

Remember that adjective forms can be turned into nouns by adding articles such as **el** or **la**.

el calzado	**calzar**	calzado/a
el consuelo	**consolar**	consolado/a
———	**enterar**	enterado/a
el entierro	**enterrar**	enterrado/a
el **fin**	finar	finado/a
la quemadura	**quemar**	quemado/a

Act. 19: Assign and discuss in class. Point out that **finar** and **finado** have a more narrow meaning than does **fin.**

1. _____Enterados_____ de la desaparición de su hijo, los padres de Jaime Coretti llamaron inmediatamente a la policía para denunciar el caso.
2. Los padres describieron el físico de su hijo, y declararon que había salido de casa muy bien vestido, con un traje elegante, y bien _____calzado_____, con unos zapatos de cuero negro.
3. Pocos días después, unos pobres descubrieron un cadáver sin _____enterrar_____ abandonado en un baldío.

(continúa en la página siguiente)

4. La autopsia reveló que el _____finado_____ era el estudiante universitario Jaime Coretti.
5. Al examinar el cadáver, los médicos descubrieron muchas
_____quemaduras_____, aparentemente causadas por una picana eléctrica.
6. Los padres de Jaime lloraron mucho, pero a diferencia de muchos padres
de "desaparecidos", tuvieron el triste _____consuelo_____ de haber re-
cuperado el cuerpo de su hijo.

Predicting, Skimming and scanning

Act. 20A: Form groups and set a time limit. Brainstorm ideas and make sure students realize that the story is a monologue about the narrator's everyday life, rather than a traditional narrative.

Actividad 20 **Aproximación al texto** **Parte A:** En grupos de tres, comenten las siguientes preguntas antes de leer "Los mejor calzados".

1. El cuento trata de acontecimientos que ocurrieron durante la dictadura militar de Argentina entre 1976 y 1983. ¿A qué se puede referir el título "Los mejor calzados"? ¿Cómo se traduce "Los mejor calzados"?
2. Miren el texto por encima. ¿Parece ser un monólogo o un diálogo?
3. Lean las tres primeras oraciones. ¿Por qué todos los mendigos tienen zapatos? ¿De dónde vienen?

Focused reading, Identifying tone

Act. 20B: Assign and discuss in class. Ask students to identify elements that support their conclusions. The text has no traditional plot, but the larger stories of the **desaparecidos,** repression, and economic hardship are revealed through it. Option: Read the story aloud as students follow along in the book. Ask students for their first impression with regard to tone.

Option: Have students reflect on the relation between the author's bio and the content of the story.

Parte B: Ahora, lee el texto de "Los mejor calzados". Al leer, trata de contestar las siguientes preguntas sobre el contenido y el tono. ¿De qué trata el cuento? ¿Parece un cuento tradicional? ¿Por qué sí o no? ¿Es cómico, serio, triste, melancólico, irónico, alegre o amargo?

Luisa Valenzuela nació en Buenos Aires en 1938. Desde muy joven, trabajó de periodista, colaborando con el famoso diario argentino La Nación. *Pasó temporadas fuera de Argentina: en Francia escribió su primera novela a los 21 años y en los Estados Unidos, adonde se escapó durante la dictadura militar en Argentina, dictó clases en la Universidad de Columbia y la Universidad de Nueva York entre 1979 y 1989. Luego volvió a Argentina. Los escritos de Valenzuela tratan los temas de la libertad, la censura y la opresión, y critican los aspectos de la sociedad que apoyan esa opresión. Es conocida por su uso de la ironía, juegos de palabras, metáforas, y su preferencia por narrativas que evitan las estructuras claras y el orden impuesto del cuento tradicional.*

Los mejor calzados

Luisa Valenzuela

Invasión de mendigos pero queda un consuelo: a ninguno le faltan zapatos, zapatos sobran. Eso sí, en ciertas oportunidades hay que quitárselo a alguna pierna descuartizada que se encuentra entre los matorrales y sólo sirve para calzar a un rengo. Pero esto no ocurre a menudo, en general se
5 encuentra el cadáver completito con los dos zapatos intactos. En cambio las ropas sí están inutilizadas. Suelen presentar orificios de bala y man- chas de sangre, o han sido desgarradas a latigazos, o la picana eléctrica

les ha dejado unas quemaduras muy feas y difíciles de ocultar. Por eso no
contamos con la ropa, pero los zapatos vienen chiche. Y en general se
10   trata de buenos zapatos que han sufrido poco uso porque a sus propietarios no se les deja llegar demasiado lejos en la vida. Apenas asoman la
cabeza, apenas piensan (y el pensar no deteriora los zapatos) ya está todo
cantado y les basta con dar unos pocos pasos para que ellos les tronchen
la carrera.
15   Es decir que zapatos encontramos, y como no siempre son del número
que se necesita, hemos instalado en un baldío del Bajo un puestito de canje.
Cobramos muy contados pesos por el servicio: a un mendigo no se le puede
pedir mucho pero sí que contribuya a pagar la yerba mate y algún bizco-
chito de grasa. Sólo ganamos dinero de verdad cuando por fin se logra
20   alguna venta. A veces los familiares de los muertos, enterados vaya uno a
saber cómo de nuestra existencia, se llegan hasta nosotros para rogarnos
que les vendamos los zapatos del finado si es que los tenemos. Los zapatos
son lo único que pueden enterrar, los pobres, porque claro, jamás les permi-
tirán llevarse el cuerpo. Es realmente lamentable que un buen par de zapa-
25   tos salga de circulación, pero de algo tenemos que vivir también nosotros
y además no podemos negarnos a una obra de bien. El nuestro es un verdadero apostolado y así lo entiende la policía que nunca nos molesta mientras merodeamos por baldíos, zanjones, descampados, bosquecitos y demás
rincones donde se puede ocultar algún cadáver. Bien sabe la policía que es
30   gracias a nosotros que esta ciudad puede jactarse de ser la de los mendigos
mejor calzados del mundo.

Actividad 21   Las palabras del narrador   **Parte A:** En el texto el narrador
usa otras palabras para expresar todas las ideas que aparecen abajo. Identifica
la oración del texto donde el narrador expresa cada idea.

1. Hay muchos zapatos para todos los mendigos y pobres.
2. La ropa no se puede usar, pero los zapatos sí son útiles.
3. Ganan poco dinero vendiendo zapatos a los mendigos y los pobres.
4. Ganan bastante dinero vendiendo zapatos a las familias de los muertos.
5. Buscar y vender los zapatos de los muertos son actos de caridad.

Parte B: Contesta cada pregunta desde la perspectiva del narrador del cuento.

1. ¿Por qué los mendigos buscan los zapatos y dejan la ropa?
2. ¿Quiénes son y cómo son los dueños del puesto de canje?
3. ¿Quiénes compran los zapatos? ¿Por qué?
4. ¿Por qué la policía no molesta a los dueños del puesto de canje?
5. ¿Dónde encuentran los cuerpos de los muertos?
6. ¿Quiénes son los muertos?

Act. 21A: Assign and discuss in
class. Answers should include the
following phrases: 1. **zapatos
sobran** 2. **los zapatos vienen
chiche** 3. **Cobramos muy contados pesos... a un mendigo no se
le puede pedir mucho.** 4. **Sólo
ganamos dinero de verdad...
[cuando] los familiares de los**

Guessing meaning from context

**muertos... se llegan hasta
nosotros.** 5. **... no podemos
negarnos a una obra de bien.
El nuestro es un verdadero
apostolado.** Option: Have students
complete this activity before reading the text a second time.

Scanning

Act. 21B: Assign and discuss in
class. Make sure students repeat the
views of the narrator. Item 6 focuses
attention on the narrator's lack of
concern with the question (though
there are some indications that he
knows where they come from).

Making inferences

Act. 22A: Assign and discuss in class. This activity makes clear that the narrator's and the author's voices are distinct. Answers: 1. **narrador** 2. **autora** 3. **narrador** 4. **autora** 5. **narrador** 6. **narrador** 7. **narrador** 8. **autora**

Act. 22B: Assign and discuss in class. Define **ironía** with students (**decir lo contrario de lo que uno realmente piensa, pero con la intención de que algunos otros entiendan esto**). Examples: **el pensar no deteriora los zapatos; Es realmente lamentable que un buen par de zapatos salga de circulación.** Valenzuela may use irony here as a reflection of or in response to the dictatorship's repression of free speech. Point out that what Valenzuela wants to criticize is precisely what her narrator does not. The narrator may represent complacent people who did nothing to stop the dictatorship.

Reacting to reading

Act. 23: Have students use the subjunctive to express their reactions to information and the story: **No podemos creer que..., Es horrible que..., Nos gusta que...** Remind students to use the present perfect subjunctive when expressing an opinion/belief in the present about a past event. New titles can be used to review main ideas and key details.

Actividad 22 **¿El narrador o la autora?** **Parte A:** En parejas, decidan si cada oración expresa una opinión del narrador o de la autora del cuento. Justifiquen sus respuestas.

1. Es bueno que todos los mendigos tengan zapatos.
2. Es trágico que los mendigos lleven zapatos que antes pertenecían a víctimas de la dictadura.
3. Es bueno que se encuentren los cadáveres completos con los dos zapatos intactos.
4. Es horrible que abandonen los cadáveres en los baldíos y matorrales de las afueras de la ciudad.
5. Es una lástima que las ropas tengan manchas de sangre, orificios de balas y quemaduras dejadas por la picana eléctrica.
6. Es bueno que el pensar no deteriore los zapatos.
7. Es bueno que los zapatos no salgan de circulación.
8. Es lamentable que Buenos Aires se pueda jactar de tener los mendigos mejor calzados del mundo.

Parte B: En parejas, comenten las siguientes preguntas.

1. ¿En qué consiste la ironía? ¿Qué oraciones del cuento revelan opiniones que la autora ha expresado irónicamente?
2. ¿Por qué Valenzuela optó por expresar sus ideas irónicamente? ¿Por qué escribió este cuento?

Actividad 23 **Las reacciones de los lectores** En parejas, comenten los siguientes temas.

1. ¿Cuál es su reacción personal a la información revelada en el cuento?
2. ¿Cuál es su reacción personal al cuento como obra literaria? ¿Les gustó o no? ¿Por qué?
3. ¿En qué aspectos del cuento se basa su título? ¿Cuál es otro título posible para este cuento?

Cuaderno personal 6-3

Reflexiona un poco sobre la ironía. ¿La usas tú? ¿Cuándo? ¿Por qué? ¿Asocias su uso con algunas personas o grupos? ¿Por qué crees que a Luisa Valenzuela le gusta usar la ironía?

Redacción: Una reseña de cine

ESTRATEGIA DE REDACCIÓN

Reacting to a Film

When critics review films, they may simply describe the plot and characters, as well as give information about the actors. More frequently, a review centers on the critic's opinion of the film and the actors' performances. In this case, details of the plot are included only to support the declared opinion of the critic. The following words and expressions are useful when discussing films.

Option: Have students review film vocabulary from **FCG** Chapter 2.

la trama	plot	**rodar una película**	to shoot a film
el personaje	character	**el montaje**	editing
tener lugar en	to take place in	**el doblaje (doblar)**	dubbing (to dub)
tratar de	to be about	**la banda sonora**	soundtrack
la escena	scene	**el reparto**	cast
el guion	script	**el decorado**	the set (*decorations and props*)

Actividad 24 Comparación de dos reseñas   La lectura siguiente es una reseña de *La historia oficial* que apareció en la revista española *Cambio 16*. Léela rápidamente (no es necesario entender todas las palabras) y compárala con la primera reseña que leíste. Después, en parejas, contesten las preguntas.

Using model texts

Act. 24: Assign as HW and discuss in class.

1. ¿Qué reseña describe más la acción?
2. ¿Cuál hace una crítica más profunda de la película? Den ejemplos.
3. Según César Santos Fontenla, ¿cómo es la película?

POLÍTICA A RITMO DE TANGO

«La historia oficial», de Luis Puenzo, con Norma Aleandro, Héctor Alterio, Hugo Arana, Guillermo Battaglia, Chela Ruiz. Color. 111 minutos.

Prácticamente desconocida entre nosotros, como el resto de las cinematografías latinoamericanas, la argentina, que a finales del pasado octubre presentó en Madrid una selección de sus últimos títulos, salta ahora a las pantallas comerciales con el que, en aquella semana, alcanzó mayor éxito. Se trata de «*La historia oficial*», un hermoso melodrama político, que nos coloca ante el tremendo drama de los desaparecidos durante los años de dictadura, sobre los que, incansablemente, pedían — exigían — información las ya célebres Abuelas de la Plaza de Mayo.

Luis Puenzo, que en colaboración con Aida Bortnik es autor del guion, ha desarrollado con inteligencia y mesura — sin temer a la desmesura cuando la ocasión la requería — la bien urdida trama, basando su puesta en escena, fundamentalmente, en la dirección de actores y, sobre todo, en el trabajo de esa soberbia actriz que es Norma Aleandro, galardonada en el último Festival de Cannes. Y, sin ser extraordinaria — hay ciertas lagunas, determinados baches de credibilidad, algún ingenuismo — ha conseguido una obra sólida y en más de una ocasión realmente emocionante.

– César Santos Fontenla

Reacting to films

Act. 25: Option 1: Do as a whole-class activity. Option 2: Students watch a Spanish film on video outside of class and review it. To expand vocabulary, they can also listen for 5-10 expressions of their choice and write them down with paraphrases or translations. Film suggestions: **Camila** (Argentina, 1984), **Y tu mamá también** (Mexico, 2001), **El crimen del padre Amaro** (Mexico, 2002), **Missing** (U.S., 1982), **Death and the Maiden** (U.S., 1994), **Diarios de motocicleta** (Argentina, U.S., U.K., Germany, 2004). See www.imdb.com for more information on these films.

Actividad 25 Las películas del momento **Parte A:** En grupos de tres, hagan una lista de las tres o cuatro películas más populares del momento.

Parte B: En grupos de tres, escojan una de las películas que Uds. ya han visto. Luego, contesten las siguientes preguntas para explicar de qué trata la película.

1. ¿Quiénes son los personajes principales y cómo son?
2. ¿Qué sucede en la película?
3. ¿Cuál es el tema principal? ¿Hay otros temas?
4. ¿Cuál es la escena más importante para Uds.?
5. ¿Qué es lo más impresionante de la película?
6. ¿Quiénes son los actores? ¿Cómo son sus actuaciones?
7. ¿Les recomiendan esta película a otras personas? ¿Por qué?

ESTRATEGIA DE REDACCIÓN

Using Transitions of Concession

Often when discussing or giving opinions, certain transition words and expressions are particularly useful for acknowledging the validity of another person's points or ideas, while at the same time challenging them.

a pesar de (que)	despite, in spite of
aunque	although, even though
con todo/aún así	still, even so, nevertheless
no obstante	nevertheless
sin embargo	however

A pesar de que la trama es excelente, hay, **sin embargo,** ciertas lagunas que afectan la credibilidad.

Writing a film review

Act. 26: Assign as HW and specify requirements and number of drafts (see IAE Instructor's Guide for specific suggestions). Tell students to give their opinions but to avoid use of "**yo**" and to strive for a mature tone. Give examples of theses ("opinions" about a film).

Actividad 26 A escribir Ahora, escribe una reseña de cine. Primero piensa en un título interesante que refleje tu reacción a la película. Después, escribe la reseña, usando el siguiente formato:

I. Introducción [director, año, tema(s), tu opinión general]
II. Breve resumen de la trama
III. Discusión de detalles que apoyan tu opinión
IV. Conclusión con recomendación

Capítulo **7**

La crisis ecológica

See the *Fuentes* website for related links and activities:
http://college.hmco.com/languages/spanish/students

Activating background knowledge

Actividad 1 Problemas ecológicos En grupos de tres, miren la foto de la página anterior y decidan con cuáles de los siguientes problemas se relaciona el tema de la foto.

deforestación o desforestación

Act. 1: Assign and discuss in class. Encourage students to relate the photo to as many problems as possible; emphasize the many-faceted relations between human beings and nature. Possible answers: **La deforestación** is obvious, but the burning of trees can

la deforestación
la contaminación del aire
la acumulación de basura
la pérdida de la biodiversidad
el calentamiento global

la contaminación del agua
la contaminación del mar
la urbanización excesiva
la explosión demográfica

FCG links: Discussing the environment, affirming and negating, describing the unknown with the subjunctive in adjective clauses

Lectura 1: Un artículo

also be related to: **la contaminación del aire y el calentamiento global** (burning of tropical forests releases more gases, which in turn favors global warming), **la contaminación del agua** (if the land is used for farming with **fertilizantes**), **la contaminación del mar** (since polluted river water runs to the sea), **la pérdida de la biodiversidad** (as forest habitats are destroyed), **la explosión demográfica** (since forests are often cleared by poor peasants who are looking to make a living). Option: Present useful vocabulary by having students do a mind map on **problemas del medio ambiente.** Starting categories include: **la tierra/el agua/ el aire.** Have students work in pairs at first, and provide Spanish equivalents as needed. Follow up by completing a class mind map on the board.

Strategy: Have students prepare a list of words they have learned with these prefixes. In class, do a "sit-down drill" with books closed: Students stand up, you give a prefix, each student supplies a word that uses it and sits down. Option: For more practice with meaning changes, have students explore the meanings of **volver** and its derivatives: **revolver, devolver, envolver.**

ESTRATEGIA DE LECTURA

Using Prefixes to Determine Meaning

Prefixes in Spanish and English have the same function: they modify the basic meaning of a word. Many prefixes in English and Spanish share similar or the same forms since they are largely derived from Greek and Latin roots. The following list includes the most common Spanish prefixes and their typical meanings.

Prefix	Meaning	Example
a-, an-	not	anormal, analfabeto
ante-	before	anteayer, anteojos
anti-/contra-	against, counter	antisocial, contraataque
auto-	self	autodefensa, autorretrato
bi-	two	bicicleta, bilingüe
co(m)-	with	copresidente, compadre
de(s)-	not, un-	desaparición, desforestar
extra-	beyond	extraterrestre, extraordinario
i-, in-, im-	not	ilegal, increíble, imposible
mal-	bad, mis-	malintencionado, maltrato
pre-	before	preservación, prever
re-	again; completely	recargar; rellenar
sobre-, super-	over, super-	sobrepoblar, superpoblación
sub-	under	subdesarrollo, subrayar

Prefixes also mark forms (especially verbs) derived from other forms: **grupo → agrupar, consejo → aconsejar.** The prefixes in some words merely indicate an altered meaning. For example:

coger to take → **recoger** to gather or collect
echar to throw (out) → **desechar** to discard, to throw away
perder to lose → **desperdiciar** to waste

Actividad 2 Palabras con prefijos Usa tus conocimientos de los prefijos para determinar el significado de las siguientes palabras de la lectura. Primero, determina la palabra base de cada palabra y escríbela entre los paréntesis. Por ejemplo, la palabra base de **malintencionado** es **intención.** Después, escribe la letra de la definición que corresponde a cada palabra derivada.

Using prefixes

Act. 2: Assign and discuss in class or provide answers so that students can self-check. Answers: Other forms are valid (e.g., **puesto** for #5). Ask **¿Cuál es la palabra base? ¿Qué quiere decir (o significa) la forma derivada?**

1. __c__   enjabonarse (_____jabón_____)
2. __g__   refrescar (_____fresco_____)
3. __d__   el envenenamiento (_____veneno_____)
4. __e__   el inodoro (_____olor_____)
5. __f__   el repuesto (_____poner_____)
6. __b__   desproporcionado (_____proporción_____)
7. __a__   inútil (_____útil_____)

a. que no se puede usar
b. demasiado grande o pequeño en relación con otra cosa
c. lo que se hace al lavarse las manos
d. acción de tomar una sustancia química letal o peligrosa
e. aparato del baño para los excrementos
f. una parte nueva que se usa para sustituir otra parte vieja
g. quitar el calor

Act. 3: Assign and discuss in class or provide answers so that students can self-

Actividad 3 Del contexto al significado El artículo siguiente de la revista mexicana (*Tiempo*) *Hispanoamericano* tiene treinta sugerencias para conservar el medio ambiente. Busca en los apartados (*sections*) indicados el equivalente español de cada expresión de la lista. Usa tus conocimientos, el contexto, los cognados y los prefijos para escoger la palabra correcta.

Guessing meaning from context

check. Mention that this kind of everyday vocabulary often varies from country to country: **foco** (Mexico), **bombilla** (Spain), **bombillo** (Colombia); **echar** or **tirar** (general), **botar** (frequent in Andalusian and American Spanish). Emphasize that different dialects may have the same word with different meanings and that the influence of English leads to Anglicisms, e.g., **batería** for **pila.** Have students find the "standard" meaning of: **el foco, los trastes, la batería.**

Apartado	Expresión (inglés)	Apartado	Expresión (inglés)
2	light bulbs	14	to water
3	period/season	15	fast starts
4	pots and pans	16	hose
6	waste	17	to throw out
6	shower head	19	beef and pork
6	bucket	20	to strengthen
8	disposable	23	fireplace
11	rechargeable batteries	23	firewood
12	cardboard boxes	29	animal fur
12	pins from new clothes		

Act. 3: Answers: 2. **focos** 3. **temporada** 4. **trastes** 6. **desperdicio** 6. **regadera** 6. **cubeta** 8. **desechable(s)** 11. **baterías recargables** 12. **cajas de cartón** 12. **alfileres de ropa nueva** 14. **regar** 15. **arrancones bruscos** 16. **manguera** 17. **botar (botan)** 19. **carnes de res y cerdo** 20. **fortalecer (fortalezca)** 23. **chimenea** 23. **leña** 29. **piel**

Actividad 4 Durante la lectura **Parte A:** Antes de leer el artículo sobre las maneras de salvar el medio ambiente, contesta las siguientes preguntas y después comenta tus respuestas con un/a compañero/a de clase.

Activating background knowledge

Act. 4A: Discuss in class. Check by listing ideas from students. Provide vocabulary as needed. Have students look for their ideas as they read.

1. ¿Es muy importante para ti la conservación del medio ambiente? ¿Por qué sí o no?
2. ¿Haces algo para conservar el medio ambiente? Da un ejemplo.

Parte B: Ahora, lee todo el artículo. Mientras lo haces, apunta tu reacción a cada sugerencia usando la siguiente escala.

Active reading

a = Ya lo hago.
b = No lo hago, pero me parece buena idea.
c = No lo hago y no me parece útil.
d = No entiendo la idea.

Act. 4B: Assign and discuss in class. Before doing the activity, tell students to skim the first two paragraphs for the main idea. Check comprehension for 2-3 items only (e.g., items 1 and 3): ask students to raise their hands if they answered a, then do the same for b, c, d; ask students if they answered c or d for any suggestions and help them understand the logic of those suggestions.

30 Treinta formas para evitar la contaminación y la ruina ecológica

Por Alejandro Pescador

A Moira Karosuo y Heidi Cazés, inspiradoras de esta nota.

UNA MAYORÍA CONSIDERABLE de las personas está preocupada por el acelerado deterioro del medio ambiente. Muchos francamente se angustian al enterarse del absurdo desperdicio de energía, del creciente hueco en la capa superior del ozono, del calentamiento global, de la desaparición de especies, del envenenamiento masivo de los océanos, del arrasamiento de las selvas tropicales. El problema reside en que una buena parte de estas personas no sabe qué hacer individualmente para evitar el colapso ecológico y contribuir, en la medida de sus posibilidades, a lograr que haya un futuro viable para la especie humana.

En seguida se proponen treinta formas para que usted, como individuo y como miembro de una familia y una comunidad, realice un esfuerzo que, de multiplicarse, será un factor importante en la lucha que cada uno de nosotros debe emprender contra la contaminación y la ruina del medio ambiente.

1 No deje luces encendidas en habitaciones donde no se requieren.

2 Use focos de 15 o cuando mucho de 25 vatios.

3 En temporada de calor, evite el uso de aire acondicionado y de ventiladores; refresque el ambiente abriendo ligeramente las ventanas.

4 Al lavar los trastes, primero limpie el exceso de residuos y grasa con hojas de papel periódico. No retire los residuos con agua caliente.

5 Suspenda definitiva y completamente el uso de todo tipo de aerosoles o insecticidas.

6 Al cepillarse los dientes, lavarse las manos, rasurarse y bañarse, evite el desperdicio de agua. No deje correr el agua mientras se enjabona. Coloque bajo la regadera una cubeta, a fin de recoger agua que posteriormente podrá utilizarse en el inodoro.

7 Al ir de compras al mercado o al supermercado, lleve sus propias bolsas de fibra natural. Evite recargarse de bolsas plásticas y de papel.

8 Suprima el uso de pañuelos y servilletas desechables. Use pañuelos y servilletas de tela.

9 No adquiera refrescos en botellas plásticas ni en latas; si compra cerveza, que sea en envases de vidrio. Las botellas plásticas son admisibles sólo si son retornables.

10 No use platos, vasos ni cubiertos desechables, especialmente si son de plástico.

11 Prefiera usar baterías recargables para su radio, grabadora, linterna, etcétera, en vez de las baterías desechables.

12 Recicle todos los materiales susceptibles de varios usos, como cajas de cartón, sobres de correspondencia, alfileres de ropa nueva, envolturas, hilos, frascos de conservas y jugos.

13 Si no puede vivir sin su árbol de Navidad, adquiera uno vivo y consérvelo a lo largo de los años.

14 Procure regar sus plantas en las últimas horas de la tarde y nunca, por favor, ni en la mañana y mucho menos al mediodía.

15 Renuncie al uso excesivo del automóvil. Al manejar, procure evitar los arrancones bruscos y el exceso de velocidad, pues estos dos factores contribuyen de una

NO MANCHES …tus bosques
Échale la mano a México
Ecología y Compromiso Empresarial

NO MANCHES …tu ciudad
Échale la mano a México
Ecología y Compromiso Empresarial

◀ Estos carteles anuncian una nueva campaña antibasura patrocinada por ECOCE, una compañía de reciclaje de plásticos creada por las compañías de bebidas.

manera desproporcionada al desperdicio de energía y, por lo tanto, a la contaminación.

16 Lave su coche en casa; use una cubeta de agua y no la manguera.

17 Con amabilidad, llame la atención a las personas irresponsables que botan basura en la calle.

18 Haga el esfuerzo por no adquirir productos que se ofrecen con empaques excesivos, sobre todo si se trata de contenedores plásticos.

19 Sin pretender que usted se convierta en vegetariano, trate de comer lo menos posible carnes de res y cerdo. Esto no sólo evitará la depredación de bosques y selvas, sino que contribuirá a que usted goce de una dieta más sana.

20 Explique a sus hijos la necesidad de evitar la contaminación en todas sus formas; fortalezca en los niños su innata inclinación por cuidar de la naturaleza. Que el ejemplo de usted les sirva como modelo.

21 No desperdicie papel; si por alguna razón una hoja de papel debe ser repuesta, recuerde que el reverso todavía puede servir para borradores, recados y otros usos. No tire las fotocopias que salieron mal; use el reverso.

22 No tire los periódicos viejos a la basura; obséquielos o véndalos a los gritones que pasan con sus carritos y los compran para reciclar en la producción de cartones.

23 Si usted es de los privilegiados que tienen chimenea, suprima el uso de leña; como habitante de la ciudad, usted no debe usar leña como combustible.

24 Si es de los pocos que pueden decidir qué tipo de computadora comprar, decídase por una *notebook* o una *laptop;* utilizan menos energía y no despiden rayos catódicos.

25 Si tiene perro, después de cada paseo "obligatorio" recoja con un pedazo de papel de periódico el excremento que dejó su mascota.

26 Denuncie a grupos ecologistas como Greenpeace la conducta inapropiada de particulares y de autoridades que contribuyen al deterioro del medio ambiente.

27 En su visita a parques públicos, playas, bosques y otras zonas de paseo, no deje basura; recójala y llévela hasta un depósito o hasta su misma casa si fuera necesario.

28 Si le es posible escoger, prefiera realizar sus vacaciones en transporte colectivo.

29 Si su capacidad económica lo coloca en una situación ventajosa, procure no adquirir artículos de piel, sobre todo de especies en peligro o de las criadas en condiciones de cautiverio que son del todo patéticas e inhumanas.

30 Procure mantenerse informado de todos los aspectos relacionados con la contaminación y fortalezca su conciencia de que sólo el ser humano puede salvar el planeta. Agregue a esta lista de sugerencias todas aquéllas que efectivamente contribuyan a disminuir el deterioro ambiental.

Actividad 5 **¿Para qué sirven?** Después de leer, piensa en cada recomendación y decide para qué sirve esa recomendación. Usa las ideas de la siguiente lista, y escribe los números de las recomendaciones relevantes a la derecha de cada función.

- ahorrar energía: _____
- evitar la contaminación del aire: _____
- evitar la contaminación del agua: _____
- evitar el desperdicio del agua: _____
- combatir la acumulación de basura: _____
- cambiar la cultura y las actitudes hacia el medio ambiente: _____
- conservar los bosques y los animales que viven allí: _____
- proteger la salud: _____

Classifying

Act. 5: Assign and discuss in class. Emphasize the primary function of each item, but note that some items may appear in more than one category. All items can be seen as fitting certain functions, such as **cambiar la cultura** and **proteger la salud.** Option: Simplify activity by asking each student for one example per category. In-class check can then include listing of all or only some items on the blackboard.

Reacting to reading

Act. 6A: Do in class. Assign group secretaries to record responses. Check responses as a whole-class activity by asking each group for its responses. Ask **¿Cuántas personas contestaron sí/no a la pregunta número uno (en el grupo A, B, C, etc.)?** Then draw a conclusion (with students' help) using positive and negative words: **Hay algunas personas (en el grupo A, en la clase) que... apagan las luces; no hay nadie que siempre... lleve su propia bolsa al supermercado.**

Act. 6B: Check by having groups report their responses.

Act. 7: Assign and discuss in class. This activity often reveals misunderstandings. For example, item 6 can seem too strict. Item 13 may seem odd, but in Spain people often buy **árboles en contenedores** that they later plant outside. Others are opaque: item 14 (avoids quick

Reacting to reading

evaporation of water), item 19 (cattle grazing requires destruction of forests), item 22 (in Mexico, **gritones** are people who pass by buying recyclable goods).

Comparing

Act. 8: Define the exact community under discussion (e.g., the college or university) and assign groups. Have groups write their ideas on the board. Encourage students to respond to others' ideas (correcting, amplifying, supporting) and express opinions about the activities mentioned. Follow-up: Have students circulate and give each other suggestions using expressions such as **Te recomiendo que** + *subjunctive*. Have them react with emotional expressions: **¡Qué idea más estupenda! ¡Qué disparate!** Model a conversation before beginning.

Actividad 6   Un sondeo   **Parte A:** En grupos de cuatro, pregunten si los miembros del grupo hacen las siguientes actividades mencionadas en la lectura. Indiquen cuántas personas dicen que sí y cuántas dicen que no.

1. ¿Siempre apagas las luces cuando sales de una habitación?
2. ¿Vives sin aire acondicionado en el verano?
3. ¿Reciclas el papel siempre que puedes?
4. ¿Compras sólo árboles de Navidad vivos (con raíces)?
5. ¿Evitas el uso del automóvil?
6. ¿Usas una computadora portátil o laptop?
7. ¿Siempre llevas tu propia bolsa cuando vas al supermercado?
8. ¿Siempre viajas en transporte público cuando te vas de vacaciones?

Parte B: En grupos de cuatro, contesten las siguientes preguntas. Deben entrevistarse y usar las notas que tomaron para la Actividad 4.

1. ¿Hay alguna actividad mencionada en la lectura que hagan todos los miembros del grupo?
2. ¿Hay alguna actividad que no haga ninguno de Uds. nunca?
3. ¿Hay alguna actividad mencionada en la lectura que les parezca a Uds. especialmente buena o útil?
4. ¿Hay alguna actividad que les parezca especialmente tonta o inútil?
5. ¿Hay otras ideas que se puedan incluir en esta lista? Inventen tres.

Actividad 7   ¿Tonterías?   En parejas, decidan cuál es la peor sugerencia de la lectura. Después, entre todos, hagan una lista de esas ideas en la pizarra. Cada pareja debe presentar y criticar su selección; los demás deben decir si están de acuerdo o no y por qué.

Actividad 8   En nuestra comunidad   En grupos de tres, comenten las actividades y programas ecologistas de su comunidad (universidad, vecindario o ciudad). Hagan las dos listas indicadas y después, compartan sus ideas con el resto de la clase.

a. actividades que se hacen ya
b. actividades que se deben implementar

▶ —Ya reciclamos los periódicos, pero no hacemos nada con otros tipos de papel.
—Es verdad. Se necesita algún programa que...

Cuaderno personal 7-1

¿Haces algo para conservar el medio ambiente? ¿Por qué sí o no? ¿Crees que debes hacer más? ¿Por qué sí o no?

CP 7-1: Discuss in class before assigning. Ask students **¿Creen que actualmente se exagera la importancia de la crisis ecológica? ¿Por qué sí or no?**

Lectura 2: Panorama cultural

FCG links: Discussing the environment, expressing pending actions or states with the subjunctive

ESTRATEGIA DE LECTURA

Using Suffixes to Distinguish Meaning

Suffixes can help you determine the function and meaning of a word. Certain suffixes are associated with certain parts of speech. The following suffixes often mark conceptual nouns (nouns that express a concept), as opposed to a concrete object or an agent.

Point out that context often clarifies the use of suffixes such as **-dor/a** and **-ado/a**.

-miento	el mantenimiento, el envenenamiento
-ancia, -encia	la importancia, la influencia
-dad, -tud	la sociedad, la magnitud
-io, -ía, -ia	el desperdicio, la presencia
-(c)ión	la conservación, la desaparición
-ado/a, -ido/a	el cuidado, la temporada
-aje	el reciclaje, el porcentaje
-ez	la validez, la honradez

Certain suffixes are generally masculine (**-miento, -aje**) or feminine (**-dad, -tud, -ción**). You can predict the gender of many words if you remember the usual gender of these suffixes.

Some conceptual nouns are the same as the **yo** form of the related verb.

el logro (yo logro)   el comienzo (yo comienzo)

Other suffixes can indicate a noun agent (doer of an action).

-ero/a	el/la cocinero/a, el/la enfermero/a
-dor/dora	el/la conquistador/a, el/la operador/a
-ante, -(i)ente	el/la cantante, el/la dependiente

Two well-known suffixes mark movements and their followers.

-ismo	el surrealismo, el ecoturismo
-ista	el/la surrealista, el/la capitalista

Adjectives may be marked with these suffixes.

-ante, -(i)ente	interesante, creciente
-ado/a, -ido/a	habitado, reconocida
-dor/dora	hablador, conservadora
-ero/a	casero/a, fiestero/a

Adverbs are often marked with **-mente: rápidamente, precisamente.**

Adverbs ending in **-mente** have an accent when the adjective they derive from has an accent: **rápido → rápidamente.**

Many adverbs do not end in **-mente: bien, temprano, mucho, despacio.**

Using suffixes to determine meaning

Act. 9A: Assign and discuss in class, or provide answers so that students can self-check. Base words: **esforzar, la mina, rico/a, el ganado, explotar, desarrollar, la madera, invertir, escaso/a, la ecología.** Option 1: Have students practice circumlocution by providing brief definitions for each term. Check understanding by asking for specific examples or English equivalents. Option 2: Work with prefixes that appear in the text: **impenetrable, sobrevivir, incontrolado, ecosistema.**

Act. 9B: Assign and discuss in class, or provide answers so that students can self-check. For item 7, point out that terms may vary: environmentalism = **la ecología, el ecologismo, el ambientalismo;** environmentalist (*person*) = **el/la ecólogo/a, ecologista o ambientalista;** environmentalist (*adj.*) = **ecológico, ecologista, ambientalista.**

Actividad 9 Palabras con sufijos **Parte A:** Usa el glosario o un diccionario para identificar la palabra base de cada palabra de la lista. Identifica también qué partes de la oración son la palabra base y la palabra con sufijo.

el esfuerzo	la ganadería	maderero/a	la escasez
minero/a	la explotación	la inversión	el/la ecologista
la riqueza	el desarrollo		

Parte B: Ahora, completa las siguientes oraciones con la palabra apropiada de la lista de la Parte A.

1. La _____riqueza_____ natural de Latinoamérica incluye tierra, madera, minerales y petróleo.

2. La industria _____minera_____ es una de las más importantes de Suramérica, y la exportación de productos como el cobre y el oro es una fuente importante de dinero y trabajos.

3. En los últimos años la industria _____maderera_____ ha empezado a cultivar árboles, pero en gran parte de Latinoamérica esta industria destruye las selvas y los bosques.

4. La construcción de carreteras y ferrocarriles es una _____inversión_____ importante para cualquier país.

5. El _____desarrollo_____ de los recursos naturales es un objetivo importante de todos los países latinoamericanos.

6. Los gobiernos de ciudades como Bogotá y Santiago de Chile hacen grandes _____esfuerzos_____ por controlar el tráfico y la contaminación del aire.

7. En la cultura moderna, los _____ecologistas_____ usan el color verde como símbolo de su movimiento.

8. Para muchos países, la _____explotación_____ de los recursos naturales es necesaria si quieren mejorar su economía.

9. Hay muchos países que tienen que racionar el agua porque sufren de una constante _____escasez_____.

10. La _____ganadería_____ requiere áreas amplias de tierra para que las vacas puedan comer y moverse.

Building vocabulary

Act. 10: Assign and discuss in class, or provide answers so that students can self-check.

Actividad 10 Hablando del medio ambiente... Después de estudiar la siguiente lista de vocabulario sacado de la lectura, escoge la mejor expresión para completar cada oración (en esta página y la que sigue).

las aguas negras	untreated sewage
la calidad	quality
el campesino	peasant (poor subsistence farmer)
la cantidad	quantity
demandar	to sue
el deshielo	melting, thawing
disponible	available
el efecto invernadero	greenhouse effect
fomentar	to promote, encourage
mejorar	to improve
el nivel de vida	standard of living

1. Los habitantes de un país viven mejor cuando tienen un
   _____nivel de vida_____ más alto.
2. Las ciudades que no tienen buenas instalaciones para el tratamiento de
   las _____aguas negras_____ pueden llegar a tener serios problemas de
   contaminación.
3. La acumulación de ciertos gases en la atmósfera atrapa el calor del sol y
   crea el _____efecto invernadero_____ .
4. Una persona o grupo que sufre daño a causa de las acciones de otro puede
   _____demandar_____ a éste último.
5. Las ciudades del mundo implementan muchas medidas para
   _____mejorar_____ la calidad del aire.
6. Se cree que el _____deshielo_____ de las capas de hielo polares puede
   causar una subida en el nivel del mar.
7. En años recientes muchos _____campesinos_____ han abandonado la vida
   rural para trasladarse a las grandes ciudades.
8. La capa de ozono ha sido dañada por el aumento de la _____cantidad_____
   de CFC (clorofluorocarbonos) en la atmósfera.

Actividad 11　Los problemas ecológicos　**Parte A:** En grupos de tres,
hagan una lista de los principales problemas ecológicos que afectan a este país.
Luego, pónganlos en orden de más grave a menos grave y justifiquen el orden.

Parte B: Lee individualmente el texto para ver cuáles de estos problemas se
mencionan para Latinoamérica. Si encuentras información que te sorprenda,
escribe tu reacción en el margen: por ejemplo, **¡Qué barbaridad! ¡Parece
mentira! No estoy de acuerdo. ¡Qué bien!** (etc.)

Latinoamérica y el medio ambiente: ¿Entre la espada y la pared?

Desde hace siglos se ha reconocido la enorme riqueza natural de
Latinoamérica: tierra para la agricultura y la ganadería, bosques y
madera para la construcción, minerales y petróleo para la industria. Desde
los siglos XIX y XX, los líderes latinoaméricanos, enfrentados con proble-
5　mas económicos, una población creciente y grandes números de pobres,
han venido afirmando que el futuro de la región está en la industrialización,
el desarrollo de las vastas tierras y la explotación de sus recursos naturales.
De hecho, la explotación de estas riquezas ha constituido, y sigue constituyendo, la principal esperanza de una vida mejor para los habitantes de
10　Latinoamérica.

　　Sin embargo, hasta el siglo XX, la geografía casi impenetrable de ríos,
selvas y montañas dificultó el aprovechamiento de estas riquezas, convir-
tiéndolas en una especie de "El Dorado" inaccesible. Pero, en los últimos
sesenta años, se han invertido enormes cantidades de dinero en proyectos de
15　desarrollo e industrialización, y se han utilizado nuevas tecnologías para llegar a nuevas tierras y explotar sus recursos. Estos esfuerzos han tenido gran
éxito, pero el desarrollo de los recursos ha traído consigo la destrucción del
medio ambiente, particularmente de las selvas tropicales.

Predicting, Active reading

Act. 11A: Discuss briefly in class
before students read. Option: Ask
students why many environmental
problems have not been resolved in
this country (conflicting needs),
and/or have them speculate on the
implications of the title. Option:
Bring in or display a topographic
map of Latin America and briefly
review physical geography before
students read.

Act. 11B: Follow up on student
reactions after reading.

El mito de **El (hombre) Dorado** se
refería originalmente a un príncipe
indígena que se cubría de oro,
después a una ciudad de oro y,
finalmente, a todo un país de
fabulosa riqueza, escondida en la
selva. Los conquistadores del siglo
XVI buscaron El Dorado sin éxito.

Aunque las selvas sí producen mucho oxígeno, las algas marinas producen el 90% del oxígeno de la atmósfera.

5.000.000.000 = cinco mil millones
una hectárea = 2,47 acres

20   Las selvas tropicales constituyen los ecosistemas más extensos de Latinoamérica y su papel en la evaporación del agua y la producción de lluvias es de importancia global. Las selvas cubren un 30% de la región y contienen casi el 40% de todas las especies de vida animal y vegetal del planeta. Más del 50% de los productos farmacéuticos modernos tienen ingredientes derivados de estas especies. Sin embargo, la destrucción
25   sistemática de las selvas que comenzó en el siglo XX, continúa en el siglo XXI. Cada año se queman unos 5.000.000.000 de hectáreas, creando grandes cantidades de gases que contaminan la atmósfera. Estos gases contribuyen al efecto invernadero, que está causando el aumento anormal de la temperatura del planeta y que puede tener como resultado el deshielo
30   en los polos y la subida en el nivel de los océanos.
    La destrucción de la selva amazónica es la más alarmante. La Amazonia se extiende por partes de Brasil, las Guayanas, Venezuela, Colombia, Ecuador, Perú y Bolivia y cubría originalmente un territorio casi igual al tamaño de los Estados Unidos continentales, pero cada día se
35   encuentra más reducido a causa de la devastación. Las industrias maderera, hidroeléctrica y minera causan gran parte de la deforestación y contaminación de ríos, pero los campesinos pobres también queman los árboles para cultivar la tierra y los rancheros lo hacen para criar el ganado. Después de algunos años, este uso ineficiente deja la tierra tan árida que no se puede
40   usar ni para la agricultura ni para la ganadería. Además, los campesinos dependen de la leña para cocinar, calentarse y sobrevivir, lo cual contribuye también a la destrucción de la selva. Se calcula que se ha perdido más de una séptima parte de la selva amazónica y que, si la destrucción continúa, no quedará nada dentro de cincuenta o cien años.
45   Aunque la destrucción de las selvas constituye la amenaza más alarmante, ya que es irreversible, las ciudades grandes de Latinoamérica también sufren de graves problemas ambientales, debido en gran parte a la rápida urbanización de la población. Desde 1950, decenas de millones de campesinos se han trasladado a las ciudades en busca de una vida mejor.
50   La ola de migración ha seguido sin pausa, aunque los emigrantes no tienen

► La industria ganadera permite el aumento de las exportaciones, pero al mismo tiempo acelera la destrucción de la selva amazónica.

dónde vivir y acaban viviendo en barrios pobres sin electricidad ni otros
servicios. La rápida concentración demográfica en las áreas urbanas ha
creado problemas incontrolados de basura, escasez de agua potable, aguas
negras y contaminación del aire.

55   México, caso ejemplar de este fenómeno, es la segunda ciudad más
poblada del mundo y una de las más contaminadas. En 1950, tenía unos
3 millones de habitantes, aire limpio y cielos azules. Hoy tiene más de 30
millones de habitantes y se enfrenta con graves problemas ecológicos.
Además, el gobierno ha fomentado con éxito la industriali-
60   zación: hoy existen 35.000 fábricas en el valle, de las cuales
el gobierno mexicano considera unas
4.000 como extremadamente peligrosas para el medio ambiente. Hay
unos 3.500.000 automóviles que
65   echan gases a la atmósfera, además de
docenas de miles de taxis y autobuses
viejos e ineficientes. Para colmo, la
ubicación de la ciudad de México en
un valle rodeado de montañas, que
70   atrapa su aire contaminado, agrava
aún más la situación. La contaminación perjudica la salud de los
habitantes, y un 35% de la población
sufre de infecciones respiratorias,
75   hemorragias nasales o enfisema.

En años recientes, la destrucción
ha provocado una fuerte reacción por
parte de los ecologistas de la región y
del mundo entero. Estos arguyen que
80   no tiene sentido sacrificar el medio
ambiente para mejorar el nivel de vida
material, ya que un medio ambiente
limpio debe considerarse parte intégra de un buen nivel de vida. Las críticas
ecologistas y la presión de organismos internacionales han llevado
85   a algunos gobiernos a limitar la destrucción y crear innovadores programas
ecologistas. Quizás el más conocido es la industria del ecoturismo, que se
desarrolló primero en Costa Rica y ahora se ha extendido a otros países
como Colombia y Ecuador. El ecoturismo permite que la conservación de
la naturaleza se base en principios económicos. La compra de tierra para
90   parques y su mantenimiento se financia con el dinero de turistas "verdes",
quienes pagan por visitar un lugar natural protegido y contribuyen así a su
protección. El ecoturismo intenta minimizar el impacto del turismo sobre
el medio ambiente, y también fomenta la educación sobre las maneras de
salvar el medio ambiente.

95   Los ecologistas también han encontrado unos aliados inesperados: los
habitantes indígenas de las selvas tropicales, quienes sufren directamente
de la destrucción. Con la ayuda de organismos internacionales, los pueblos
indígenas han comenzado a unirse y protegerse. Por ejemplo, en los años
90, varios grupos indígenas del norte del Ecuador demandaron a la petrolera
100   americana Texaco por daños ecológicos, y su éxito ha servido para animar a
otros pueblos indígenas a defender la selva amazónica contra la explotación

Mexico City = (ciudad de) México,
"la capital" o el Distrito Federal
(D.F.)

▼ Extracción de oro en el
Amazonas. La fiebre del
oro atrae a gran cantidad
de pobres y acelera la
deforestación.

Se estima que la selva amazónica
del Ecuador contiene algunos de los
depósitos más grandes de petróleo
de Latinoamérica y del mundo.
Están casi sin explotar.

▶ Los "bochos" alegran las calles de México, pero también contribuyen gravemente a la contaminación.

descontrolada. En otro caso conocido, los Yanomani de Venezuela y Brasil lucharon con éxito contra el gobierno de Brasil, el cual tuvo que conceder-les un territorio protegido de 11.000.000 de hectáreas. Los indígenas tam-
105 bién han empezado a enseñar cómo viven ellos con la naturaleza sin des-truirla. No sin razón, algunos han llamado a los indígenas los ecologistas más activos de Latinoamérica.

Muchas ciudades latinoamericanas también han sido objeto de esfuer-zos por mejorar las condiciones ambientales. Desde los años 90, el go-
110 bierno de la capital mexicana ha tomado medidas radicales. Se estableció, por ejemplo, el programa de "Hoy no circula", que prohíbe el uso de cada automóvil un día a la semana. Se eliminó también el uso de la gasolina con plomo y se ha promovido el uso del convertidor catalítico. En un caso que hizo historia, el presidente mexicano cerró una refinería de petróleo que
115 producía el 7% de la contaminación de la ciudad, a pesar de que la acción costó US$500.000.000 y 5.000 empleos en una sociedad que desespera-damente necesita el trabajo. Durante la década 2001–2010, se ha iniciado PROAIRE III, un nuevo programa para mejorar la calidad del aire de México, el cual incluye nuevas inversiones en el sistema de transporte
120 público y nuevos programas para cambiar la cultura y la conducta de los mexicanos.

Estos logros son positivos, pero no son suficientes: todos los expertos afirman que la situación ecológica de Latinoamérica es cada día peor. Hay que hacer algo y, sin embargo, las naciones latinoamericanas parecen
125 estar entre la espada y la pared. En el año 2000, la población total de Latinoamérica superó los 500 millones y en el 2025 llegará a los 758 millones de habitantes. Este aumento explosivo de la población está creando mayores necesidades y aun más competencia por los recursos disponibles. Y el número de pobres sigue creciendo aun más rápidamente.
130 Muchos líderes quieren ayudar a estas personas a alcanzar un mejor nivel de vida, pero ¿cómo se puede hacer esto sin destruir y ensuciar el mismo mundo donde viven?

Como otras regiones del mundo, Latinoamérica parece estar atrapada entre la necesidad de proteger el medio ambiente y el deseo de darles tra-
135 bajo a los pobres y mejorar así el nivel de vida de todos. Tanto los ecologis-

US$ es una abreviatura común en español. El símbolo "$", de origen español, se usa como abreviatura de *pesos* en varios países hispanos.

tas como los economistas sugieren que la única solución es buscar un equilibrio entre estas dos necesidades en el llamado "desarrollo sostenible", el cual permitiría la extracción y el uso de recursos naturales, sin la destrucción del ecosistema mundial. Nadie sabe si tal sistema puede funcionar, pero pocos
140 dudan que el sistema actual nos está llevando irremisiblemente al desastre.

Actividad 12   Falsedades   Las siguientes oraciones son todas falsas. Corrígelas de acuerdo con la información de la lectura.

1. Desde el siglo XIX la protección del medio ambiente ha sido una gran prioridad para los gobiernos latinoamericanos.
2. Los esfuerzos por explotar los recursos naturales han tenido poco éxito.
3. La destrucción de las selvas tropicales no es un problema particularmente grave, ni para Latinoamérica ni para el resto del mundo.
4. Las industrias maderera, hidroeléctrica y minera causan casi toda la deforestación de la Amazonia.
5. Durante los últimos 150 años, millones de personas han abandonado las ciudades para buscar una vida mejor en el campo.
6. Actualmente, la zona metropolitana de México tiene unos 3 millones de habitantes, aire limpio y cielos azules.
7. Cancún, México es uno de los centros del ecoturismo.
8. En su lucha por conservar la selva, los indígenas de la Amazonia han recibido mucha ayuda de las compañías petroleras.
9. Durante los años 90 se resolvieron la mayor parte de los problemas ecológicos de la ciudad de México.
10. Es seguro que Latinoamérica va a poder limitar la destrucción del medio ambiente en el futuro.

Actividad 13   En busca de soluciones   En grupos de tres, escojan uno de los siguientes dilemas. Imaginen que tienen responsabilidades oficiales y decidan cómo se puede resolver el dilema.

1. Uds. son concejales de la ciudad de México. La mayoría de las personas creen que las fábricas producen la mayor parte de la contaminación. En realidad, los automóviles producen el 75% de la contaminación. ¿Qué pueden hacer Uds. para animar a los ciudadanos a manejar menos?
2. Uds. son concejales de la ciudad de México. Las personas de clase media y alta creen que el metro es para los pobres. ¿Qué pueden hacer Uds. para animar a más personas a viajar en el metro?
3. Uds. son concejales de la ciudad de México. Hay 70.000 taxistas que conducen "bochos" de Volkswagen. Los taxistas adoran los bochos porque son baratos, duran mucho tiempo y son casi un símbolo de México. Pero los bochos son inseguros y echan muchos gases que contaminan el aire. ¿Qué pueden hacer Uds. para mejorar esta situación?
4. Uds. son asesores del presidente del Ecuador. El país necesita mejorar urgentemente su economía para crear más trabajo y ayudar a los pobres. En el este del país existen grandes depósitos de petróleo sin explotar. Sin embargo, los indígenas reclaman estos territorios y no quieren que se exploten los depósitos. ¿Qué pueden hacer Uds. para responder a las necesidades de todos?

Scanning

Act. 12: Assign and discuss in class. Ask students what paragraph contains the corrections for each sentence (sentences refer to paragraphs in sequential order, so sentence 1 refers to paragraph 1, sentence 2 to paragraph 2, and so forth). Ask for as many details as possible, as well as personal reactions to reading. Option: Have students work in pairs to define main ideas or arguments of each paragraph.

Making inferences

un/a concejal/a = alderperson, town council member

Act. 13: Discuss in class. Form groups, assign dilemmas, name a **secretario/a** for each group, and set a time limit. Have each **secretario/a** give a brief response. Point out potential problems in all proposals so that students see how complex

"bocho" = Mexican name for the original Volkswagen Beetle, first produced in Germany in 1936, but made until 2003 in Mexico

asesor = advisor

resolving these problems is. Ask them if they know of similar dilemmas in their home communities.

Comparing and contrasting

Act. 14: Assign as individual HW and discuss in class. Write down student ideas on the blackboard and ask for reactions from other students. Try to help students see the personal relevance of issues discussed in the reading at the same time as you point out differences.

Actividad 14 Diferencias y semejanzas En parejas, comparen los problemas y soluciones ecológicos de Latinoamérica con los problemas y soluciones de Canadá y Estados Unidos. Traten de identificar una diferencia importante y una semejanza importante. Piensen en los siguientes temas: tipos de ecosistema, ideas de los ecologistas, impacto de la industria y el desarrollo en el medio ambiente, prioridades sociales y económicas, el desarrollo sostenible.

Reacting to reading

Act. 15: Encourage students to give as many ideas as possible. Write some ideas on the board and use as a review of content and opinions about this content. Remind students to use the subjunctive in adverbial clauses, and two different subjects where appropriate.

CP 7-2: Discuss in class before students write, or use questions only for discussion. If students have no response for the second question, ask if any of them have ever eaten Chilean Sea Bass (sometimes called **lubina** or **bacalao de profundidad**), which has been dangerously over-fished to meet U.S. demand since the 1990s. Or ask if they have eaten a fast-food hamburger: much of the beef used comes from cattle raised in deforested Amazonian lands.

Actividad 15 ¿Cuándo, cuándo? En parejas, terminen las siguientes oraciones, y otras originales, de forma lógica, según la información del texto o basándose en otra información que sepan Uds.

1. La destrucción de las selvas no va a terminar hasta que...
2. Las industrias minera, maderera, hidroeléctrica, ganadera y petrolera van a preocuparse más por el medio ambiente tan pronto como (en cuanto)...
3. Las ciudades latinoamericanas van a ser más habitables cuando (después de que)...
4. No se va a definir un buen modelo de desarrollo sostenible mientras...
5. Los problemas ecológicos no van a desaparecer mientras (hasta que)...

Cuaderno personal 7-2

¿Cómo te afectan a ti los problemas ecológicos de Latinoamérica? ¿Cómo contribuyes tú a los problemas ecológicos de Latinoamérica?

Videofuentes: Use these questions to initiate pair or group discussions during class, or assign as written HW.

VIDEOFUENTES

¿Qué aspectos de la vida tradicional asturiana se conservan gracias al turismo rural? ¿El turismo rural se puede considerar un tipo de ecoturismo? ¿Por qué sí o no?

Lectura 3: Literatura

FCG links: Discussing the environment

Actividad 16 **Agricultura y espiritualidad** Estudia estas expresiones que aparecen en la próxima lectura de Rigoberta Menchú. Luego, lee las oraciones y complétalas con la forma adecuada de las expresiones apropiadas.

Building vocabulary

Act. 16: Assign and discuss in class, or provide answers so that students can self-check.

agradecer	to thank	**juntar**	to join or bring together
la cosecha	harvest	**la milpa**	cornfield
dañar	to damage	**rezar**	to pray
dar de comer	to feed	**sagrado/a**	sacred
herir	to wound	**sembrar**	to sow, plant seed

1. Hay que mostrar gran respeto a las cosas _____sagradas_____ .
2. En el hemisferio norte, la primavera es la estación principal para _____sembrar_____ .
3. El otoño es la estación de _____la cosecha_____ .
4. Todas las mañanas, el chico se levantaba para _____dar de comer_____ a los animales hambrientos.
5. Los vegetarianos suelen creer que es malo _____herir_____ a un animal.
6. En muchas familias religiosas, todos _____rezan_____ antes de cenar para _____agradecer_____ a Dios sus bendiciones.
7. Demasiada lluvia puede _____dañar_____ la cosecha.
8. Todos los habitantes _____juntan/juntaron_____ sus recursos económicos para comprar la lotería.
9. Se siembra maíz en una _____milpa_____ .

Actividad 17 **El concepto de lo sagrado** **Parte A:** En toda cultura se aprecian algunas cosas más y otras cosas menos. En parejas, piensen en la cultura dominante de Norteamérica y hagan una lista de cuatro cosas "sagradas" de esta cultura. Expliquen por qué son importantes. Después, miren el título y subtítulo de la lectura para ver qué cosas se consideran sagradas en la cultura indígena quiché según Rigoberta Menchú. ¿Qué implicaciones tienen estas diferencias?

Parte B: Lee el texto para determinar por qué los quiché consideran sagrados a la tierra, el sol, el copal, el fuego y el agua.

Activating background knowledge, Predicting

Act. 17A: Discuss in class.

Option: Read this orally-based text aloud in class and have students follow along in their book. (Make a "mistake" every now and then and let them correct you.) Remind students that Menchú is not a native

Active reading

speaker of Spanish and employs non-standard constructions (possibly dialectal): "<u>De que nosotros adoramos</u>", "se promete <u>a</u> respetar".

Rigoberta Menchú nació en Guatemala en 1959. En 1992 ganó el Premio Nobel de la Paz por sus esfuerzos a favor de las comunidades indígenas de su país y del mundo. Menchú huyó de Guatemala en 1981, en medio de la lucha violenta entre el gobierno y los indígenas. En el exilio, tuvo que perfeccionar el español —idioma extranjero ya que su lengua materna era el quiché— para poder contar la historia trágica de su pueblo. Elizabeth Burgos transcribió el testimonio oral de Menchú y lo publicó en 1983 bajo el título Me llamo Rigoberta Menchú y así me nació la conciencia. *Hoy día, Menchú dirige la Fundación Menchú, organismo que defiende los derechos y las culturas de los indígenas del mundo entero. Su lucha incluye la defensa del medio ambiente, y la siguiente lectura es una sección de su libro que revela la perspectiva quiché de la relación entre el ser humano y la naturaleza.*

Me llamo Rigoberta Menchú y así me nació la conciencia

La Naturaleza. La tierra madre del hombre.
El sol, el copal, el fuego, el agua.

Entonces también desde niños recibimos una educación diferente de la que tienen los blancos, los ladinos. Nosotros, los indígenas, tenemos más contacto con la naturaleza. Por eso nos dicen politeístas. Pero, sin embargo, no somos politeístas... o, si lo somos, sería bueno, porque es nuestra cultura, nuestras costumbres. De que nosotros adoramos, no es que adoremos, sino que respetamos una serie de cosas de la naturaleza. Las cosas más importantes para nosotros. Por ejemplo, el agua es algo sagrado. La explicación que nos dan nuestros padres desde niños es que no hay que desperdiciar el agua, aunque haya. El agua es algo puro, es algo limpio y es algo que da vida al hombre. Sin el agua no se puede vivir, tampoco hubieran podido vivir nuestros antepasados. Entonces, el agua la tenemos como algo sagrado y eso está en la mente desde niños y nunca se le quita a uno de pensar que el agua es algo puro. Tenemos la tierra. Nuestros padres nos dicen "Hijos, la tierra es la madre del hombre porque es la que da de comer al hombre". Y más, nosotros que nos basamos en el cultivo, porque nosotros los indígenas comemos maíz, fríjol y yerbas del campo y no sabemos comer, por ejemplo, jamón o queso, cosas compuestas con aparatos, con máquinas. Entonces, se considera que la tierra es la madre del hombre. Y de hecho nuestros padres nos enseñan a respetar esa tierra. Sólo se puede herir la tierra cuando hay necesidad. Esa concepción hace que antes de sembrar nuestra milpa, tenemos que pedirle permiso a la tierra. Existe el pom, el copal, es el elemento sagrado para el indígena, para expresar el sentimiento ante la tierra, para que la tierra se pueda cultivar.

El copal es una goma que da un árbol y esa goma tiene un olor como incienso. Entonces se quema y da un olor bastante fuerte. Un humo con un olor muy sabroso, muy rico. Cuando se pide permiso a la tierra, antes de cultivarla, se hace una ceremonia. Nosotros nos basamos mucho en la candela, el agua, la cal. En primer lugar se le pone una candela al representante de la tierra, del agua, del maíz, que es la comida del hombre. Se considera,

5

10

15

20

25

30

ladinos (*Guatemala*) = personas que rechazan los valores indígenas y se orientan hacia la cultura occidental europea

según los antepasados, que nosotros los indígenas
estamos hechos de maíz. Estamos hechos del maíz
blanco y del maíz amarillo, según nuestros
antepasados. Entonces, se ponen esas candelas y
35 se unen todos los miembros de la familia a rezar.
Más que todo pidiéndole permiso a la tierra, que
dé una buena cosecha.

Se menciona en primer lugar, el representante
de los animales, se habla de nombres de perros. Se
40 habla de nombres de la tierra, el Dios de la tierra.
Se habla del Dios del agua. Y luego, el corazón del
cielo, que es el sol... y luego se hace una petición
concreta a la tierra, donde se le pide "Madre tierra,
que nos tienes que dar de comer, que somos tus
45 hijos y que de ti dependemos y que de ese producto que nos das pueda generar y puedan crecer
nuestros hijos y nuestros animales..." y toda
una serie de peticiones. Es una ceremonia de
comunidades, ya que la cosecha se empieza a
50 hacer cuando todo el mundo empieza a
trabajar, a sembrar.

Luego para el sol, se dice "Corazón del cielo,
tú como padre, nos tienes que dar calor, tu luz,
sobre nuestros animales, sobre nuestro maíz, nues-
55 tro fríjol, sobre nuestras yerbas, para que crezcan

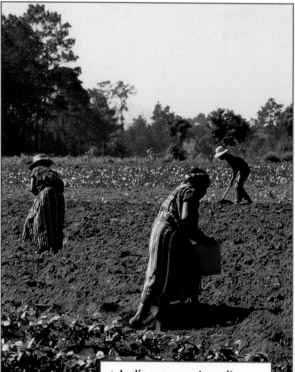

▲ Indígenas guatemaltecos
realizando labores de
siembra.

para que podamos comer tus hijos". Luego, se promete a respetar
la vida del único ser que es el hombre. Y es importantísimo. Y
decimos "Nosotros no somos capaces de dañar la vida de uno de tus hijos,
que somos nosotros. No somos capaces de matar a uno de tus seres, o sea
60 ninguno de los árboles, de los animales". Es un mundo diferente. Y así se
hace toda esa promesa, y al mismo tiempo, cuando está la cosecha tenemos
que agradecer con toda nuestra potencia, con todo nuestro ser, más que todo
con las oraciones... Entonces, la comunidad junta sus animalitos para comer
después en la ceremonia.

Actividad 18   Los elementos sagrados de la vida maya   En parejas,
expliquen por qué son sagrados para los quiché los siguientes elementos.

el agua
el maíz
la tierra
el sol
el copal (el pom)
el hombre, los árboles y los animales

Scanning

Act. 18: Assign and discuss in class.
Answers: **El agua: da vida al hombre. La tierra: madre del hombre,
da de comer al hombre. El copal:
incienso para la ceremonia de
petición a la madre tierra. El
maíz: lo comen; están hechos de
maíz. El sol: corazón del cielo, da
calor y luz, hace que crezcan el
maíz y otros cultivos. El hombre,
los animales y los árboles: seres
de la madre tierra, forman parte
de la tierra.**

Making inferences

Act. 19A: Assign and discuss in class. Point out the conceptual separation between humans and nature in Western cultures, as well as the dependence on and belief in technology: problems can always be solved with new technology. Option: Take this activity out of the book. Ask students to find quotes to reveal: **una relación con la naturaleza, las creencias religiosas, el uso de la tecnología, el uso de la tierra.**

Act. 19B: Assign and discuss in class.

Ask students to speculate on the possible relation with **Lectura 1,** Chapter 3. Indigenous groups that have remained in one place have usually accumulated significant knowledge about how to survive in an area without destroying their environment.

Call attention to Menchú's claim that Quiché don't kill trees or animals, but they can "wound" the earth, which presumably includes clearing fields. Menchú's political goals lead her to present indigenous culture as "innocent" or pure in comparison with modern Western culture.

Act. 20: Can be completed in class along with reading the poem. Option 1: Read the poem aloud to students, then ask for immediate responses. Option 2: Have students speculate on the implications of the title (written in late 1990s? warning of the end of a way of life?).

Actividad 19   Los quiché y los ladinos   Parte A: Rigoberta Menchú habla de las creencias y la educación de su pueblo, que son diferentes de las creencias y la educación de los "ladinos". En parejas, indiquen cómo cada una de las siguientes observaciones contrasta con los valores y el estilo de vida de las culturas modernas occidentales.

1. Nosotros, los indígenas, tenemos más contacto con la naturaleza.
2. ...somos politeístas... respetamos una serie de cosas de la naturaleza.
3. ...el agua es algo sagrado... no hay que desperdiciar el agua.
4. ...no sabemos comer... jamón o queso, cosas compuestas con aparatos, con máquinas.
5. Sólo se puede herir la tierra cuando hay necesidad... tenemos que pedirle permiso a la tierra.
6. Cuando se pide permiso a la tierra, antes de cultivarla, se hace una ceremonia.
7. No somos capaces de matar a uno de tus seres, o sea ninguno de los árboles, de los animales.

Parte B: En parejas, contesten y comenten las siguientes preguntas sobre la lectura.

1. En su opinión, ¿cuál es el origen de la visión indígena de la naturaleza y el ser humano? ¿Por qué difiere tanto de la perspectiva dominante en las culturas modernas occidentales?
2. ¿Qué podemos aprender nosotros de los indígenas?
3. ¿Creen que los contrastes son tan radicales como implica Menchú? ¿Es posible que ella haya idealizado las diferencias? ¿Por qué?

**Actividad 20   Un poema de protesta   En el poema de la página 131, el autor Eduardo Galeano expresa sus reacciones a los cambios que han ocurrido en el mundo actual. En parejas, hagan una lista de tres cambios problemáticos del mundo actual. Después, lean el poema individualmente para ver si sus ideas aparecen en el poema.

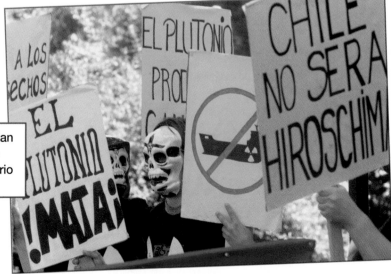

▶ Activistas de Greenpeace protestan contra el peligroso transporte de desechos nucleares por el territorio de Chile.

Eduardo Galeano nació en Uruguay en 1940. Es un autor y periodista muy conocido por sus elocuentes y feroces protestas contra la represión y la injusticia.

Fin de siglo
Eduardo Galeano

Está envenenada° la tierra que nos entierra°   *poisoned / buries*
    o destierra°.   *exiles*
Ya no hay aire, sino desaire°.   *gracelessness,*
Ya no hay lluvia, sino lluvia ácida.   *rudeness*
5 Ya no hay parques, sino *parkings*.
Empresas° en lugar de naciones.   *Companies*
Consumidores en lugar de ciudadanos°.   *citizens*
Aglomeraciones en lugar de ciudades.
Competencias mercantiles en lugar de
10   relaciones humanas.
No hay pueblos, sino mercados.
No hay personas, sino públicos°.   *audiences*
No hay realidades, sino publicidades.
No hay visiones, sino televisiones.
15 Para elogiar una flor, se dice: "Parece
    de plástico".

Actividad 21   Contrastes con el pasado   **Parte A:** Galeano establece una serie de contrastes entre el pasado y el presente. En parejas, hagan una lista de todos los símbolos de la vida del pasado y otra lista de los símbolos de la vida actual que menciona el autor. Expliquen qué respresenta o a qué se refiere cada símbolo, e identifiquen los juegos de palabra o repeticiones que Galeano usa para subrayar los contrastes.

Parte B: En parejas, contesten y comenten las siguientes preguntas.

1. ¿Se ven reflejados en este poema los valores de Rigoberta Menchú?
2. ¿Creen que el pesimismo de Galeano es justificado?
3. ¿Creen que escribir poemas como éste puede cambiar la cultura y mejorar la situación?

Cuaderno personal 7-3

Muchos ecologistas afirman que la sociedad moderna necesita un cambio de valores. ¿Estás de acuerdo? ¿Por qué sí o no? ¿Qué valores debemos cambiar?

Approaching poetry

Act. 21A: Option: Assign only one or two lines per pair, and have each pair explain its symbols.

Reacting to reading

Act. 21B: Ask students to identify differences and similarities between the idealized values of Menchú and Galeano. The poem is pessimistic, but have students consider the potential role of writing, literature, and film in social change.

CP 7-3: Option 1: Use these questions as a follow-up discussion to the reading. If students are not writing a **Cuaderno personal,** you can use the suggestions for free-writing or for short, informal writing assignments (one or two paragraphs). Option 2: Have students write their own short poems about nature or the environment.

Redacción: Un reportaje

Have students begin research for this project when you begin the chapter. Advise them that the Internet is an excellent source of information.

ESTRATEGIA DE REDACCIÓN

Writing a News Report

News reports attempt to summarize the most important facts about an event, person, problem, crisis, or discovery. All news articles include:

- **title:** mentions the most significant information of the article
- **dateline:** place of origin of the report
- **introduction:** answers the questions *what?, who?, when?, where?, why?, how?* The summarization of these points at the beginning of the article allows readers to quickly skim to see if it interests them. The introduction begins by answering the most important or relevant of these questions. Some very short articles amount to little more than this introduction.
- **body:** allows for the development of details in a longer article. The details chosen will depend on the most interesting points in the introduction. Sources of information (**fuentes**) and quotes (**citas**) by experts or involved persons may also be included.
- **conclusion:** recapitulates the main points, emphasizes the overall significance of the issue, and/or includes opinions of the author. Many news articles, however, do not contain a conclusion.

Act. 22: Assign and discuss in class. Point out that some have two answers (e.g., **¿quiénes? los indígenas y Texaco; ¿dónde? Ecuador y Nueva York**). Emphasize the **citas** in the body. No conclusion is included in this short article.

Using a model

Actividad 22 El reportaje Lee el artículo de la página 133 y busca las respuestas a las preguntas: ¿qué? ¿quién? ¿cuándo? ¿dónde? ¿por qué? y ¿cómo? Identifica si hay introducción, cuerpo y conclusión, y el tipo de información que contiene cada parte.

Writing a news report

Act. 23A: Assign and specify requirements. Allow several days for research. Option: Have students brainstorm in class before doing research.

Actividad 23 A investigar y escribir Imagínate que trabajas para un periódico español local y el jefe de redacción ha pedido más noticias sobre temas ecológicos.

Parte A: Busca información en Internet o en revistas y periódicos en la biblioteca sobre los temas ambientales más importantes del momento. Selecciona un tema que te interese y sobre el cual haya bastante información.

Parte B: Basándote en la información que tienes, contesta las siguientes preguntas antes de escribir el reportaje.

- ¿Qué? ¿Quién? ¿Cuándo? ¿Dónde? ¿Por qué? ¿Cómo?
- ¿Cuál de estos puntos es más importante? O sea, ¿por qué es importante esta noticia?
- ¿Para qué puntos hay que elaborar detalles?
- ¿Hay otras preguntas que se deben considerar? (¿cuántos? ¿cómo?)

Después, escribe un artículo breve, con título, introducción y cuerpo.

Act. 23B: Have students specify audience and purpose. Option: Have students prepare a class paper, assuming for their audience the general public of their community.

Indígenas ecuatorianos sientan precedente ecológico mundial

QUITO, ECUADOR. Cuatro tribus indígenas de Ecuador sentaron un precedente ecológico a nivel mundial al demandar a la petrolera estadounidense Texaco por unos 1.500 millones de dólares como indemnización por daños y contaminación de grandes áreas del Amazonas ecuatoriano. La demanda, que causó revuelo en la opinión pública mundial, fue presentada el 3 de noviembre en una corte federal estadounidense y se espera que antes de seis meses haya un pronunciamiento judicial.

Pero a pesar de que se acusa a la cuarta compañía petrolera de los Estados Unidos de causar deterioros considerables en la ecología ecuatoriana, Texaco se defiende señalando que no es posible determinar si la "supuesta" contaminación presente en el área se ha generado en una fecha reciente o años atrás.

"Si se descubre ahora que hay gran contaminación en la zona, no se sabe si fue hecha hace un año o ahora", dijo a Reuters Rodrigo Pérez Pallares, representante legal de Texaco en Ecuador.

Indígenas de las tribus Quichua, Secoya y Cofan, habitantes de la Amazonia ecuatoriana, fueron en representación de las etnias afectadas a Nueva York a presentar dos demandas, con las que pretenden demostrar que Texaco vertió desechos tóxicos en los ríos de la región.

"Se vertieron a los ríos de la región oriental del Ecuador alrededor de 4,3 millones de galones (unos 16 millones de litros) diarios de sustancias extraídas de los pozos petroleros, durante 20 años", afirmó Cristóbal Bonifaz, abogado defensor de los indígenas. Todo esto ha provocado, según el mismo representante, que los pobladores de la región no puedan utilizar las fuentes de agua, porque se corre el riesgo de contraer cáncer, o padecer de enfermedades gastrointestinales y respiratorias.

Capítulo 8

En busca de seguridad económica

Puertas abiertas a la competencia extranjera

Padre sin trabajo roba para dar de comer a su familia

Enorme poder de compra de los latinos en EE.UU.

Trabajadores mexicanos reclaman mejores salarios

Estados Unidos promueve la creación del Área de Libre Comercio de las Américas

El mercado libre: ¿Los ricos más ricos y los pobres más pobres?

CHILE: MODELO DEL NEOLIBERALISMO

Empresa española Telefónica invierte 700 millones de dólares en Argentina

DESEMPLEO AFECTA 30% DE POBLACIÓN NACIONAL

Deuda sobre deuda para pagar la deuda

Explosión en la publicidad hispana en EE.UU. y Latinoamérica

El siglo XXI: Época de mercado libre, competencia y... ¿crisis social?

See the *Fuentes* website for related links and activities:
http://college.hmco.com/languages/spanish/students

Actividad 1 **Noticias económicas de Latinoamérica** En grupos de tres, lean los titulares y consulten el glosario para buscar los términos que no conozcan. Después, identifiquen:

- dos o tres tendencias reflejadas en los titulares
- dos o tres problemas a que se enfrentan las economías latinoamericanas
- dos o tres datos que les sorprendan a Uds.

Act. 1: Read headlines in class to clarify meaning. Explain that abbreviations for **los Estados Unidos** vary: **EE.UU.** (preferred in this text), **E.U., EEUU,** and **EU.** During follow-up, call attention to chapter topics and vocabulary.

Lectura 1: Un artículo

FCG links: Discussing work; expressing restriction, possibility, purpose, and time with the subjunctive in adverbial clauses.

Actividad 2 **Del contexto al significado** Las palabras en negrita en las siguientes oraciones aparecen en la lectura sobre Goya Foods. Lee cada oración y escribe a su lado la letra de un sinónimo apropiado para la palabra indicada.

Guessing meaning from context

FCG link: Option: Do this reading with or after "Reporting What Someone Said" and use it to practice this function in reading check activities. For example: **¿Qué dijo Unanue acerca de...?**

Act. 2: Assign and discuss in class, or provide answers so that students can self-check. Call attention to near-synonyms **negocio, empresa, compañía.** Option: Elicit English equivalents for items to check understanding and reinforce learning (e.g., **monto:** amount).

empresa = firm, business

- a. de comida
- b. en el presente
- c. la cantidad, el precio
- d. vende, cobra, recibe
- e. futuros
- f. ideal, norma
- g. tiene sus orígenes en
- h. nombres comerciales

1. __a__ General Mills y Beatrix Foods son las compañías **alimenticias** más importantes de los Estados Unidos.

2. __d__ La empresa es todo un éxito: **factura** casi 700 millones de dólares al año.

3. __c__ Cuando compraron la compañía, el **monto** de la operación fue de sólo dos millones de dólares.

4. __g__ La historia del negocio **se remonta** hasta los años 30, época en la que Prudencio y Carolina Unanue fundaron la empresa.

5. __e__ Comenzaron un pequeño negocio para poder mantener a toda la familia, inclusive a sus descendientes **venideros.**

6. __h__ Coca-Cola y McDonald's son **marcas** conocidas en casi todo el mundo.

7. __b__ En la **actualidad,...** Goya Foods abastece a más de 25 mil distribuidores minoristas.

8. __f__ Los descendientes decidieron conservar el **patrón** establecido siete décadas atrás por los fundadores: preservar la empresa dentro de los márgenes de la familia.

Building vocabulary

Act. 3: Assign and discuss in class, or provide answers so that students can self-check. Have students contrast this "story" with the story of the Unanue family and Goya Foods. Option: Have students search the reading for Spanish cognates and near-cognates of the following terms: palate, Moroccan, raw materials, product, distributor, market, leader, executives, consumers, publicity (advertising), campaign, strategy, priority.

Actividad 3   Un negocio familiar Un equivalente de cada una de las siguientes palabras inglesas aparece en las oraciones que las siguen. Escribe el equivalente español al lado de cada término en inglés.

sweat: _____ sudor _____
determination: _____ empeño _____
flavor: _____ sabor _____
broke, bankrupt: _____ en quiebra _____
transfer: _____ traspaso _____
support: _____ sustento _____

1. Aunque fue muy difícil al principio, trabajaron con empeño durante muchos años para convertir su pequeño negocio en una compañía grande.
2. Se vendieron muy bien los productos de comida porque tenían un sabor especial.
3. La compañía tuvo tanto éxito que se convirtió en el sustento principal de la familia.
4. A sus fundadores les gustaba decir que la empresa había tenido éxito gracias a una combinación de buena suerte y sudor de la frente.
5. La segunda generación mantuvo la compañía durante años, pero al final la vendieron. El traspaso a los nuevos propietarios ocurrió hace cinco años.
6. Los nuevos propietarios no tuvieron suerte, y ahora la compañía está en quiebra.

Act. 4A: Follow-up with a group sharing and listing on the blackboard. Provide basic vocabulary as needed.

Act. 4B: Assign and discuss in class.

Activating background knowledge

rentable = profitable

Active reading

Actividad 4   Una compañía rentable **Parte A:** En grupos de tres, hagan una lista de cinco características de una compañía rentable o exitosa.

Parte B: Ahora, lee el artículo del periódico de Los Ángeles *La Opiníon* para ver cuáles de estas características se ven reflejadas en Goya Foods.

Goya Foods: Suerte, sudor y empeño

LA OPINIÓN
Valeria Agis

La compañía que empezó con un dólar, factura casi 700 millones de dólares anuales y es la marca alimenticia número uno en el sector latino de EU

La fortuna comienza con el primer dólar.

En el caso de Goya Foods, nunca mejor dicho. Un dólar fue el precio de traspaso de la marca de un negocio marroquí en quiebra con el que comenzó este imperio alimenticio que hoy factura más de 680 millones de dólares anuales.

"Increíblemente, el monto de la operación fue un dólar. Así comenzó la empresa verdadera, sólo con un dólar", cuenta entusiasmado Andrew Unanue, nieto de los fundadores.

La historia de aquel dólar se remonta hasta los años 30, época en la que sus abuelos, Prudencio y Carolina Unanue, inmigrantes españoles, llegaron al puerto de Nueva York en busca de fortuna.

La idea era simple: comenzar un pequeño negocio que estuviera relacionado con sus costumbres ibéricas y que se convirtiera con el correr del tiempo en el principal sustento de los descendientes venideros de la familia.

Casi siete décadas más tarde y dos generaciones después, Goya Foods es una de las mayores compañías hispanas de EU, con una variedad de más de mil productos en el mercado.

[...]

Como en las mejores recetas, el lugar geográfico —Nueva York— y el nicho de mercado elegido por los Unanue —inmigrantes ávidos por encontrar alimentos típicos de sus lejanos terruños— fueron la mezcla ideal para hacer del precario proyecto una empresa líder en su industria, no sólo ya como distribuidora de productos sino también como fabricante de alimentos bajo una marca propia.

Expansión

"Nuestro departamento de compras busca los sabores más representativos de cada país hispanoamericano para incluirlos en nuestra línea", indica Unanue. "No sólo compramos productos y materias primas de España, sino también de Sudamérica y Centroamérica, y de diferentes partes de Europa, Asia y África". Por eso, Goya Foods excede lo meramente "hispano" para convertirse en un negocio de productos internacionales.

"Nos gusta tener sabores exóticos de todas partes del mundo en nuestra línea, pero siempre le damos prioridad al paladar latino", explica. "Un español siente que Goya es una marca de comida española, un mexicano cree que es mexicana, un colombiano cree que es colombiana y así con los diferentes países hispanoamericanos", asegura Unanue.

Algunos de los productos tradicionales que incluye la línea Goya son el arroz, los jalapeños, el característico aceite de oliva, el mole, las aceitunas, el adobo, los condimentos especiales y una amplia variedad de legumbres.

Precisamente, según los especialistas, esta multiplicidad de productos y nacionalidades, es uno de los factores que hicieron de la compañía un líder con reconocimiento y continuidad en la industria.

En la actualidad, y sólo dentro de EU, Goya Foods abastece a más de 25 mil distribuidores minoristas. Según ellos, la principal zona de distribución se ubica en el noreste del país, en New Jersey, Nueva York, Boston y Philadelphia, ya que allí están ubicados sus principales centros de consumo.

"Allí es donde comenzamos y allí es donde más vendemos", afirma Unanue. "Pero también incluimos otras grandes ciudades típicamente hispanas, como Miami, Los Ángeles, Houston y Chicago".

Además de la distribución en EU, los sabores de Goya Foods trasponen las fronteras y se extienden por el Caribe y algunos puntos de Europa y Sudamérica.

Todo en familia

Al margen de todas las hábiles estrategias comerciales, indudablemente el secreto de la fortuna de Goya Foods radica, para sus propietarios y ejecutivos, en haber conservado el patrón establecido siete décadas atrás por los fundadores: preservar la empresa dentro de los márgenes de la familia.

En la actualidad, son ocho los miembros del clan Unanue los que se desempeñan activamente en el negocio familiar... "trabajar en familia nos da una ventaja competitiva que otras empresas no tienen. Sopesamos cada decisión entre todos y alentamos el crecimiento de la firma porque representa nuestra tradición", explica Unanue.

En español

Como toda buena empresa de origen hispano, Goya Foods da prioridad al español dentro de sus campañas publicitarias, no sólo en pos de llegar al consumidor latino sino también para reforzar el espíritu y la tradición de la marca.

"Cerca del 80% de nuestra publicidad es en español. Los hispanos son la mayor parte de nuestro mercado y nunca nos vamos a olvidar de eso", explica Unanue.

Su más reciente estrategia de mercado incluye un fuerte apoyo en línea, a través de la página que la compañía posee en la Internet (www.goya.com) y en la que, entre otras cosas, se publican recetas típicas de fácil preparación que para Unanue, "no sólo atraen a los hispanos sino a muchos anglosajones que valoran el buen paladar de los latinos".

En cuanto al futuro, Goya continúa apoyándose en un mercado que crece día a día en EU, el de los hispanos y su descendencia.

◀ **Los productos Goya se encuentran en supermercados de todas partes de los Estados Unidos.**

Actividad 5 Datos fundamentales El artículo da mucha información sobre la historia y las operaciones de Goya Foods. Completa la información para cada aspecto indicado.

Lugar de fundación: _____ Nueva York _____

Los fundadores: _____ Prudencio y Carolina Unanue, españoles _____

Época de fundación: _____ los años 30 _____

Actuales propietarios: _____ los nietos de Prudencia y Carolina Unanue _____

Actuales países de distribución: _____ Estados Unidos, el Caribe, Suramérica, Europa _____

Número total de productos: _____ más de 1.000 _____

Productos típicos: _____ arroz, jalapeños, aceite de oliva, legumbres, mole, aceitunas, adobo _____

Tipo de consumidores: _____ latinos y un número creciente de no latinos _____

Dirección de Internet: _____ www.goya.com _____

Actividad 6 La mercadotecnia de Goya Foods El artículo comenta el éxito de las estrategias de mercadotecnia y campañas de publicidad de Goya Foods. En parejas, hagan una lista de los aspectos positivos de la mercadotecnia y la publicidad de la compañía.

Actividad 7 Todo en familia El artículo comenta también que Goya Foods, como muchas empresas hispanas, es una empresa familiar. En parejas, expliquen primero por qué creen los dueños que esto importa. Después, piensen en otros aspectos de una empresa que pueden ser ventajas o desventajas.

Actividad 8   En años venideros   Después de leer y comentar el artículo, completa las siguientes oraciones sobre el futuro de Goya Foods. Luego, en parejas, comenten sus ideas. ¿Goya Foods va a tener un buen futuro?

1. Goya Foods va a seguir creciendo siempre y cuando.../con tal de que...
2. Las ventas de Goya Foods van a aumentar sin que.../porque...
3. Los consumidores no latinos no van a comprar más productos de Goya Foods a menos que...
4. Goya Foods va a expandir sus operaciones a muchos países para que…

Making inferences

Act. 8: Assign and discuss in class.

Cuaderno personal 8-1

En tu opinión, ¿qué compañía tiene la mejor publicidad en este país? ¿Por qué es la mejor? ¿Cómo se puede describir su publicidad?

FCG links: Discussing work; expressing restriction, possibility, purpose, and time with the subjunctive in adverbial clauses

Lectura 2: Panorama cultural

ESTRATEGIA DE LECTURA

Determining Reference

Written texts attempt to link ideas together in the clearest manner possible. In order to refer to a previously mentioned idea or fact, writers use pronouns and connecting words. These include:

subject pronouns (**yo, tú, él, ella, Ud.,** etc.)
direct-object pronouns (**me, te, lo, la,** etc.)
indirect-object pronouns (**me, te, le,** etc.)
reflexive pronouns (**me, te, se,** etc.)
demonstrative adjectives and pronouns (**este/a, estos/as, éste/a, éstos/as, esto; ese/a,** etc.; **aquel/aquella,** etc.)
relative pronouns (**que, quien, lo que, el/la que, lo cual,** etc.)
possessive adjectives and pronouns (**mi, mío, tu, tuyo,** etc.)

These words are the glue that holds together a cohesive text. Understanding what they refer to will increase your comprehension of the text.

For HW, have students review complete lists of pronouns. Briefly review differences between adjective and pronoun uses and forms.

Actividad 9   ¿A qué se refiere?   Lee las siguientes oraciones de la lectura sobre las economías latinoamericanas. Luego, identifica a qué se refiere cada palabra en negrita.

1. Los gobiernos latinoamericanos pidieron préstamos al Banco Mundial para pagar el petróleo y continuar sus programas de desarrollo, **lo cual** llevó a una seria crisis de la deuda en los años 80.

Determining reference

Act. 9: Assign and discuss in class, or provide answers so that students can self-check. (Answers are on p. 140.)

2. Aunque los programas de la dictadura de Pinochet tuvieron un gran éxito económico, sólo **lo** pudieron lograr a costa de las libertades civiles y humanas.
3. Con el retorno a la democracia en 1989, el gobierno **les** subió los impuestos a los negocios y a los ricos.
4. En Chile se ha observado una nueva aproximación entre pobres y ricos, de **la que** depende la estabilidad del gobierno democrático.
5. ¿Es posible reproducir "el milagro chileno" en otros países? ¿Cuál es la mejor manera de hacer**lo**?

Guessing meaning from context

Actividad 10 **Del contexto al significado** Lee cada oración y da un sinónimo en español, una definición en español o un equivalente en inglés para cada una de las palabras en negrita. Estas palabras aparecen en la lectura sobre las economías latinoamericanas. En caso de duda, usa el glosario o un diccionario para confirmar tus respuestas.

1. Ayer los presidentes firmaron un **acuerdo** económico.
2. Los Estados Unidos y Canadá son dos países que **se asemejan** mucho en cultura, lengua dominante y economía.
3. Con el nuevo programa, el gobierno **logró** una gran mejora en el nivel de vida de los ciudadanos.
4. La empresa **pertenecía** a la familia González, pero los nuevos dueños son unos inversionistas japoneses.
5. Todos se quejan de que no hay suficientes casas, pero el gobierno no hace nada para remediar esta escasez de **vivienda.**
6. Los países **desarrollados** suelen tener altos niveles de tecnología y grandes recursos financieros.
7. El sistema capitalista depende de la **inversión** de dinero en empresas privadas.
8. Una industria nacionalizada es una industria que pertenece al **estado.**
9. Cuando hay graves problemas de inflación, muchos gobiernos deciden **congelar** los precios.
10. Para evitar la acumulación de **deudas,** hay que reducir los **gastos.**

Activating background knowledge

Actividad 11 **El mercado libre** **Parte A:** En la siguiente lectura se discute el desarrollo de las economías latinoamericanas y la importancia del mercado libre para estas economías. En grupos de tres, decidan cuáles de los siguientes términos se asocian con el concepto del mercado libre y expliquen de qué manera. Expliquen también por qué excluyeron algunos términos.

la nacionalización	la privatización
las importaciones	las exportaciones
la protección del empleo	la competencia
la eficiencia	la protección del salario mínimo
la mano de obra barata	las tarifas altas sobre las importaciones

Active reading

Parte B: Ahora, lee el artículo. Mientras lees, escribe en el margen tus reacciones a la información: dudas, sorpresas, reacciones contrarias.

Corrientes cambiantes de las economías latinoamericanas

Desde los años 80, el mundo comercial y laboral latinoamericano se asemeja cada vez más al de los Estados Unidos, Europa y Japón. Se privilegian la competencia, el mercado libre y la eficiencia productiva, y se adoptan técnicas y métodos de administración norteamericanos. Estos cam-
5 bios han generado nuevas esperanzas de prosperidad y también nuevas tensiones sociales, pero para comprender los cambios y sus consecuencias, hay que echar un vistazo al pasado económico de la región.

La dependencia económica poscolonial

El sistema económico poscolonial dependía de la exportación de recursos minerales y productos agrícolas a los países europeos y a los Estados
10 Unidos. Con el dinero obtenido de las exportaciones, los países latinoamericanos importaban de los países más desarrollados productos manufacturados. Durante el siglo XIX, este sistema creció y entre 1850 y 1930, grandes inversiones de dinero de Gran Bretaña y los Estados Unidos permitieron el desarrollo de ferrocarriles, sistemas eléctricos
15 y telecomunicaciones.

Algunos países se hicieron bastante ricos; en los años 20, Argentina llegó a ocupar el décimo lugar en el mundo en cuanto a nivel de vida.

La búsqueda de la independencia económica

La Gran Depresión de 1929 llevó a la destrucción de las fuentes tradicionales de ingresos: bajaron las exportaciones y desaparecieron las inversiones de capital extranjero. Para remediar esta situación, muchos gobiernos buscaron la solución dentro de sus propios países. Decidieron desarrollar
20 industrias para los mercados nacionales, creando así trabajos e industria con un mercado doméstico garantizado, sin necesidad de dinero extranjero. Los gobiernos fomentaron estos proyectos
25 de "sustitución de importaciones" con el propósito de garantizar mayor independencia económica y nacionalizaron muchas industrias que habían pertenecido a empresas extranjeras. Además, para proteger las
30 nuevas industrias de la competencia extranjera se impusieron altas tarifas sobre las importaciones.

En 1938 México nacionalizó la industria petrolera para obtener mejor control de su economía. Hoy, esta industria sigue sin privatizar por la importancia simbólica que tiene para muchos mexicanos.

Estas políticas, aunque promovieron la variedad industrial, crearon nuevos
35 problemas. Las altas tarifas impedían el comercio internacional, y el control ineficiente y burocrático por parte del estado causó que muchas industrias perdieran dinero. No obstante, los grandes problemas no
40 se hicieron visibles hasta 1973 y 1979 cuando el precio del petróleo subió dramáticamente. Los

▲ Trabajadores en un depósito de café, Costa Rica. Desde la época de la colonia, el café ha sido una exportación importante para varias regiones de Latinoamérica.

▶ Mexicanos desempleados anuncian sus servicios esperando algún trabajo ocasional.

La crisis de la deuda nunca ha desaparecido, ya que los países latinoamericanos siguen sacando préstamos para pagar los intereses sobre la deuda acumulada del pasado. Como resultado, la deuda externa ha pasado de casi nada en 1945, a US$374.000.000.000 en 1985, a US$750.000.000.000 en el año 2000.

En los años 70 y 80 también hubo graves problemas de inflación causados por los gastos excesivos de los gobiernos. Las tasas de inflación llegaron hasta el 7.000% (Perú) y el 14.000% (Nicaragua).

El neoliberalismo, que favorece un mercado sin restricciones de ningún tipo, se basa en ideas de Milton Friedman y otros economistas de la Universidad de Chicago. Sus estudiantes implementaron las ideas neoliberales en Chile en los años 70.

gobiernos latinoamericanos pidieron préstamos al Banco Mundial para pagar el petróleo y continuar sus programas de desarrollo, lo cual llevó a una seria crisis de la deuda en los años 80. A partir de 1982, los bancos
45　internacionales y los gobiernos latinoamericanos empezaron a renegociar el pago de la deuda. Al mismo tiempo, los bancos comenzaron a insistir en que se hicieran cambios radicales en el sistema económico de los países afectados, cambios que ya se habían implementado en Chile.

El milagro chileno y el neoliberalismo

Después de 1973, la dictadura militar de Pinochet respondió a la crisis
50　económica aplicando una serie de medidas neoliberales drásticas. Se congelaron los salarios y se descongelaron los precios y, como resultado, hubo primero inflación y después recesión. Se privatizaron bancos, fábricas y empresas que habían pertenecido al gobierno. Se eliminaron las tarifas sobre las importaciones y el mercado se inundó de productos extranjeros
55　baratos. Al mismo tiempo, las empresas locales o se adaptaron al nuevo mercado competitivo o se declararon en bancarrota. Un tercio de los trabajadores quedó sin trabajo y, como consecuencia, hubo disturbios sociales; pero el gobierno usó la represión política para controlar a la población.

Sin embargo, después de varios años difíciles, Chile empezó a experi-
60　mentar un crecimiento económico extraordinario del 6 ó 7% anual. Se expandió tanto la variedad como la cantidad de las exportaciones, se aumentaron las inversiones extranjeras y la inflación fue reducida a un nivel mínimo. Este éxito, descrito como "el milagro chileno", fue visto por otros países con graves problemas económicos como el camino de
65　su propia salvación.

Los años 90: mercado libre e integración económica

Durante los años 80 y 90, los líderes latinoamericanos abandonaron sus antiguas ideas sobre la independencia económica a favor de una mayor integración en el mercado mundial. Por ejemplo, al igual que Chile, México bajó las tarifas de importación, redujo los gastos gubernamentales, vendió
70　muchas industrias estatales a inversionistas privados y fomentó la inversión

extranjera. Es más, los líderes políticos decidieron que la mejor esperanza
para México era su integración a un mercado libre con Canadá y los
Estados Unidos y, en 1993, se firmó el Tratado de Libre Comercio de
América del Norte (TLC). Otros países han seguido una política parecida:
75 por ejemplo, en 1995 entró en vigor Mercosur, un acuerdo de mercado libre
entre Argentina, Uruguay, Paraguay y Brasil que ha creado la mayor fuerza
agrícola del mundo.

Sin embargo, estos logros económicos han llegado acompañados de la
implementación generalizada de "programas de austeridad", los cuales han
80 reducido drásticamente los gastos en programas sociales, dando como
resultado un aumento de la pobreza en muchos países y el deterioro de los
sistemas de educación, salud y transporte. En casi todos los países se ha
visto un gran aumento en el desempleo y en la diferencia entre pobres y
ricos. Y en algunos casos la aplicación de medidas neoliberales ha llevado a
85 nuevas crisis como el colapso total de la economía argentina en 2001, que
ocurrió cuando Argentina se declaró incapaz de pagar su exhorbitante
deuda externa.

¿Una vía media?

Los problemas de injusticia social han llevado a muchos observadores a
rechazar las ideas neoliberales. Otros, sin embargo, argumentan que existe
90 una "vía media" entre la eficacia del mercado libre que tiende a aumentar las
diferencias entre ricos y pobres, y una política social progresista que tiende a
producir más igualdad. De nuevo, Chile es el país que ha servido de modelo
a los demás. Aunque los programas de la dictadura de Pinochet tuvieron
gran éxito económico, sólo lo pudieron lograr a costa de las libertades civiles
95 y humanas, y pagando un alto precio social al crear desempleo y pobreza.
Con el retorno a la democracia en 1989, el gobierno chileno les subió los
impuestos a los negocios y a los ricos y utilizó el dinero en viviendas, salud
y educación. Aumentó también el salario mínimo de los trabajadores y pro-
movió el establecimiento de negocios pequeños. En los primeros tres años,
100 estos programas sacaron a un millón de personas de la pobreza. Lo
sorprendente es que los chilenos también hayan podido mantener la salud

Otras organizaciones regionales de libre comercio incluyen la Comunidad Andina, el Mercado Común Centroamericano y la Comunidad del Caribe.

La pobreza se limita en parte gracias al dinero que los inmigrantes hispanos en Estados Unidos mandan a sus familiares en sus países de origen. Por ejemplo, cada año los mexicanos mandan **remesas** de más de US$10.000.000.000 a México.

◄ La mina chilena de Chuquicamata, la mina de cobre más grande del mundo. La economía chilena ha desarrollado muchas industrias, pero la extracción y la exportación del cobre siguen siendo fundamentales para la economía nacional.

Act. 12: Assign and discuss in class. Answers: **TLC: Tratado de Libre Comercio de América del Norte. Mercosur: el mercado libre de Argentina, Uruguay, Paraguay y Brasil. ALCA: al Área de Libre Comercio de las Américas, que incluiría 34 países. 1979: el año de la segunda subida de los precios del petróleo y momento de la crisis de la deuda externa. 1982: el momento en que los organismos internacionales renegociaron el pago de la deuda y obligaron a los países latinoamericanos a adoptar medidas neoliberales. 2001: el año del colapso de la economía argentina.**

Scanning

Act. 13: Assign each pair an **época** and set a time limit. Check by listing

Scanning and summarizing

on the board each pair's responses for each category. The check should summarize characteristics, goals, etc. Emphasize main ideas, for example, the relative importance and nature of imports/exports and foreign investment at each stage. Have students define **neoliberalismo.**

Scanning, Making inferences

Act. 14: Assign and discuss in class. In discussing item 4, you might want to give an example of the balance of free market and job protection. In Spain, permanent workers have contracts (**contratos**) that guarantee them the job and also guarantee benefits such as one full month of vacation per year. All citizens have

Making inferences

access to national health insurance (**la Seguridad Social**). However, the unemployment rate (**la tasa de desempleo**) is generally higher in Spain than in the U.S.

económica de su sociedad: inflación mínima, presupuesto equilibrado, crecimiento fuerte, alto nivel de inversión extranjera y tasa de desempleo baja. De todos los países latinoamericanos, sólo en Chile se ha observado
105 una nueva aproximación entre pobres y ricos, una aproximación de la que depende, dicen muchos, la estabilidad del gobierno democrático.

En la actualidad los líderes latinoamericanos se enfrentan a una serie de desafíos comunes. ¿Es posible reproducir "el milagro chileno" en otros países? ¿Cuál es la mejor manera de hacerlo? ¿Es la "vía media" la mejor
110 solución para todos? Actualmente, los Estados Unidos promueven la creación de un Área de Libre Comercio de las Américas (el ALCA), que creará un mercado libre para todo el hemisferio occidental. ¿El ALCA les conviene a los ciudadanos de las naciones latinoamericanas? Estas son las cuestiones que se debaten y que requieren de una pronta respuesta para
115 que todos los latinoamericanos puedan alcanzar nuevas posibilidades de prosperidad.

Actividad 12 Detalles y fechas Indica qué significa cada término y con qué se asocia cada fecha, y di por qué es importante en la lectura.

TLC   Mercosur   ALCA 1979 1982 2001

Actividad 13 Tres etapas de desarrollo económico Parte A: En parejas, busquen una característica, un objetivo y un problema del sistema económico dominante de una de las tres épocas económicas.

1. la época poscolonial
2. la época de "sustitución de importaciones"
3. la época del neoliberalismo

Actividad 14 El ejemplo de Chile Con frecuencia se nombra a Chile como modelo del éxito del neoliberalismo. En parejas, comenten las siguientes preguntas que tratan de Chile y la creación de la "vía media".

1. ¿Es Chile un ejemplo perfecto del neoliberalismo?
2. ¿En qué consiste la "vía media"?
3. ¿Es posible que la "vía media" cree todavía más problemas?
4. ¿Este concepto es importante también para este país?

Actividad 15 ¿Cómo votan? Hay dos candidatos principales en las elecciones presidenciales. Pérez defiende la postura neoliberal y los "programas de austeridad". López dice que hay que adoptar "la vía media" de Chile y proteger más a los trabajadores. En grupos de tres, decidan por quién vota cada una de las siguientes personas. También es posible que una persona no vote por ninguno de estos dos candidatos.

1. Felipe trabajaba en una fábrica que pertenecía al estado, pero privatizaron la fábrica y los nuevos dueños decidieron eliminar muchos trabajos en nombre de la eficiencia. Actualmente, Felipe no tiene trabajo, pero se están abriendo nuevos negocios y nuevas fábricas.

2. Consuelo gana un buen sueldo, y paga sus impuestos, pero el 40% de todo lo que paga sirve para pagar las deudas del estado y los intereses de esas deudas. Además, todo el dinero acaba en los países de Estados Unidos, Canadá, Europa y Japón. Consuelo cree que esto es injusto para su país.

3. Carlos trabaja como cajero en un banco. Su vida no ha cambiado mucho desde la implementación de las medidas neoliberales, pero ahora no hay mucha inflación y él puede ahorrar dinero sin miedo de que pierda su valor.

Cuaderno personal 8-2

¿Crees que el gobierno tiene la obligación de ofrecer servicios de salud, educación y asistencia pública a los pobres? ¿Crees que el mercado libre es capaz de ofrecer todos estos servicios?

CP 8-2: Option: Discuss the competing demands on any government of a country with a market economy: the need to stimulate economic growth and the need to provide social services and protections.

Lectura 3: Literatura

FCG links: Discussing work, reporting what someone said.

Act. 15: Assign groups and set a time limit. Use this activity to allow students to explore the impact of economic policies on individuals, and through them, on politics. Follow-up by asking students to explain their decisions. Try to help them see when their own unstated assumptions are influencing their reactions. Possible answers: Felipe: López; Carlos: Pérez, Consuelo: might choose not to vote, or vote against Pérez. Option: Have students use the subjunctive to speculate on voters' decisions: **Felipe va a votar por López con tal de que López... Consuelo no va a votar a menos que los candidatos... Carlos va a votar por Pérez siempre y cuando...**

Actividad 16 **Según el contexto** Las palabras en negrita aparecen en el cuento "La carta". Lee las oraciones y después asocia las palabras indicadas con su significado.

Guessing meaning from context

Option: Consider reading this short text as you begin the chapter and open discussion of the importance of work and the economy.

Act. 16: Assign and discuss in class, or provide answers so that students can self-check.

a. estampilla que indica que se ha pagado el envío de una carta
b. pintura, dibujo o fotografía de una persona
c. casi sentarse de manera que las nalgas estén cerca del suelo
d. una prenda de vestir que cubre la cabeza y la frente para protegerlas del sol.
e. poner juntas dos partes de un papel
f. papel en el cual y se envía una carta
g. escribir el nombre en un documento
h. parte inferior de una puerta o entrada
i. que ha perdido el uso de una mano

1. __g__ Pablo terminó de escribir la carta y la **firmó.**
2. __e, f__ Luego, **dobló** la carta y la metió en el **sobre.**
3. __b__ Antes de cerrar el sobre, metió dentro un pequeño **retrato** suyo —una foto que le habían sacado varios años antes.
4. __a__ Al final, buscó un **sello** y lo puso en el sobre, y salió para la estación de correos.
5. __d__ Pablo no quería que nadie lo reconociera, así que bajó la **gorra** sobre la frente y miró hacia abajo.
6. __h__ Cuando Pablo se acercó a la entrada, vio un hombre sentado en el **umbral.**
7. __c, i__ **Se acuclilló** para hablar con el hombre, y éste le explicó que era **manco** y necesitaba que alguien le ayudara a escribir una carta.

Actividad 17   ¿A quién se refiere?   El cuento que vas a leer contiene una carta. El escritor de la carta le se dirige a su destinatario y también habla de otras personas. Antes de leer, determina a qué o a quién se refiere cada pronombre en negrita de las siguientes oraciones.

1. Querida mamá: Como yo **le** decía antes de venirme...
2. Me pagan ocho pesos la semana y con **eso** vivo como don Pepe el administrador.
3. La ropa aquella que quedé de mandar**le**, no **la** he podido comprar.
4. Díga**le** a Petra que cuando vaya por casa **le** voy a llevar un regalito al nene de ella.
5. Voy a ver si **me** saco un retrato un día.
6. ... Su hijo que **la** quiere y **le** pide la bendición, Juan.

Actividad 18   En busca de trabajo   **Parte A:** En parejas, respondan a una de las siguientes preguntas.

1. ¿Has buscado trabajo alguna vez? Describe tu peor experiencia o la de otra persona que no haya tenido éxito con la búsqueda de trabajo.
2. ¿Qué debe o puede hacer una persona que no encuentra el trabajo deseado? ¿Debe aceptar cualquier puesto?
3. ¿Las personas buscan trabajo sólo para ganar dinero o el trabajo es importante por otras razones?

Parte B: Ahora lee la primera parte del cuento —"la carta"— para ver quién escribe la carta y qué dice.

José Luis González (1926–1996) nació en la República Dominicana de padre puertorriqueño y madre dominicana. Se crió en Puerto Rico, y siempre se consideró puertorriqueño aunque pasó la mayor parte de su vida adulta trabajando en México. Fue conocido como ensayista, periodista, novelista, y sobre todo, cuentista. Sus escritos se caracterizan por una gran preocupación por los problemas sociales de su época.

La carta
José Luis González

San Juan, puerto Rico
8 de marso de 1947
Qerida bieja:
   Como yo le desia antes de venirme, aqui las cosas me van vién. Desde que llegé enseguida incontré trabajo. Me pagan 8 pesos la semana y con eso bivo como don Pepe el aliministradol de la central allá.
   La ropa aqella que quedé de mandale, no la he podido compral pues quiero buscarla en una de las tiendas mejores. Digale a Petra que cuando valla por casa le boy a llevar un regalito al nene de ella.
   Boy a ver si me saco un retrato un dia de estos para mandálselo a uste. El otro dia vi a Felo el ijo de la comai María. El está travajando pero gana menos que yo. Bueno recueldese de escrivirme y contarme todo lo que pasa por alla.
   Su ijo que la qiere y le pide la bendision.
   Juan

Después de firmar, dobló cuidadosamente el papel ajado y lleno de borrones y se lo guardó en el bolsillo de la camisa. Caminó hasta la estación de correos más próxima, y al llegar se echó la gorra raída sobre la frente y se acuclilló en el umbral de una de las puertas. Dobló la mano

5   izquierda, fingiéndose manco, y extendió la derecha con la palma hacia arriba.

Cuando reunió los cuatro centavos necesarios, compró el sobre y el sello y despachó la carta.

Act. 19A: Assign and discuss in class. List errors on the board. Option: Choose some lines from the text and help students read them aloud as Juan might have pronounced it. Include features, such as aspiration of **-s,** which are not indicated in the written text. Point out that these features are typical of many Caribbean dialects, particularly in colloquial and/or rural speech. **Comai = comadre. Le pide la bendición** is a traditional closing for Puerto Ricans in letters to parents. **Bendito** and **bendición** are frequently used exclamations in Puerto Rico.

Actividad 19   **Hablar y escribir en puertorriqueño**   **Parte A:** La carta está escrita con muchos errores ortográficos. Algunos de los errores revelan el dialecto hablado de Juan, el escritor. Estos rasgos incluyen:

Dealing with different registers

- la confusión de la **-r** y la **-l** al final de sílaba, y la pérdida de la **-r** al final de palabra
- la pérdida de la **-d** al final de palabra y de la **-d-** entre dos vocales
- la sustitución de la **e** por la **i** (**e** → **i**) en sílabas no acentuadas
- la aspiración de la **-s** al final de sílaba: o sea, se pronuncia como **h** en inglés y a veces se pierde completamente
- **para** → **pa'**

Busca en la carta de Juan un error que refleje cada rasgo dialectal. ¿Hay algún rasgo que no se vea reflejado en la carta? ¿Hay errores no asociados con estos rasgos dialectales?

Act. 19B: Assign and discuss in class. Ask students to speculate on what the errors tell us about Juan. Option: Project on an overhead transparency and write corrections in as students tell you which items to correct. Distinguish simple spelling errors (v for b) from those that indicate dialectal pronunciation.

Parte B: Corrige todos los errores ortográficos de la carta. Después, compara tus correcciones con las de un/a compañero/a de clase.

Focusing on surface form

Act. 20: Assign and discuss in class. Make sure students complete this activity before reading the second part of the story. They should review their original answers after reading the second part of the story and completing Act. 22. Option: Check understanding of the letter by having students report what Juan said/wrote in the letter. Have students use the letter to complete sentences such as **Juan comentó que...**, **Juan explicó que...**, **Juan dijo que...**, **Juan escribió que...**

ESTRATEGIA DE LECTURA

Making Inferences

When reading, it is often necessary to read between the lines, that is, to extract information and conclusions that are not explicitly stated. This may include information or beliefs that the author takes for granted, or additional conclusions that may be drawn from the information presented. For example, it is safe to conclude from the preceding reading that the author of the letter has little formal schooling.

Making inferences

Actividad 20   La carta de Juan   La carta provee mucha más información de la que aparece literalmente en el texto. Después de leer, contesta las siguientes preguntas y justifica cada respuesta con información de "la carta". Después, compara tus respuestas con las de otra persona.

1. ¿Quién es Juan? ¿Cómo es? ¿Ha tenido estudios?
2. ¿De dónde es Juan? ¿Dónde vive? ¿Qué tipo de trabajo tiene? ¿Por qué se mudó?
3. ¿Quién es su "vieja"? ¿Dónde vive su "vieja"?

Recognizing chronological order

Act. 21: Assign and discuss in class. Have students compare answers and discuss the implications. Ask **¿Qué estaba haciendo Juan?** Provide vocabulary such as **pedir limosna**. Option 1: Check by having one pair of students read out the correct order of actions. As they read aloud, mime the actions described. Prepare a copy of the letter on a wrinkled sheet of paper, with lots of erasures and smudges. Option 2: Have students mime actions as they determine the proper order of events.

Actividad 21   Las acciones de Juan   Los párrafos finales del cuento "La carta" describen cuidadosamente las acciones y los movimientos de Juan. Pon las siguientes acciones en orden cronológico. Después, compara tus respuestas con las de un/a compañero/a de clase, y comenten la importancia de estas acciones para nuestra interpretación de la carta misma.

___7___ Extendió la mano derecha con la palma hacia arriba.

___4___ Se puso la gorra sobre la frente.

___9___ Compró el sobre y el sello y mandó la carta.

___2___ Dobló el papel y lo guardó en el bolsillo de la camisa.

___3___ Caminó hasta la estación de correos.

___6___ Dobló la mano izquierda contra su pecho.

___8___ Recibió cuatro centavos.

___1___ Firmó la carta.

___5___ Se acuclilló en el umbral de una puerta.

Considering implications

Act. 22: Assign and discuss in class. Encourage students to explore the implications of item 3 for economics, politics, and the environment.

Actividad 22   La experiencia de Juan   La experiencia de Juan refleja la de muchos campesinos pobres que empezaron a mudarse a las ciudades latinoamericanas después de la Segunda Guerra Mundial (1939–1945). En grupos de tres, comenten las siguientes preguntas.

1. ¿Qué buscaba Juan en la ciudad?
2. ¿Qué encontró?
3. ¿Qué problemas pueden surgir cuando hay millones de personas en la situación de Juan?

Cuaderno personal 8-3

El trabajo, los estudios y los deportes pueden ser muy importantes para la dignidad personal. ¿Has mentido alguna vez para proteger tu reputación pública y/o tu autoestima? ¿Cuándo? ¿Por qué?

VIDEOFUENTES

A veces las personas no pueden conseguir un trabajo porque existen estereotipos sobre qué clases de personas pueden hacer ciertos tipos de trabajo. En la película de Almodóvar, ¿qué personajes tienen trabajos sorprendentes? ¿Qué problemas han tenido estos personajes a causa de sus trabajos? En tu opinión, ¿por qué el director insiste en presentar a algunos personajes en puestos atípicos?

Videofuentes: Use these questions to promote pair/group discussion during class, or assign as written HW. Option: Have students brainstorm some major barriers to employment in particular positions before seeing the video clips. Option: Use video clips from Almodóvar when discussing gender roles in Chapter 10 (**Lectura 2** or **Redacción** activities).

Redacción: El curriculum vitae y la carta de solicitud

ESTRATEGIA DE REDACCIÓN

Using Models

One way to improve your writing is to use examples of texts as models and to imitate their style and/or format. This is frequently done when preparing documents with fixed formats such as formal letters.

Actividad 23 Un curriculum Parte A: Aunque el curriculum vitae tradicionalmente no ha sido muy importante en Latinoamérica, con el aumento de la influencia comercial norteamericana en la región, se está extendiendo el uso del curriculum al estilo norteamericano. En grupos de tres, traten de contestar las siguientes preguntas.

- ¿Por qué el curriculum vitae es y ha sido tan importante en la cultura comercial y profesional de Norteamérica?
- ¿Por qué el curriculum vitae no ha tenido tradicionalmente mucha importancia en la cultura comercial y profesional de los países latinoamericanos?

Parte B: Al preparar el curriculum propio, generalmente se usa el de otra persona como base y modelo. En parejas, miren el siguiente curriculum y observen el vocabulario que se usa y cómo está organizado. ¿Hay otras maneras de organizar un curriculum?

Using a model

Act. 23A: Discuss in class. Point out that résumés reflect and reinforce ideas of individual competition. Résumés are requested when one expects to choose "the best person for the job". Résumés were not needed when family businesses dominated and hirings were based on how closely a person was related to the family (and therefore, how closely he or she could be trusted).

Act. 23B: Discuss in class. Let students share how they have organized their résumés.

maestría o **master** = master's degree

licenciatura = un título un poco más avanzado que *bachelor's degree*

bachiller = *high school graduate*

Rosa Cunningham-González

67 Chula Vista Road

Los Ángeles, California 50215

(213) 789-2389

Fecha de nacimiento

15 de agosto de 1981

Objetivo profesional

Gerente de ventas y mercadeo

Preparación académica

2003–2005	Universidad de California, Los Ángeles, CA
	Maestría
	Especialización: Administración de empresas
1999–2003	Universidad de Georgia, Athens, Georgia
	Licenciatura *magna cum laude*
	Especialización: español e inglés
1995–1999	Las Palmas High School, Los Ángeles, CA
	Bachiller

Experiencia profesional

2004 (verano)	Ventamundo, S.A., México, D.F.
	Asistente ejecutiva
2001–2003	Toyland, Inc., Atlanta, GA
(veranos)	Vendedora regional

Experiencia adicional

2003–2005	Club de Estudiantes de Negocios, tesorera
1999–2003	Asociación de Estudiantes Latinos, presidenta

Preparación adicional

Mecanografía y procesamiento de datos

Dominio de inglés y español

Conocimiento elemental de portugués

Becas y premios

2004	Beca Salinas (mejor estudiante del programa)
2003	Phi Beta Kappa (por excelencia académica)

Intereses

Baile popular, música caribeña, navegación

Using a model

Act. 23C: Assign and specify requirements. Suggest that students adapt the format to suit their experience. Option: Have students write the résumé they hope to have when they finish their studies.

Parte C: Individualmente, preparen el borrador de un curriculum propio similar al del modelo. Usen el diccionario o hablen con su profesor/a si necesitan vocabulario específico.

Actividad 24 **Una carta de solicitud**   Las cartas en español generalmente tienen un formato diferente al de las cartas en inglés y emplean un lenguaje muy formal y formulaico. Mira la carta modelo en la página 152, que es una solicitud escrita para acompañar el curriculum vitae anterior, y haz lo siguiente.

1. Identifica lo siguiente.
   - a. el encabezamiento
   - b. el destinatario
   - c. el saludo
   - d. el cuerpo
   - e. la despedida
   - f. la firma y la dirección del/de la remitente
2. Identifica las diferencias entre el formato de esta carta y el de una carta en inglés.
3. Identifica el párrafo en el cual aparece la siguiente información.
   - a. el puesto deseado y cómo se informó del puesto el/la solicitante
   - b. la información más importante del curriculum vitae
   - c. otros datos no incluidos en el curriculum vitae
   - d. razón de su interés en el puesto
   - e. esperanzas en cuanto al trabajo
   - f. las gracias
4. Busca dos ejemplos de lenguaje muy formal o de fórmulas que se usan.

ESTRATEGIA DE REDACCIÓN

Focusing on Surface Form

Writing involves several stages: generating ideas, focusing on specific ideas, organizing, composing, and, for more formal texts, polishing surface form. Surface form includes physical layout, punctuation, spelling, and use of capital letters. Since it is the first thing the reader notices, it can be very important in determining the reader's initial reaction to a text, its content, and/or the writer. Here are some suggestions for polishing what you write.

1. Make sure that margins are clearly set.
2. Check punctuation. Though similar in formal Spanish and English, remember: inverted question and exclamation marks must be used in Spanish; commas are not used before **y** or **o** in a series (**rojo, blanco y azul**); use of commas and periods in numbers differs in English and Spanish (*GPA: 3.67* = **Promedio de notas: 3,67** and *2,000 dollars* = **2.000 dólares**).
3. Watch your spelling, including accents. Do not let English influence your spelling of cognates (*professional*/**profesional**) and remember that the use of accents can differ between singular and plural forms (**recomendación/recomendaciones**). Most native speakers do not use written accents on capital letters.
4. The use of capital letters (**mayúsculas**) is more restricted in Spanish. Use capital letters for the first word of a sentence or title (**Cien años de soledad**); for names of people, clubs, organizations, or businesses; and for abbreviated titles (**Ud., Sr.**). Do not use capital letters for days of the week (**lunes**), months (**enero**), seasons (**primavera**), languages or nationalities (**inglés**), religions (**catolicismo**), compass points (**norte**), or adjectives (**católico**).

Using a model

Act. 24: Can be assigned. Before doing this activity, have students read the letter. Ask information questions to check comprehension (e.g., **¿Cómo se llama? ¿Qué puesto solicita? ¿A quién se dirige?**). Suggestions: 1. Make sure students understand terms. 2. Point out: large indentions of paragraphs; place of address near signature; inclusion of place written with date. Format tends to differ from English, but is less rigidly standardized. 3. Ask students what points from the sample résumé are highlighted. 4. Point out that the use of formulas is very conservative, especially in the first and final paragraphs.

For extra practice, prepare a résumé or other passage with errors (on paper or overhead transparency) and have students edit for surface form.

Review and practice use of accents.

Actividad 25 **Redacción de la carta** Imagina que quieres pasar algún tiempo trabajando en Hispanoamérica para perfeccionar tu español y decides solicitar un puesto de trabajo en el campo de mercadeo.

Parte A: Haz una lista de los datos de tu curriculum que quieres enfatizar en la carta de solicitud. Incluye información que te hará un candidato interesante.

Parte B: Escribe la carta. Incluye información semejante a la de la carta modelo. Decide qué partes de la carta modelo debes copiar y qué partes tienes que adaptar para personalizar tu carta.

Parte C: Después de redactar el primer borrador, corrígelo pensando en su presentación: el formato, la puntuación y el uso de letras mayúsculas.

Los Angeles, 14 de julio de 2005

Sra. María Elena Pérez Pereira
Directora de personal
Juguetes Xochimilco, S.A.
Sagredo 263
Colonia Guadalupe Inn
010020 México, D.F.

Estimada señora:

Atentamente me dirijo a Ud. para comunicarle mi interés en el puesto de director de desarrollo de productos en su empresa y para enviarle copia de mi curriculum vitae de acuerdo con el anuncio que apareció en *Uno Más Uno* el 1º de julio de 2005.

El reciente mayo pasado me gradué de la Universidad de California en Los Angeles con maestría en administración de empresas. Tengo gran interés en mercadeo, asignatura que estudié intensamente durante la carrera universitaria.

En cuanto a mi competencia lingüística, domino tanto el español como el inglés ya que he crecido en una familia bicultural y he viajado a México varias veces. Creo que tanto mi experiencia profesional, adquirida en una empresa americana conocida, como mis conocimientos lingüísticos y culturales hacen de mí una buena candidata para el puesto solicitado. Me interesa este puesto ya que su empresa tiene mucho prestigio en este campo y goza de gran éxito en el mercado norteamericano. Creo también que mis capacidades parecen corresponder a sus necesidades.

Le agradecería que me diera la oportunidad de conocerla en persona y de visitar sus instalaciones. Me gustaría hablar con usted tanto de los requisitos del puesto como de las contribuciones que yo podría ofrecer a su empresa.

Agradeciéndole anticipadamente su atención, quedo en espera de su pronta respuesta.

Muy atentamente,

Rosa Cunningham-González

Rosa Cunningham-González
67 Chula Vista Road
Los Angeles, CA 50215

En español, la dirección del/de la remitente suele aparecer al final de la carta, debajo de la firma.

Capítulo 9

Arte, identidad y realidad

Annotation to use with Act. 13: Themes: affirmation of indigenous past, isolation, ambivalence toward mechanized North American culture and her own split identity. Painted during a trip to U.S. with Diego Rivera, who exalted industry. Frida is alone in the middle, hands crossed, a Mexican flag showing her sympathies for Mexico, a cigarette her association with "modern" society; a quaint dress links her to tradition, while her pedestal is plugged into an electric generator. Note contrast/similarity between roots and cables. Option: Have students compare this work to the poems in Chapter 5.

▲ *Autorretrato en la frontera entre México y los Estados Unidos,* 1932, Frida Kahlo (México).

See the *Fuentes* website for related links and activities:
http://college.hmco.com/languages/spanish/students

Activating background knowledge,
Anticipating

Frida Kahlo estaba casada con el
artista Diego Rivera cuando pintó
este autorretrato; Carmen Rivera
era su nombre de casada.

Act. 1: Use this activity only to pre-
view the chapter. Allow students to
brainstorm without confirming
ideas; they will return to this first
painting and others after **Lectura 2.**

Actividad 1   Interpretación del arte

Parte A: En grupos de tres, miren y comenten los cuadros que aparecen en este capítulo, usando las siguientes preguntas.

1. ¿Qué tipo de arte son? (pinturas, dibujos, esculturas, etc.)
2. Expliquen el tema o el mensaje de dos o tres de las obras.
3. ¿Cuáles son las dos que les gustan más? Comparen su contenido o su tema.

Parte B: Muchos artistas usan el arte para explorar su mundo y su propia identidad. El cuadro que aparece en la página anterior fue pintado por la artista mexicana Frida Kahlo durante una visita a Detroit, Michigan. En grupos de tres, miren la pintura y hagan la siguiente actividad usando el vocabulario que aparece a continuación.

la ambigüedad	la explotación	la metáfora
lo arcaico	lo femenino	lo moderno
la bandera	la fertilidad	el pasado
Carmen Rivera	el futuro	el pedestal
el cigarrillo	lo indígena	la tecnología
lo colonial	la inhumanidad	la yuxtaposición
el crecimiento	lo masculino	

1. Comparen el lado izquierdo con el lado derecho.
2. Expliquen por qué la artista se representa en el centro.
3. Traten de adivinar lo que quiere expresar la artista.
4. Busquen un tema que aparezca en este cuadro y que aparezca también en otro cuadro del capítulo.

Lectura 1: Reseña de un libro

FCG links: Discussing art; expressing emotions, opinions, and reactions with the imperfect subjunctive

Strategy: If necessary, review and
contrast the structure of noun and
adjective clauses. Remind students
that they have been using noun,
adjective, and adverbial clauses with
the subjunctive. Option 1: Review
prepositions and elicit examples of
prepositional phrases. Option 2:
Have students create longer sentences with these elements.

ESTRATEGIA DE LECTURA

Recognizing Clauses and Phrases

A characteristic of Spanish writing is the frequent use of long sentences. Understanding the structure of these sentences can help you understand their meaning. Some are simple sentences with a single main conjugated verb; others are compound sentences, which link two shorter sentences, or two independent clauses, with a conjunction such as **y** or **pero: Él pinta muchos cuadros, pero nunca logra venderlos.** Complex sentences are composed of a main clause and one or more dependent clauses. The dependent clause contains a conjugated verb and is introduced by the word **que** for noun clauses, by relative pronouns (**que, quien, el/la cual,** etc.) for adjective clauses, or by adverbial conjunctions (**aunque, porque, para que, como, cuando, ya que, si,** etc.) for adverbial clauses.

A good way to analyze complex sentences is to break them down into smaller sentences.

Los cuadros **que había pintado Elena Climent** se vendieron rápidamente. =
(1) Los cuadros se vendieron rápidamente
+ (2) Elena Climent había pintado los cuadros

The adjective clause in the preceding example is a restrictive clause; it limits the paintings to those painted by Elena Climent. The information in restrictive clauses is important for determining the grammatical subject. On the other hand, a nonrestrictive clause, set off with commas, adds extra, nonessential information.

Las naturalezas muertas, **las cuales Climent había pintado el año anterior,** se vendieron rápidamente.

Another important element of Spanish sentences is the **complemento circunstancial,** which allows the inclusion of extra information describing where, when, how, with whom, etc.

Los cuadros que ella había pintado se exhibieron **en una galería de arte.**
Los cuadros que había pintado se vendieron **el año pasado.**
Los cuadros que había pintado el año anterior se vendieron **por medio millón de dólares.**

The **complemento circunstancial** is often equivalent to a prepositional phrase.

Actividad 2 Análisis de oraciones Mira la lectura sobre el arte en Latinoamérica y busca un ejemplo de cada tipo de oración.

- una oración simple
- una oración compuesta (dos cláusulas independientes)
- una oración compleja (cláusula principal + cláusula dependiente)
- una oración con complemento circunstancial

Recognizing clauses and phrases

Act. 2: Assign and discuss in class. Some examples may fit more than one category. Option: Select sample sentences beforehand and analyze as a whole class activity.

Actividad 3 Preparación léxica Después de mirar las siguientes palabras sacadas de la lectura sobre Frida Kahlo, escoge una palabra adecuada para completar cada una de las siguientes oraciones.

Building vocabulary

Act. 3: Assign and discuss in class, or provide answers so that students can self-check.

En algunos países, **el sostén** = bra.

atávico/a atavistic (related to ancestors' traits, primitive and/or visceral)	**atónito/a**	astonished, amazed
	capacitado/a	qualified
	el sostén	support
	la varilla	rod, rail

1. Ella sintió un temor _____atávico_____ al ver las serpientes en el zoológico.
2. La tuvieron que llevar al hospital porque una _____varilla_____ metálica le había penetrado en el cuerpo.
3. La empresa no me contrató para el trabajo porque no me consideraba _____capacitado/a_____ para el puesto.
4. Él se quedó _____atónito_____ al ver la conducta de su amigo borracho.
5. Ella tuvo que trabajar y contribuir al _____sostén_____ de su familia.

Guessing meaning from context

Act. 4: Assign and discuss in class, or provide answers so that students can self-check. Point out that **lienzo** is used more frequently than **tela** in this context.

Actividad 4   Contextos significativos   Las palabras indicadas en cada oración aparecen en la lectura sobre Frida Kahlo. Lee las oraciones y después asocia las expresiones de la segunda columna con las de la primera.

1. La mujer iba muy **ataviada:** llevaba un vestido negro elegante y collar de perlas.
2. El público se quedó atónito por la **indumentaria** del poeta: llevaba zapatos y ¡nada más!
3. Frida Kahlo dijo que pintaba **autorretratos** porque así llegaba a conocerse mejor.
4. Picasso pintó cientos de **telas** durante su vida.
5. El artista **padeció** una enfermedad grave durante muchos años y murió joven.
6. El nuevo estudiante no se llevaba bien con sus **condiscípulos,** pero se llevaba divinamente con los profesores.
7. La **convivencia** puede resultar difícil si una de las personas no contribuye lo suficiente al bienestar común de la pareja.
8. En mi familia no sabemos nada de leyes y por eso **acudimos** a un abogado.
9. El cocinero se había cortado el dedo y le **manaba** mucha sangre de la herida, pero él siguió su trabajo como si tal cosa.

1. __f__ ataviado
2. __i__ la indumentaria
3. __a__ el autorretrato
4. __h__ la tela
5. __e__ padecer
6. __b__ el/la condiscípulo/a
7. __c__ la convivencia
8. __d__ acudir
9. __g__ manar

a. una pintura de un/a artista hecha por él/ella mismo/a
b. el/la compañero/a de clase
c. el vivir juntos
d. ir en busca de alguien o algo
e. sufrir
f. vestido elegantemente
g. fluir
h. la pintura, el cuadro
i. la ropa

Act. 5: Assign and discuss in class. Do the activity yourself and follow up by sharing your reactions in class and eliciting student reactions

Annotating and reacting

to the reading. Ask students to identify the main ideas of each paragraph.

Actividad 5   Reacciones e ideas importantes   Mientras lees la siguiente reseña de un libro sobre Frida Kahlo, apunta en el margen tus reacciones (**¡qué fascinante!, ¡qué raro!, ¡qué barbaridad!, estoy de acuerdo, basura, no comprendo,** etc.). Apunta o subraya también las ideas más importantes.

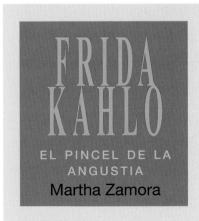

Frida Kahlo, una de las figuras más celebradas de la pintura mexicana y la artista latinoamericana más conocida entre las de su generación, fue la esposa del gran muralista Diego Rivera. *Frida Kahlo: El pincel de la angustia* es una elogiable adición a la creciente lista de publicaciones sobre Kahlo.

La nueva biografía de Martha Zamora, que apareció en 1987 en una edición privada bajo el título *El pincel de la angustia,* contiene más de un centenar de ilustra-

ciones magníficas, incluyendo reproducciones de pinturas de Kahlo, fotografías de la pintora y recuerdos suyos.

Enferma de poliomielitis a los seis años, Frida padeció enfermedades durante toda su vida. Conoció a Diego mientras éste pintaba un mural en la Escuela Preparatoria Nacional donde ella estudiaba, pero en esa época Frida estaba enamorada de un condiscípulo y, aunque importunó a Rivera y dejó atónitos a sus

▲ *Autorretrato con collar de espinas y colibrí,* 1940.

actividades políticas, afiliándose al partido comunista y concurriendo a manifestaciones. Durante períodos prolongados pintó

Frida Kahlo: El pincel de la angustia, **de Martha Zamora.** Traducción al inglés de Marilyn Sode Smith con el título *Frida Kahlo: The Brush of Anguish* (San Francisco, Chronicle Books, 1990)

escasamente, pero a cierta altura comenzó a dedicar más tiempo a su trabajo y en algún momento se convirtió en una artista importante por derecho propio. Aunque Rivera apoyó su carrera e hizo mucho para que lograra el reconocimiento que merecía, era un hombre con el cual la convivencia resultaba difícil. Además de habérselas con sus enfermedades, Frida tenía que lidiar con el temperamento, las mentiras y los constantes amoríos de su marido. En 1939 Frida y Diego se divorciaron, pero al año siguiente volvieron a casarse.

Las pinturas de Frida, en su mayoría autorretratos, muestran a una mujer angustiada, a menudo con lágrimas en los ojos. Su autorretrato de 1948 la presenta ataviada con un hermoso vestido tehuano: tanto ella como Diego adoraban las artesanías mexicanas tradicionales y Frida vestía casi siempre trajes regionales. En su *Autorretrato dedicado al doctor Eloesser* aparece con un collar de espinas que lacera su piel.

Asimismo en su *Autorretrato con collar de espinas y colibrí,* la sangre gotea de las heridas de su cuello.

Las dos Fridas, pintado el año de su divorcio de Diego, consiste en un doble autorretrato que sugiere la dualidad de la artista y su soledad: Frida es la única compañía de Frida. La de la izquierda aparece ataviada con el tipo de indumentaria tehuana preferido por Diego, con el vestido abierto y dejando a la vista su corazón herido. Representa a la Frida que Diego había amado una vez. De un extremo de una vena abierta manan gotas de sangre que caen sobre la falda, y el otro extremo se halla conectado al corazón de una Frida totalmente vestida. Una vena se envuelve en torno al brazo de esta segunda Frida y termina en un retrato minúsculo de Diego niño, el Diego que alguna vez fue, símbolo del amor perdido.

En su introducción, Martha Zamora explica cómo su concepto sobre Frida se vio alterado por la investigación que requirió la biografía. "Comencé mi trabajo totalmente fascinada por la perfecta heroína romántica, la que sufrió enormemente, murió joven y habló directamente, con su arte, a nuestros temores atávicos frente a la esterilidad y la muerte". Bajo la influencia de las pinturas y los escritos de Frida, en los cuales ésta proyectó la imagen de una artista atormentada, vio al principio a su personaje como una artista maravillosa aunque bastante improductiva, una esposa fiel y resignada, y una semi-inválida que había llevado una vida triste y recluida. Sin embargo, sus investigaciones sacaron a luz una rebelde amante de las diversiones y dada a la bebida, que tuvo incontables aventuras amorosas, con hombres y con mujeres. Frida viajó intensamente y llevó una vida activa, aparte de la de su marido. Además, pintó muchas más telas que las supuestas originalmente por Zamora.

compañeros de clase proclamando que adoraría tener un hijo del pintor, en realidad no llegó a conocerlo bien sino varios años más tarde.

A los dieciocho años, Frida sufrió un serio accidente de tránsito en el cual la varilla metálica de un pasamanos penetró en su cuerpo dañándole el útero. Comenzó a pintar durante su convalecencia y, tras recuperarse, debió comenzar a trabajar para ayudar al sostén de su familia. Fue entonces que acudió a Rivera para solicitarle su opinión acerca de su pintura, pues necesitaba saber si estaba o no capacitada para ganarse la vida como artista. Se enamoraron y en 1929, cuando ella tenía 19 años y Rivera 43, se casaron.

Al principio Frida subordinó su trabajo al de Diego. Cuidó de la casa para él y participó en sus

▲ *Las dos Fridas*, 1940.

Aunque la biógrafa insiste en la amplitud de su investigación, el texto contiene escasa información que no aparezca en otras biografías, como la de Hayden Herrera titulada *Frida: Una biografía de Frida Kahlo*. Zamora disipa el viejo mito de la obsesión de Frida con su maternidad frustrada, perpetuado por Bertram Wolfe, biógrafo de Rivera, y por otros. Zamora señala que Frida se sometió a varios abortos, no todos por razones terapéuticas.

Sin embargo, lo mejor del libro de Zamora no es, realmente, el texto, sino las ilustraciones. Escogidas con inteligencia y bellamente reproducidas, las pinturas de Frida cobran vida en estas páginas, y las fotografías de la artista, muchas de ellas tomadas por fotógrafos famosos, revelan en mayor grado que la prosa de Zamora, la pasión y la complejidad de Frida. Aunque Martha Zamora brinda algunas advertencias importantes, en definitiva las imágenes tienen mayor resonancia que las palabras.

Summarizing

Act. 6: Under **Conceptos,** include Zamora's changing concept of Frida, the relationship with Rivera, and the myth of Frida's frustrated maternity.

Actividad 6 Las partes de una reseña Una reseña de libro es un resumen parcial y un comentario del mismo. Una buena reseña tiene la información indicada en el siguiente cuadro. Complétalo según la reseña que acabas de leer.

Título del libro:

Autor(a):

Tipo de texto (novela, historia, biografía, etc.):

Tema:

Personajes:

Lugar y época:

Acontecimientos principales:

Conceptos/aspectos importantes:

Comparación con otros textos:

Evaluación final:

Actividad 7   La vida y el arte   Parte A: Coloca en orden cronológico los siguientes sucesos de la vida de la artista mexicana Frida Kahlo, refiriéndote al texto cuando sea necesario.

Recognizing chronological order

  _7_ Frida acompaña a Diego en sus actividades políticas.

  _3_ Frida declara que quiere tener un hijo de Diego Rivera.

  _1_ Frida sufre de poliomielitis.

  _2_ Comienza a estudiar en la Escuela Preparatoria Nacional.

  _8_ Frida Kahlo vuelve a casarse con Diego Rivera.

  _5_ Solicita la opinión de Diego Rivera sobre su arte.

  _4_ Frida sufre un serio accidente automovilístico.

  _6_ Frida y Diego se casan por primera vez.

Act. 7A: Assign and discuss in class. Option 1: Have students convert into a paragraph, eliminating redundancies, supplying transitions, and changing to past tense. Option 2: Check comprehension by asking groups to invent 5–10 information questions based on the reading. Designate some students as experts on Kahlo and have others ask them questions.

Parte B: En parejas, reaccionen a los sucesos de la vida de Kahlo, incluyendo algunos de la Parte A además de otros que se comentan en la lectura. Usen oraciones como las siguientes.

Reacting to reading

▶ Fue trágico que ella tuviera un accidente automovilístico.

▶ Me sorprende que se casara dos veces con Diego Rivera.

**Actividad 8   Detalles e interpretaciones   En parejas, miren los dos autorretratos que aparecen en la lectura y el que está al principio del capítulo. Expliquen lo que creen que representan algunos detalles de cada retrato.

Making inferences

▶ Ella tiene un cigarrillo en la mano. Eso muestra su asociación con la vida moderna.

▶ Es probable que haya pintado dos Fridas para mostrar que...

Act. 8: Let students begin on their own. If they need help, provide some items that are symbolic in the portraits: **el corazón, las espinas, la división en dos partes, las gotas de sangre.**

**Actividad 9   Una compra importante   En grupos de tres, imagínense que Uds. son los directores de un museo de arte y han decidido adquirir una obra de la artista mexicana Frida Kahlo. Están en venta tres autorretratos de Frida Kahlo: *Autorretrato en la frontera, Las dos Fridas* y *Autorretrato con collar de espinas y colibrí.* Decidan cuál es el cuadro que quieren comprar y después preparen un breve informe para justificar su decisión ante la junta general del museo.

Analyzing and evaluating

Close with a whole class discussion. Option: Ask students to consider Kahlo's intentions in painting these self-portraits. Do they really represent her or are they something else?

Act. 9: Personalize by using the name of a local museum. Tell students to take notes so that they can organize their **informe.** Set a time limit; then have different groups present their case to the **junta** (the rest of the class). Encourage the **junta** to ask pertinent questions about the **informe** and the reasons for wanting the painting. Finally, have the class vote on which group will be awarded funds to purchase the painting.

Cuaderno personal 9-1

¿Crees que un/a artista tiene que sufrir mucho para crear grandes obras de arte? Cuando tú sufres, ¿cómo expresas tus sentimientos?

Lectura 2: Panorama cultural

FCG links: Discussing art, shifting emphasis with the passive voice

ESTRATEGIA DE LECTURA

Dealing with Different Registers

A register is the type of language used in a particular situation. Formal and informal speech are examples of registers: *Good morning, sir.* versus *Hey!*, or **¿Cómo está Ud.?** versus **¿Qué tal?** In the same way that different registers are used in speech, there are different registers in writing. Some expressions and grammatical structures are only appropriate for informal uses, while other expressions and constructions, such as *be that as it may* or *thus,* may sound unusual in informal situations, but appropriate in formal writing and formal speech. Similarly, formal letters in Spanish may begin with **Estimado/a señor/a** and close with **Atentamente,** while a letter to a friend may begin with **Querido/a...** and end with **Besos.** Authors generally use the register expected in the kind of text they are writing. For example, legal writing uses many legal terms, and academic writing is characterized by very formal language. On the other hand, a creative writer of literature can break these conventions for artistic effect.

Dealing with formal registers

Act. 10: Assign and discuss in class, or provide answers so that students can self-check. Emphasize that most of these words are generally reserved for formal writing or speech. Point out that the English equivalent of **sea como fuere** is the equally formal "be that as it may."

Actividad 10 **El registro académico y artístico** Las siguientes expresiones formales aparecen en la lectura "Realidad, identidad y arte en Latinoamérica". Decide cuál es el sinónimo de cada expresión y escribe la letra en el espacio correspondiente. Usa el diccionario sólo para confirmar tus decisiones.

1. __d__ a la par con
2. __h__ el advenimiento
3. __j__ adinerado/a
4. __k__ de antaño
5. __b__ autóctono/a
6. __i__ didáctico/a
7. __n__ empero
8. __e__ el motivo (arte)
9. __l__ occidental
10. __g__ primordial
11. __a__ pujante
12. __m__ sea como fuere
13. __f__ la vanguardia
14. __c__ la yuxtaposición

a. con vigor
b. propio o natural de un lugar
c. acción de poner una cosa junto a otra
d. juntamente, al mismo tiempo
e. rasgo característico que se repite en un obra
f. lo que precede o va delante
g. fundamental
h. la llegada
i. que enseña
j. rico
k. del pasado
l. del oeste
m. no importa cómo sea
n. sin embargo

fuere = futuro del subjuntivo de **ser.** Actualmente, sólo se usa en ciertas expresiones hechas.

Actividad 11 **¿Por qué el arte?** **Parte A:** En grupos de tres, antes de leer, comenten las siguientes preguntas.

¿Cuáles son los temas y motivos más frecuentes del arte?
¿Por qué o para qué se crea el arte?

Parte B: Mientras lees, escribe en un margen tus reacciones personales (por ejemplo, **interesante, imposible, ¡¿qué?!, ¿por qué?, confuso**), y escribe en el otro margen (o subraya) las ideas y los detalles más importantes. Estos apuntes te pueden ayudar a discutir la lectura en clase y a preparar un buen bosquejo.

Realidad, identidad y arte en Latinoamérica

Después de un largo proceso de desarrollo económico y cultural, la expresión artística latinoamericana, tanto en las bellas artes como en la literatura, ha llegado a reconocerse a nivel mundial como una fuerza pujante y vital. Según la perspectiva de la crítica artística tradicional, las
5 bellas artes y la literatura tienden a evolucionar y madurar a la par con la sociedad. Y como el desarrollo económico de Latinoamérica ha sido lento y difícil, ante los ojos de los críticos, el arte y la literatura de las antiguas colonias portuguesa y españolas no habían salido de una larga "niñez".
10 Desde el siglo XX, sin embargo, las artes latinoamericanas se han independizado de la tradición europea para encontrar su propia voz e identidad. Se han colocado, entonces, entre la vanguardia del movimiento artístico, a medida
15 que la industrialización, el avance de los medios de comunicación y la globalización han derrumbado las barreras que aislaban a los diversos países.

Durante siglos el arte y la identidad lati-
20 noamericanos se han venido formando a través del enfrentamiento con seis fuerzas culturales íntimamente ligadas: la Iglesia Católica, la conquista y colonización españolas, las monarquías española y portuguesa, las culturas precolombi-
25 nas, la civilización occidental y el aislamiento geográfico y psicológico de la región. Los latinoamericanos han ido moldeando el arte de sus países por medio de una búsqueda de identidad, y el enfrentamiento con estas fuerzas culturales
30 ha contribuido a formar su expresión artística.

La Iglesia Católica ha sido un factor primordial en el desarrollo histórico y cultural latinoamericano. Por un lado, muchos consideran que ha ofrecido unidad y estabilidad social, mientras que otros ven su función como un medio de opresión de las masas. Sea como fuere, el papel predo-
35 minante de la Iglesia se refleja de una manera u otra en el arte de toda la región, que abarca desde los temas netamente religiosos hasta la sátira y la crítica religiosa.

▲ *Collage de Bolívar,* 1979, Juan Camilo Uribe (Colombia).

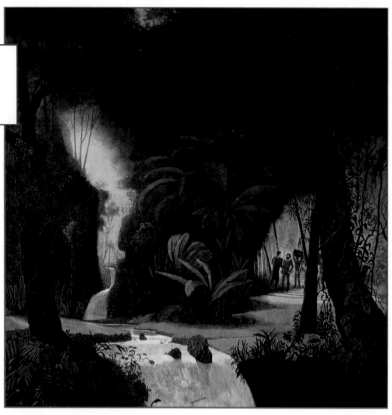

► *Cinq siècles après (Cinco siglos después),* 1986, José Gamarra (Uruguay).

Themes: Conquest/colonization, foreign influence, subjugation of indigenous groups. There are no jungles in Uruguay; the artist uses this image to show foreign, exotic view of Latin America, and to suggest a "magical" environment. The conquistadors from outside—now corporations and foreign banks and governments—still invade (five centuries later) and enslave the local inhabitants without seeing hidden beauty. Use of French in the title echoes 19th-century French imperialism in Latin America (the term "Latin America" was invented by the French to justify their occupation of Mexico in the 1860s).

A semejanza de la Iglesia, la conquista y la colonia han dejado una huella indeleble en la conciencia latinoamericana y en su arte. En países
40 como México, donde se mezclaron las razas y predomina la población mestiza, el arte ha representado la explotación de los indígenas y de los pobres por parte de los conquistadores de antaño y de la clase adinerada y los grandes terratenientes de hoy. El tema de esta dominación y subyugación, de la lucha por la propia identidad política y social y del orgullo de la tradi-
45 ción indígena ha encontrado su expresión artística en el muralismo, arte mexicano por excelencia. Las obras de los tres grandes muralistas de principios del siglo XX, Diego Rivera, José Clemente Orozco y David Alfaro Siqueiros, y las de otros artistas contemporáneos, no sólo reflejan la realidad de la vida mexicana sino que constituyen una declaración pictórica
50 social, económica y política accesible a un pueblo en gran parte analfabeto.

A la par con las clases dominantes y la jerarquía tradicional de la Iglesia, las monarquías española y portuguesa dejaron un legado de tiranía y paternalismo en Latinoamérica. Y, aunque el artista latinoamericano, por lo general, se abstiene de atacar directamente a un líder específico, a menudo
55 ridiculiza al ejército, a las opresivas dictaduras militares y a los jefes y caciques políticos con una sátira aguda y letal.

La herencia de las culturas indígenas y africanas también ha desempeñado un papel de suma importancia en la evolución del arte latinoamericano. El arte autóctono que antes se despreciaba, empezó a admirarse desde
60 que floreció el movimiento de "vanguardia" de principios del siglo XX. Poco a poco, la belleza y autenticidad de las artes indígenas y africanas fue penetrando e influyendo en la obra de artistas contemporáneos.

▼ *Sueño de una tarde dominical en la Alameda,* 1947–48, Diego Rivera (México).

Especialmente en países con numerosa población indígena como Guatemala, México y los países de la región andina, el orgullo de la
65   herencia precolombina es una reafirmación de la identidad cultural tanto del artista como de su pueblo. Los motivos humanos y animales, las representaciones tomadas de los ritos religiosos y las expresiones de la naturaleza, unen al artista a sus raíces indígenas o africanas.

Empero, es importante reconocer que, a pesar de la influencia
70   histórica y cultural de estas tradiciones, el artista latinoamericano se ha formado dentro del contexto de la civilización occidental. Ser latinoamericano total es ser el producto de herencias indígenas, africanas y europeas que forman una identidad única. El latinoamericano funciona dentro de sus tradi-
75   ciones, pero a la vez, dentro de la educación y las exigencias del mundo contemporáneo. Los artistas latinoamericanos viajan durante largos períodos a Europa y a los Estados Unidos, se mantienen en contacto con sus culturas y son
80   parte activa de la comunidad artística internacional. Como resultado, sus obras reflejan las tendencias cambiantes del mundo actual. A menudo, la religión, el indigenismo y las tradiciones van mano a mano con el materialismo,
85   la tecnología, la sociedad de consumo y la globalización que dominan el mundo actual. No obstante, el peso de las culturas europea y norteamericana ha llevado a los artistas latinoamericanos a reaccionar contra ellas y a
90   intentar definir una identidad propia y separada de esas culturas extranjeras. Algunos han echado mano de las artesanías del pueblo, incorporando elementos indígenas en pinturas o murales, sobre todo en países como México,
95   mientras que en países como Chile y Argentina, donde la población indígena es muy pequeña, usan telas, muñecas o vasijas de fabricación tradicional y motivos autóctonos en las obras de arte.

Themes: Affirmation of many and mixed aspects of Mexico's past: pre-Columbian cultures, the Spanish conquest and colonization, the Church, social unrest and violence (the Mexican Revolution); even Eurocentric upper-classes of the social hierarchy are included, though mocked in the figures of **las monas** (just to the left of Diego and Frida) as well as the skeletal figure of **la catrina** (to their right). Option: To review Mexican history, have students use the Web to investigate and report on the main historical figures and events represented in this painting.

▲ *La familia presidencial,* 1967, Fernando Botero (Colombia).

Themes: Criticism of "incestuous" connections between the oligarchy, church, and military in Latin America. Botero also builds on and subverts European models by "quoting" and distorting masterpieces of Velázquez (*Las meninas*) and especially Goya (*La familia de Carlos IV*) as he critiques Colombian politics and the social hierarchy. The round figures, rather negative here, are a typical motif of Botero's works (**el gigantismo**), but can have positive associations in other paintings.

100   No como una paradoja sino como último elemento en esta mezcla de influencias, el aislamiento, tanto geográfico como psicológico, ha ayudado a definir la identidad del arte latinoamericano. La abrupta geografía de grandes montañas, ríos caudalosos y selvas impenetrables mantuvo a Latinoamérica casi totalmente aislada hasta el advenimiento de la aviación

105   a principios del siglo XX. Por otra parte, las guerras de fronteras entre países vecinos han alimentado cierta separación. Pero este aislamiento va más allá del que demarcan los límites geográficos: es el aislamiento íntimo del individuo que habita el mundo moderno, un mundo deshumanizado por la mecanización y la tecnología que se reflejan en el lenguaje

110   universal del arte.

      Todo artista, todo escritor es el producto de una realidad y la refleja en su creación artística. Los escritores y artistas latinoamericanos, a su vez, tratan en sus obras aquellos temas sociales, políticos y culturales que han forjado su realidad y su identidad nacionales. Sus países de origen son

115   países ricos en recursos, pero un gran sector de la población vive en la pobreza. Son países donde la inestabilidad política es un fenómeno de la vida diaria; donde la relación de opresor-oprimido continúa entre descendientes de conquistadores y conquistados o esclavos. Esta realidad, a veces percibida como absurda y fantástica, ha sido la fuente de inspiración

120   para artistas que, tanto en las letras como en el arte pictórico, utilizan a menudo imágenes fantásticas para representarla.

      Bien se sabe que el uso de imágenes fantásticas en el arte y en la literatura no es nada nuevo ni exclusivo de Latinoamérica. La fantasía ha sido,

Themes: Intended as a criticism of North American commercialism, globalization, and effects of the spread of North American values and influence in Latin America; some North American students see this as an ironic comment on the association of the cocaine industry with Colombia.

▲ *Colombia,* 1976, Antonio Caro (Colombia).

Themes: Oppression and subjugation. The handmade **muñequitas de tela** represent their makers, left out of the circle of light just as so many of the masses are left out in Latin America.

▶ *Ojo de luz,* 1987, Oswaldo Viteri (Ecuador).

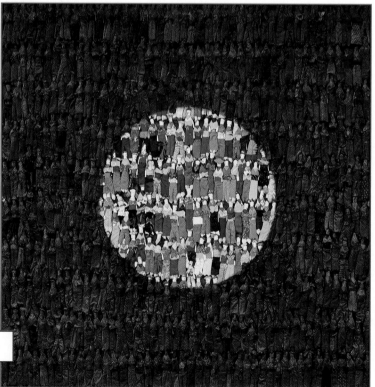

por ejemplo, un elemento esencial del surrea-
125 lismo europeo, pero sigue las normas de una
corriente articulada y metódica. Lo fantástico
latinoamericano, en cambio, surge espontánea
e intuitivamente de la imaginación; nace de
culturas, religiones, historias y geografías ricas
130 y contradictorias, y del choque de la perspectiva
práctica y racional occidental con la realidad
compleja, conflictiva y a veces absurda de
Latinoamérica. Lo fantástico, que ha llegado
a ser casi sinónimo de la literatura y el arte
135 latinoamericanos, se manifiesta en la distorsión,
la inserción de elementos absurdos en escenas
"normales" y la yuxtaposición inesperada de
elementos muy diferentes. Esta espontaneidad
casi mágica hace difícil de comprender la
140 fantasía latinoamericana al observador europeo
o norteamericano.

No obstante el hecho de que la aceptación
del arte de Latinoamérica haya sido lenta y
penosa, cada día se van abriendo paso más y
145 más figuras notables en la escena artística y
literaria mundial. Artistas de muchos países
latinoamericanos son reconocidos; sus obras se
exhiben en las mejores galerías y museos del
mundo y sus libros se leen en diversos idiomas.
150 Con su creación artística, aportan ellos una
vivacidad, frescura y originalidad propia que
surgen de la realidad singular y la identidad
vital de Latinoamérica y sus habitantes.

▲ *El norte es el sur,* 1943,
Joaquín Torres-García
(Uruguay).

Themes: Reaction against dominant European and North
American perspectives. Point out that distinctions between
North and South are only European conventions; the work
shows that there are other equally correct perspectives.

Actividad 12 Conceptos y corrientes **Parte A:** En grupos de tres, asocien
los términos de la segunda columna con una o más de las seis fuerzas culturales
de la primera columna. Justifiquen sus respuestas, e indiquen si la asociación se
hace de forma explícita o implícita en la lectura.

Scanning and summarizing

Act. 12A: Assign and discuss in
class. Check by listing each term in
the second column on the board
and having class brainstorm possible associations with the cultural
forces. Have students specify if the
association is made in the reading
or was inferred by them.

Fuerzas culturales

la Iglesia Católica
la conquista y colonización
   españolas
las culturas precolombinas
las monarquías española
   y portuguesa
la civilización occidental
el aislamiento geográfico
   y psicológico

Términos y conceptos

cosas de fabricación tradicional
imágenes tomadas de ritos religiosos
el muralismo
la tecnología y la sociedad
   de consumo
la opresión y la subyugación
la unidad y estabilidad social

Act. 12B: Assign one cultural force
to each group. Option: Have groups
write and share with the class one
sentence summarizing their view.

Parte B: En grupos de tres, expliquen por qué ha sido importante cada una de
las seis fuerzas culturales. Vuelvan a mirar la lectura si es necesario.

Act. 12C: Assign and discuss in class. Have students contrast this movement with **surrealismo.** Option: For students who have read some Latin American literature, point out the difference between **lo**

Making inferences

fantástico, in which the line between reality and fiction disappears (Borges, Cortázar), and **el realismo mágico,** in which reality is modified by the magical (García Márquez).

Option: After doing comprehension exercises, have pairs find expressions with **por** in paragraphs 3, 5, 8, and 10, and use them to introduce or review expressions in **FCG.** Find and review other uses of **por** in the reading.

Act. 13A: Can be assigned. Tell students to look for the six main themes and use of fantastic images.

Analyzing and evaluating

Students can also use the questions in Act. 21 as a guide. In class, make sure students see how each piece exemplifies ideas in the reading.

Act. 13B: Assign pairs and have them prepare their presentations outside of class. Set a time limit (e.g., 3 minutes). Have students vary the nouns and verbs they use to present different pieces: **Esta obra** (or **dibujo, pintura, cuadro, collage**) **fue pintada/creada/ dibujada por... en...** Option: Have students consult the **FCG** presentation of vocabulary "Discussing art" as they discuss these works.

Act. 14: Assign a time limit and circulate to help with ideas. For the presentation, have students use the passive voice to introduce pieces and artists (see Act. 13). Have students consult the questions in Act. 21 if they need more guidance.

Parte C: En grupos de tres, preparen una definición de la corriente artística y literaria conocida como "lo fantástico latinoamericano" e indiquen un cuadro de este capítulo en el que se ven elementos fantásticos.

Actividad 13   Crítica de arte   **Parte A:** En parejas, miren las reproducciones que acompañan la lectura y el cuadro de Frida Kahlo que aparece al principio del capítulo. Identifiquen rápidamente el tema o temas de la lectura que se ven reflejados en cada obra y justifiquen su identificación con detalles de las obras.

▶ El cuadro *Ojo de luz* refleja la conquista, la colonización y la formación de una jerarquía que excluyó a las masas...

Parte B: En parejas, escojan uno de los cuadros y preparen una breve presentación oral. Su presentación debe incluir una descripción de los elementos principales del cuadro y una interpretación detallada del cuadro. Usen la voz pasiva para presentar el cuadro.

▶ La pintura *La familia presidencial* fue pintada por el colombiano Fernando Botero en 1967. Creemos que este cuadro muestra...

Actividad 14   La obra maestra   En grupos de tres, imagínense que han sido seleccionados para juzgar las obras de una exhibición de arte: "Arte latinoamericano: entre la realidad y la fantasía". Uds., los jueces, tienen que escoger la obra maestra de entre las diez mejores (las diez que aparecen en este capítulo). También tienen que justificar su selección, considerando aspectos como la calidad artística, la importancia del tema, la reacción del público, la originalidad. Elijan a un/a portavoz para informar al público (la clase) sobre su selección.

Cuaderno personal 9-2

El arte (música, literatura) muchas veces refleja una reacción a la sociedad y a los valores dominantes. ¿Crees que el arte pueda afectar o cambiar la sociedad? Explica por qué.

VIDEOFUENTES

¿Se menciona o se ve el impacto de algunas de las seis fuerzas culturales en las obras de la artista mexicana Elena Climent? ¿Se mencionan o se ven elementos fantásticos en sus obras?

FCG links: Discussing art (and literature); expressing influence, opinions, and reactions with the imperfect subjunctive

Lectura 3: Literatura

Actividad 15   Hablando de novelas   El cuento que vas a leer, "Continuidad de los parques", trata de un hombre que lee una novela. En parejas, háganse y contesten las siguientes preguntas sobre las novelas.

1. ¿Qué tipos de novelas te gustan más: amorosas, históricas, policíacas, de fantasía, de ciencia ficción?
2. ¿Cuál es una novela que has leído últimamente?
3. ¿Cuál es la trama (*plot*) de la novela?
4. ¿Quiénes son los protagonistas o los personajes (*characters*) principales?
5. ¿El autor supo describir o "dibujar" bien a los personajes? ¿Eran verosímiles?
6. ¿Fue más interesante la lectura del primer capítulo o del último capítulo? ¿Por qué?
7. ¿Dónde y cuándo leíste la novela? ¿Por qué la leíste?
8. ¿Te gustó la novela? ¿Se la recomendaste a alguien?

Activating background knowledge

Act. 15: Group students and set a time limit. During the check, elicit talk about novels with murders, lovers, and other elements that appear in the novel described in the story. Explore students' reasons for reading (or watching films), and explore comments that suggest a relation between reality and fiction. Use **dibujar** (as in the story) as a synonym of **describir**. Explore good locations for reading and the general impatience with which one reads the final chapters of a book.

Actividad 16   El principio del cuento   **Parte A:** En el cuento que van a leer, un hombre está terminando la lectura de una novela. Para comprender el cuento, es importante visualizar al personaje principal y su situación al principio del cuento. En parejas, miren el siguiente vocabulario y contesten las preguntas que aparecen a continuación.

Building vocabulary, Predicting

Act. 16A: Have students justify their predictions by referring to particular vocabulary items. Use **desgajar, rodear,** and **retener** in ways that reflect their use in the story.

desgajar	to pull away from, separate from
de espaldas a la puerta	with his/her back to the door
el estudio	study, library
la finca	farm; estate
el mayordomo	butler
el parque de los robles	oak grove
el respaldo del sillón	the back of the armchair
retener	to retain; to hold back
rodear	to surround
el sillón de terciopelo verde	green velvet armchair
los ventanales	large windows

1. ¿Qué imagen se forman Uds. al mirar la lista?
2. ¿Cómo es el hombre que lee la novela: rico, pobre, elegante, culto, joven, viejo?
3. ¿Dónde está el hombre?
4. ¿Qué relación pueden tener palabras como **rodear, desgajar** y **retener** con la lectura de una novela?

Parte B: Ahora lee la primera parte del cuento hasta la línea 26. Después, en parejas, respondan a las siguientes preguntas.

1. ¿Qué hace el hombre antes de entrar en su estudio?
2. ¿Qué acciones, objetos y elementos del cuento están representados en el dibujo que aparece al principio del cuento?

Act. 16B: Assign and discuss in class. After reading, have students label the accompanying drawing with every element mentioned in the reading. Option: Before and after reading, have students speculate on the significance of the title.

Skimming and scanning

Building vocabulary, Predicting

Act. 17A: Assign as HW and discuss in class. Let students associate vocabulary without expecting a full plot. Remind them that as they read they are confirming or rejecting these predictions. Follow up by having students tell you how many things they guessed right.

Actividad 17 **¿La trama de la novela?** **Parte A:** La segunda parte del cuento —que empieza en la línea 27— revela la trama y los personajes de la novela que está leyendo el hombre. En parejas, miren la siguiente lista y escriban tres oraciones que describan posibles eventos de la novela.

la alameda	tree-lined lane
el/la amante	lover
anochecer; al anochecer	to get dark; at nightfall (**noche**)
atardecer; al atardecer	to grow dim; at dusk, evening (**tarde**)
la cabaña	cabin
la caricia; acariciar	caress; to caress
la coartada	alibi
entibiar	to grow warm, tepid (**tibio**)
la escalera	stairway
ladrar	to bark
lastimado/a	hurt, injured
latir	to beat (*heart*)
el peldaño	step (*of a porch or stairs*)
el puñal	dagger
receloso/a	suspicious, apprehensive
rechazar	to reject

Skimming and scanning

Act. 17B: Assign as HW and discuss after reading in class. Encourage students to read (more than once) for the main events without looking up non-essential words.

Parte B: Ahora, lee individualmente la segunda parte del cuento para ver si algunas de las hipótesis son correctas. Intenta leer sin preocuparte por palabras desconocidas y sin buscar más palabras.

Julio Cortázar (1914–1984) fue uno de los autores más conocidos del "boom" de la literatura latinoamericana del siglo XX. Nació y pasó la primera parte de su vida en Argentina, especialmente Buenos Aires, y a partir de 1951 vivió en París. Toda la vida y toda la obra de Cortázar se caracterizaron por el rechazo de la realidad cotidiana, de las cosas normalmente aceptadas, de la injusticia social. Hoy día se reconoce como uno de los maestros del cuento fantástico latinoamericano. "Continuidad de los parques" salió en 1956 en su colección de cuentos Final de juego.

Continuidad de los parques
Julio Cortázar

Había empezado a leer la novela unos días antes. La abandonó por negocios urgentes, volvió a abrirla cuando regresaba en tren a la finca; se dejaba interesar lentamente por la trama, por el dibujo de los personajes. Esa tarde, después de escribir una carta a su apoderado y discutir con el
5 mayordomo una cuestión de aparcerías volvió al libro en la tranquilidad del estudio que miraba hacia el parque de los robles.

Arrellanado en su sillón favorito de espaldas a la puerta que lo hubiera molestado como una irritante posibili-
10 dad de intrusiones, dejó que su mano izquierda acariciara una y otra vez el terciopelo verde y se puso a leer los últi-mos capítulos. Su memoria retenía sin esfuerzo los nombres y las imágenes de
15 los protagonistas; la ilusión novelesca lo ganó casi en seguida. Gozaba del placer casi perverso de irse desgajando línea a línea de lo que lo rodeaba, y sentir a la vez que su cabeza descansaba cómoda-
20 mente en el terciopelo del alto respaldo, que los cigarrillos seguían al alcance de la mano, que más allá de los ventanales danzaba el aire del atardecer bajo los

robles. Palabra a palabra, absorbido por la sórdida disyuntiva de los héroes,
25 dejándose ir hacia las imágenes que se concertaban y adquirían color y movimiento, fue testigo del último encuentro en la cabaña del monte. Primero entraba la mujer, recelosa; ahora llegaba el amante, lastimada la cara por el chicotazo de una rama. Admirablemente restañaba ella la sangre con sus besos, pero él rechazaba las caricias, no había venido para repetir
30 las ceremonias de una pasión secreta, protegida por un mundo de hojas secas y senderos furtivos. El puñal se entibiaba contra su pecho, y debajo latía la libertad agazapada. Un diálogo anhelante corría por las páginas como un arroyo de serpientes, y se sentía que todo estaba decidido desde siempre. Hasta esas caricias que enredaban el cuerpo del amante como
35 queriendo retenerlo y disuadirlo, dibujaban abominablemente la figura de otro cuerpo que era necesario destruir. Nada había sido olvidado: coartadas, azares, posibles errores. A partir de esa hora cada instante tenía su empleo minuciosamente atribuido. El doble repaso despiadado se interrumpía apenas para que una mano acariciara una mejilla. Empezaba a anochecer.
40 Sin mirarse ya, atados rígidamente a la tarea que los esperaba, se sepa-raron en la puerta de la cabaña. Ella debía seguir por la senda que iba al norte. Desde la senda opuesta él se volvió un instante para verla correr con el pelo suelto. Corrió a su vez, parapetándose en los árboles y los setos, hasta distinguir en la bruma malva del crepúsculo la alameda que llevaba
45 a la casa. Los perros no debían ladrar, y no ladraron. El mayordomo no estaría a esa hora, y no estaba. Subió los tres peldaños del porche y entró. Desde la sangre galopando en sus oídos le llegaban las palabras de la mujer: primero una sala azul, después una galería, una escalera alfombrada. En lo alto, dos puertas. Nadie en la primera habitación, nadie en la segunda. La
50 puerta del salón, y entonces el puñal en la mano, la luz de los ventanales, el alto respaldo de un sillón de terciopelo verde, la cabeza del hombre en el sillón leyendo una novela.

For teaching purposes, it is useful to make a distinction between the "reality" of a "first part" and the "fiction" of a "second part," which can be said to begin with the sentence "Primero entraba…". However, Cortázar's intent was to question that distinction, and the physical "continuity" between the first and second parts in the format of this paragraph is key to blurring the distinction between "reality" and "fiction."

Dealing with different registers

Act. 18A: Assign and discuss in class. Make sure students associate these fragments with original sentence contexts.

Actividad 18 **El estilo literario** **Parte A:** Cortázar emplea un registro normal al principio y al final del cuento, pero emplea un registro muy literario en las secciones centrales del cuento. Vuelve a leer el cuento e indica cuáles de las descripciones en lengua cotidiana del segundo grupo (a–g) corresponden a las citas literarias del primer grupo (1–7). Indica también la línea del cuento donde aparece cada expresión citada del primer grupo.

1. _b_ ... dejándose ir hacia las imágenes que se concertaban y adquirían color y movimiento...

2. _g_ ... en la bruma malva del crepúsculo...

3. _d_ El puñal se entibiaba contra su pecho, y debajo latía la libertad agazapada.

4. _a_ ... más allá de los ventanales danzaba el aire del atardecer bajo los robles...

5. _e_ Un diálogo anhelante corría por las páginas como un arroyo de serpientes...

6. _c_ Admirablemente restañaba ella la sangre con sus besos...

7. _f_ ... atados rígidamente a la tarea que los esperaba...

a. se veía por las grandes ventanas que el aire se movía entre los árboles
b. pensando cada vez más en los personajes y las escenas bien descritos de la novela
c. detenía la sangre con sus besos
d. tenía el cuchillo en su chaqueta y pensaba en la libertad que les traería a él y a su amante la muerte del marido
e. los amantes hablaban rápida y ansiosamente del asesinato que habían planeado en secreto
f. pensando sólo en lo que tenían que hacer
g. en la niebla que al atardecer parecía de color violeta pálido

Act. 18B: Emphasize the use of long and complex sentences, metaphors, and uncommon or poetic words (e.g., **danzar** for **bailar**). Option: Do as a quick whole-class discussion with the check of Part A.

Parte B: En parejas, digan cuáles son las características del estilo literario que emplea el autor.

Actividad 19　Las imágenes del cuento　**Parte A:** Después de leer la segunda parte del cuento, que empieza en la línea 27, pon las siguientes imágenes en orden. Escribe un número (1–7) debajo de cada dibujo, indica las líneas exactas a las que corresponde cada imagen, y apunta dos o tres palabras que demuestran la relación.

Recognizing chronological order

Act. 19A: Assign and discuss in class. Answers: Top row: 6 (lines 43–46), 3 (line 31), 7 (lines 50–52); Bottom row: 1 (line 27), 5 (lines 40–42), 4 (lines 32–39), 2 (line 29). Option: In class, put students in groups of 2 or 3, and have each group draw on the blackboard or transparencies one scene from the story, and label their drawings with key vocabulary. Then read the story aloud and move from picture to picture asking yes/no questions as you do so to check student comprehension. When you get to the last scene, ask students to explain to you the significance of the **sillón de terciopelo verde.**

Parte B: En parejas, decidan cuál es la última escena del cuento y cuál es la última escena de la novela. ¿Qué importancia tiene esta escena?

Actividad 20　¿Ficción o realidad?　En parejas, contesten las siguientes preguntas sobre el significado del cuento.

1. ¿Qué significa el título? ¿Puedes pensar en otro título para el cuento?
2. ¿En qué momento del cuento te das cuenta de que pasa algo raro?
3. ¿Conoces otros cuentos, novelas o películas en los que se mezclen la realidad y la ficción?
4. ¿Qué quería Cortázar que pensáramos después de leer este cuento?
5. ¿En qué sentido es este cuento un ejemplo de literatura "latinoamericana"?

Act. 20: Assign pairs and set a time limit. Check by discussing with whole class. Item 2: Suggest that there is no one moment, but rather a gradual shifting, with only sudden realization. 3. Have students compare this story with the cult film *The Matrix.* 4. Use this question to encourage general interpretation of the story, as well as use of the imperfect subjunctive. 5. Be open to varying interpretations. The very fact that students can understand the story means that mixing fantasy with reality is not only Latin American. However, interest in **lo fantástico** may have been stronger earlier in Latin America than in the U.S.

Cuaderno personal 9-3

¿En tu vida hay o ha habido momentos en los que la realidad parece ficción, o la ficción parece realidad? ¿Cuándo?

Redacción: Ensayo

ESTRATEGIA DE REDACCIÓN

This **Redacción** begins a series of four in Chapters 9–12 that focus on rhetorical strategies appropriate for academic writing. It is a good opportunity to practice process writing. Have students review this strategy in subsequent chapters. See the Instructor's Guide for further suggestions.

Have students begin work on their **proyecto de arte** soon after beginning the chapter to allow time for research and peer editing. If you include oral presentations, plan extra days and start students working on their project before beginning Chapter 9. If time is limited, have pairs or groups identify and discuss a work, and then write individual analyses without researching information.

Writing an Essay

In this and following chapters, you will have the opportunity to practice writing different types of essays. An essay usually consists of three or more paragraphs, in which you present, develop, and defend your ideas on a particular topic. The essay is normally structured into three main parts: an introduction, in which you present the topic, explain its importance, and give a thesis—a clear and concise explanation of the main idea; the body, in which you develop the thesis and provide specific evidence to support it; and a conclusion, in which you summarize main points and consider possible further implications.

Several strategies are often employed by effective writers to develop the body of their essay. Examples and definitions of unfamiliar terms can help your reader follow your ideas. Descriptions of people, places, or particular elements may also be appropriate, and sometimes the narration of a short anecdote or event can help to support your thesis. You may also choose to break certain ideas down into their component parts, compare and contrast elements or ideas, look for causes and effects, or argue for a particular course of action. Any of these strategies can also serve as the organizational backbone of an essay. For example, in describing a work of art you may briefly describe and analyze its different elements, or you may compare and contrast similar but different works of art.

Points to consider while composing your essay:

- Keep your audience in mind when writing, whether your instructor, classmates, or some other group. How will they react to what you are saying? Is your style appropriate to them? What objections will they present to what you say?

- Keep your thesis in mind. Is discussion in the body pertinent to the thesis?

Option 1: Have students brainstorm titles for **Lectura 1,** and then evaluate the suggested titles for originality, clarity, or effectiveness. Option 2: Have students brainstorm possible thesis statements for essays about artworks presented in Chapter 9.

- Make up a title. It can be either informative or imaginative, but it must reflect the main idea of the essay. In any case, it should pique the reader's curiosity.

- Keep in mind a working title. It will help keep you on track, but change it if your ideas change.

ESTRATEGIA DE REDACCIÓN

Analyzing

Analysis is a way of thinking and organizing that requires the division of something into its component parts or aspects. The study of the parts may allow better understanding of a complex whole.

Nearly anything can be analyzed: the structure of an atom, a human being, a work of art or a short story. First you must decide the parts, elements, or aspects to which the object of analysis can be reduced. Then you must describe the parts and look for relationships between them, allowing your own insights and other information to guide you. For example, key elements of a short story would include the protagonist, the narrator, the setting, etc. Analysis often leads to classification, or the grouping of specific parts or aspects into new categories. For example, **Lectura 2** includes a breakdown of certain cultural influences or forces on the development of visual art in Latin America.

You can use the results of your analysis as the basis of organization of an essay. In a short essay you will have to isolate the most important elements and limit discussion to how they lead to a clearer understanding of the object under study.

Actividad 21 El análisis de una obra de arte Parte A: Para poder escribir un ensayo sobre una obra de arte, es necesario analizarla para llegar a una comprensión profunda de la obra. En parejas, miren el cuadro de Frida Kahlo que aparece al principio del capítulo y consideren los siguientes aspectos. Traten de describir cada uno.

1. FORMA: ¿Qué tipo de obra es: pintura, dibujo, mural, collage, fotografía, escultura?

2. ESTILO: ¿La obra se parece a otras obras que conoces o es completamente diferente? ¿La obra pertenece a un estilo histórico como el surrealismo o rechaza cualquier estilo convencional? ¿Cuáles son los rasgos clave de ese estilo?

3. CONTEXTO HISTÓRICO: ¿Cuándo y dónde fue creada la obra? ¿Qué relación puede existir entre la obra y el contexto geográfico, histórico, político, social y/o cultural de su producción?

4. ARTISTA: ¿Quién es el/la artista? ¿Conoces otras obras de este/a artista? ¿Qué sabes o puedes descubrir sobre él/ella? Busca una biografía. ¿Cómo influye la biografía del/de la artista en tu interpretación de la obra?

5. ELEMENTOS Y COMPOSICIÓN: ¿Cuáles son los elementos importantes? ¿Cómo son y qué importancia tienen las formas, los colores, la luz, el espacio? ¿Hay variedad, contrastes o unidad de diseño? ¿Hay equilibrio y simetría o una distribución asimétrica? ¿Qué implicaciones tienen estas características para la interpretación de la obra?

6. CONTENIDO: ¿Qué símbolos hay? ¿Qué quería comunicar el/la artista por medio de estos símbolos y este cuadro?

7. EVALUACIÓN PERSONAL: ¿Cómo te sientes al contemplar esta obra? ¿Qué reacciones o recuerdos personales evoca en ti la obra? ¿Te identificas con el/la artista? ¿Te gustaría tener esta obra en tu casa para poder verla todos los días? ¿Aprecias la obra más o menos después de haberla estudiado?

Analyzing a work of art

Act. 21: Assign and discuss in class. Point out that only some questions will be relevant to this particular work of art. Option 1: Assign different works of art from the chapter to different groups and have them answer as many questions as possible. Option 2: Give students the option of studying and writing about a poem by a Hispanic author. This will lead to similar discussion of symbols and metaphors.

Focusing on a topic, Gathering information

Act. 22A: Assign and discuss in class. To avoid repetition, ask students to use the Internet to find the name of one Hispanic artist they did not know before.

Act. 22B: Encourage students to visit the *Fuentes* website for useful links to online museums and artist pages. Encourage them to choose artists and works about which significant information is available: Picasso, Dalí, Miró, Goya, Velázquez, Kahlo, Rivera, Orozco, Siqueiros, Botero, Remedios Varo.

Option: To develop Hispanic cultural literacy, limit choices to world famous pieces, such as Picasso's *Guernica*, Velázquez's *Las meninas*, etc.

Writing an analytical essay

Act. 22C: Have students print web pages or photocopy print sources. Option: Require at least two sources in Spanish. You can collect them with the first version of their papers. You can also require that they include and comment on a brief quote taken from one of these sources (this discourages copying of articles off the Internet).

Act. 22D: Have students discuss their works and interpretations with peers, in or out of class. Option: Have them research in pairs, but write individually. This will encourage discussion and questioning.

Act. 23A: Assign and specify requirements. Option: Before assigning, prepare and hand out positive and negative examples of introductions, conclusions, and titles for this or similar topics. As pre-writing, have students discuss which of each is better and why.

Act. 23B: You may also expand tasks for peer feedback to include one or two grammar points currently under study.

Act. 23C: Option: Have students deliver oral presentations on their works of art. To save time, limit presentations to 5 minutes, and have pairs of students present on the same work (this procedure reduces the number of presentations by half and saves classtime).

Actividad 22   Una obra de arte   Vas a escribir un ensayo analítico sobre una obra de arte. Antes de escribir, debes escoger una obra específica y hacer investigación.

Parte A: Con toda la clase, haz una lista de artistas hispanos cuyas obras se pueden estudiar en un ensayo.

Parte B: Fuera de clase, haz investigación en Internet para encontrar una obra de uno de estos artistas. Decide qué obra quieres estudiar.

Parte C: Busca información detallada sobre la obra de arte en enciclopedias, revistas, libros o en Internet. Toma apuntes de la información artística o biográfica que te pueda ayudar en la interpretación de la obra.

Parte D: Determina qué aspectos de la obra y su historia son más importantes para su interpretación, y decide también qué aspectos no hay que comentar. Formula una interpretación general de la obra basada en tu análisis de los detalles de la obra y su historia.

Actividad 23   A escribir   **Parte A:** Escribe el primer borrador del ensayo, basándote en tus decisiones de la Actividad 22. Incluye expresiones de transición y asegúrate de incluir lo siguiente:

- un título interesante que presente o se refiera al tema del ensayo y despierte la curiosidad en los lectores
- una introducción que identifique la obra y que declare tu tesis o interpretación general de la obra
- una discusión de los detalles y símbolos que justifiquen tu interpretación
- una conclusión que resuma tu perspectiva de la relación entre los detalles y tu interpretación general de la obra

Parte B: Ahora, en parejas, intercambien los ensayos. Dense consejos sobre el contenido e interés del título, la introducción, el cuerpo y la conclusión.

Parte C: Individualmente, escriban la segunda versión pulida, incorporando los cambios recomendados en la Parte B y revisando para asegurarse de que haya:

- organización clara
- transiciones buenas y claras
- gramática y ortografía correctas
- vocabulario apropiado

Capítulo 10

Lo femenino y lo masculino

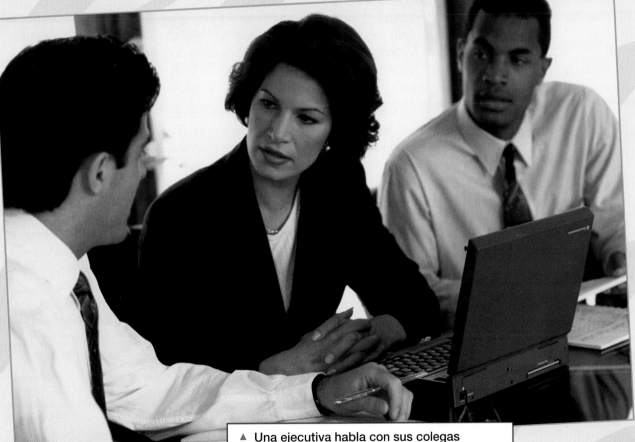

▲ Una ejecutiva habla con sus colegas durante una reunión de negocios en Caracas, Venezuela.

See the *Fuentes* website for related links and activities: http://college.hmco.com/languages/spanish/students

Ask students: **¿Son completamente iguales la mujer y los dos hombres?** Point out that **iguales** can mean equal or the same. Students can only speculate, but they can note that the colleagues appear to be of equal status, even though there are very clear differences in dress. Ask if these differences might imply inequality.

Activating background knowledge

Act. 1: Encourage students to brainstorm. Emphasize that biological distinctions between male and female and cultural distinctions between feminine and masculine can be separated. Point out that biological factors are universal, whereas cultural factors vary.

Actividad 1 **¿Lo femenino y lo masculino?** En grupos de tres, respondan a las siguientes preguntas que tratan de las categorías "femenino" y "masculino".

- ¿Son diferentes los hombres y las mujeres? ¿En qué sentido?
- ¿Existen las mismas diferencias en todas las culturas?
- Si son diferentes, ¿a qué factores o causas se deben las diferencias?

Lectura 1: Un ensayo

FCG links: Discussing societal issues, future and conditional tenses

Activating background knowledge

Act. 2: Assign and discuss in class. Stress that **-a** is *not* a categorical marker of feminine gender, though it is often associated with it. You may want to point out that use of **el** with feminine nouns beginning with stressed **a-** (rule G) is a relic of the old article **ela,** which normally evolved into **la,** but with elision of **-a** by the following **a-** gives **el: ela agua → el agua.**

Actividad 2 **Las palabras y el género** En el siguiente ensayo, "El idioma español y lo femenino", la autora critica el uso del género en español. Después de leer la información del cuadro, aplica las reglas a la lista de palabras que se da a continuación. Determina el género, el artículo y la regla pertinente para cada palabra. Si es necesario, mira el diccionario o el glosario.

A	En general, las palabras que terminan en **-a** son de género femenino y las que terminan en **-o** son de género masculino.	la casa, el perro
B	Las palabras que terminan en consonante o en **-e** pueden ser de género masculino o femenino.	el papel, la luz, el puente, la gente
C	Algunas palabras simplemente conservan el género original del latín.	el día, la mano
D	Algunas palabras abreviadas conservan el género original.	la moto(cicleta), la foto(grafía)
E	Las palabras griegas terminadas en **-ma**, **-ta** tienen género masculino en español.	el idioma, el planeta
F	Las palabras con el sufijo **-ista** son masculinas o femeninas.	el/la pianista, los/las comunistas
G	Las palabras que empiezan con **(h)a** acentuada, aunque sean femeninas, van precedidas del artículo **el** o **un** cuando aparecen en forma singular.	el agua pura, un águila negra

Hoy día se suele usar **poeta** para referirse a hombres y mujeres. Antes las mujeres eran **poetisas,** pero **poetisa** adquirió una connotación negativa ya que los hombres poetas consideraban a las mujeres poetas como inferiores.

alma	violinista	problema	fuente
ansia	artista	poema	puente
ave	orden	sistema	clase
arena	árbol	poeta	bici

Actividad 3 **¿Cuál es la palabra?** Las palabras en negrita aparecen en la lectura sobre el idioma y lo femenino. Después de estudiarlas, úsalas en las oraciones que les siguen.

Guessing meaning from context

Act. 3: Assign and discuss in class, or provide answers so that student can self-check.

el afán	el deseo
la cacofonía	palabras que juntas suenan mal
escamotear	hacer desaparecer; robar
espigar	tomar, recoger
el estado civil	condición de soltero o casado
el giro	la forma de expresión
hechizo/a	artificial
trasvasijar	pasar de un recipiente a otro
el varón	el hombre

1. Ella lo hizo con el _____afán_____ de ayudarme.
2. Bill habla bien el español pero no entiende muchos de los _____giros_____ diferentes del idioma.
3. Las mujeres españolas no cambian de apellido cuando cambian de _____estado civil_____ .
4. En todos los formularios hay que indicar el sexo: _____varón_____ o mujer.
5. La excesiva repetición del sonido "p" en "Pérez pide plata para pobres" crea _____cacofonía_____ .
6. A mí no me llaman la atención las cosas _____hechizas_____ ; prefiero las cosas reales y auténticas.
7. Las personas muy finas prefieren _____trasvasijar_____ el vino a un recipiente de cristal fino antes de tomarlo.
8. Yo he _____espigado_____ muchos datos en estos libros.
9. La niña _____escamoteó_____ todos los dulces que había en la mesa.

Option: For some items, you might want to confirm comprehension by asking for approximate equivalents in English.

Actividad 4 **El sexismo en el lenguaje** La cuestión del sexismo en el lenguaje se ha discutido mucho en los Estados Unidos. En parejas, respondan a las siguientes preguntas.

- ¿Cuáles son algunos de los cambios que se han aceptado en inglés? Den ejemplos.
- ¿Creen que estos cambios han mejorado la situación de las mujeres norteamericanas? ¿Por qué?
- En su opinión, ¿existen problemas parecidos en español? Den ejemplos.

Activating background knowledge

Act. 4: Can be assigned. English examples: *chairman → chairman/ chairwoman → chairperson → chair, Each student must provide his/her own books; He/she (s/he) will also . . .* Lead into ironic/playful tone of article by providing this example: **79.999 mujeres en un estadio y un hombre: ¿ellas o ellos?**

ESTRATEGIA DE LECTURA

Identifying Tone

The tone of a text reveals the author's attitude toward the topic, and it is also used to influence readers' reaction to a text. Tone is expressed through word choice and content, and can reveal feelings or judgments such as sincerity, joy, praise, hope, anger, shame, regret, bitterness, criticism, humor, and irony. Identifying the tone or tones of a text allows you to interpret it more fully.

Active reading, Identifying tone

Act. 5: Assign and discuss in class. Emphasize that the students should read to capture the general idea and that this includes identifying the tone or tones of the reading; they do not need to understand every detail.

Actividad 5   Sutilezas Ahora lee individualmente el ensayo para comprender las ideas básicas. Mientras lees, decide:

- si los problemas comentados existen sólo en español o si afectan al inglés también
- si la autora escribe con tono triste, enojado, sincero y/o irónico
- si el tono afecta el significado del ensayo o tu reacción al ensayo

Some problems are shared; compare English use of generic *man*, Mr./Mrs./Miss/Ms., negative connotation of *poetess*. Tone varies according to the section, and can be described as **juguetón**, **(ligeramente) irónico** (see the last line), **crítico**, and/or **serio/sincero**.

El idioma español y lo femenino

Teresa de Jesús

El idioma español se estructura a partir de una gramática compleja que ostenta sus irregularidades no con el afán de complicar su acceso, sin duda, sino con el propósito de hacer sus giros más interesantes.

El idioma especializó sus partes como un cuerpo especializa las suyas. Así, el verbo es la acción, el sustantivo la cosa, etc. Y el género juega un rol importante. Dos géneros solamente: masculino y femenino para que no haya mucho donde perderse. Pero se perdió el idioma, en detrimento de lo femenino las más de las veces.

En ocasiones quiso echar pie atrás y se enredó, para empezar, en su propia denominación que, aún siendo femenina, se dice "el idioma" en lugar de "la idioma".

Pero esto es sólo el principio de una larga lista de caprichos idiomáticos. El sinónimo de humanidad, por ejemplo, es "el hombre" con lo cual se margina a la mujer.

Cuando hablamos de grupos de personas decimos hijos, alumnos, empleados, amigos, etc. para luego entrar a especificar si se trata de grupos mixtos o no. En las reuniones tendemos a ocupar el masculino aunque éstas sean puramente femeninas. Y aún más, si en un conglomerado femenino hay aunque sea sólo un hombre, nos sentimos forzadas a hablar en masculino: nosotros todos somos cuerdos, claros, precisos, justos, etc., pero si quien habla no se percata de la presencia del varón y dice nosotras todas somos cuerdas, claras, precisas, justas... él protesta y las mujeres acogen su reclamo sin chistar.

Cuando las mujeres cambian de estado civil, pasan de señoritas a señoras para volver a señoritas si hay separación o divorcio. La viuda sigue siendo señora, como dependiendo aún del esposo muerto. El hombre será "don" o "señor" desde su juventud hasta la muerte.

La idioma — perdón, el idioma — espigó en el lote femenino y entregó una buena gavilla a lo masculino. Por eso, se dice el rentista, el conferencista, el modista, el violinista, el financista, el oficinista, el artista, etc.

En la misma línea, esta vez aduciendo la intención de evitar cacofonías, fueron pasadas al otro equipo las palabras agua, ansia, asma, alma, anca, águila, asta, etc. Se escaparon de tan singular trasvasije los vocablos harina, arena, angustia, admiración, agonía, arista, azucena, amatista, abuela, ameba, etc.

También se trasvasijaron los términos problema, planeta, cometa, mapa, sistema, anatema, teorema, esquema, anacoreta, edema, enema, etc.

Pero donde se le pasó la mano al idioma fue con los poetas; a ellos les adjudicó el femenino anteponiendo el artículo masculino y a ellas, que tienen el más absoluto e irrefutable derecho al título, las relegó a una suerte de cosa hechiza, como de segunda mano, y las llamó "poetisas".

Yo propongo, para ir allanando el camino de la valoración de lo femenino en el lenguaje, una reformulación de éste en los siguientes términos:

Primero: Que se cree un tercer género gramatical para ser aplicado cuando los grupos de cosas, entes o personas a los que se refiera el hablante estén constituidos por ambos géneros. Que este tercer género se denomine "mixto" y termine en "e". Ejemplo:

Todos iremos al río
Todas iremos al río
Todes iremos al río

Que se modifiquen asimismo los pronombres personales, sustantivos y adjetivos correspondientes. Ejemplo:

Nosotros - nosotras - nosotres
Los hijos - las hijas - les hijes
Contentos - contentas - contentes, etc.

Segundo: Que se cambie por "o" la "a" final en los vocablos terminados en "ista" cuando éstos se refieran a varones. Ejemplo: artisto, aliancisto, oficinisto, dentisto, optimisto, socialisto, etc.

Tercero: Que con los vocablos femeninos como idioma, aroma, etc., se usen los artículos correspondientes a su género y se diga la idioma, la aroma, etc.

Cuarto: Que para las mujeres se use el trato de señorita hasta los 15 años más o menos, y señora después de esa edad, independientemente de su estado civil (ejemplo de Francia).

Quinto: Que con los vocablos femeninos comenzados en "a" se use el artículo correspondiente a su género, a pesar de la cacofonía resultante. Ejemplo: la agua, la alma, la ansia, etc.

Sexto: Que con los vocablos femeninos en general se use el artículo correspondiente a su género y se diga la mapa, la problema, la sistema, etc.

Séptimo: Que se denominen poetos y poetas respectivamente a los varones y mujeres que ejerzan el oficio con propiedad y nobleza, y poetisos y poetisas a aquéllos que lo hagan con pobreza de inspiración, estilo o lenguaje.

Octavo: Que quede abierto este articulado para les estudioses que deseen hacer otros aportes, sean elles (les estudioses) maestres, escritores, poetes, etc.

Como los idiomas son vivos, el nuestro resistirá la operación y sin duda saldrá de ella airoso y ganancioso, más racional, más justo y más armonioso.

Leamos, pues, un párrafo modificado según esta propuesta: "Lo que me preocupa como marino y especialisto de la sistema acuática mundial es que resulta cada día más difícil aislar los productos industrialos nocivos de la sistema de la agua. Esta misma agua que bebemos y sin la cual no podríamos vivir…" (Jacques Cousteau, Rueda de Prensa, París, enero 1977).

O bien: "Les niñes salían con amigues los domingos. Flaques y débiles, no tenían buen aspecto, pero cuando regresaban, alegres y optimistes, llenaban las calles con sus risas. Sólo un niño nunca estaba alegro, por el contrario permanecía tristo todo el tiempo. La problema con él era la mala sistema de estudio pues su profesoro lo exigía demasiado con las mapas y las esquemas".

P.D. Les devolvemos la mano, perdón, el mano a los varones.

Teresa de Jesús es el seudónimo de la poeta chilena Teresa Pérez.

▲ Lengua, pensamiento, comportamiento: ¿Cuál es la relación?

Act. 6: Assign and discuss in class. Option 1: Follow up by having students comment on the sample paragraphs and then convert them into standard Spanish. Option 2: Have students use the future or conditional to imagine the possible effects of the changes proposed by Teresa de Jesús: **Si se implementaran los cambios sugeridos, la gramática sería más sencilla.**

Actividad 6   Ideas equivocadas   Las siguientes oraciones se refieren a las ideas importantes de la lectura. Sin embargo, cada oración contiene información equivocada. Para cada una, identifica el problema y corrígela.

1. El idioma es como una máquina y los hombres lo diseñaron para marginar a las mujeres.
2. En una reunión, se usan formas masculinas si hay más hombres y formas femeninas si hay más mujeres.
3. El trato de cortesía para los hombres pasa de señorito para los solteros a señor o don para los casados.
4. El término poetisa significa exactamente lo mismo que poeta.
5. La autora propone la eliminación de los géneros del castellano para que se parezca más al inglés.
6. La autora propone que todas las palabras terminen en **-e.**
7. La autora propone que los mejores poetas reciban el nombre de poetiso/a.

Act. 7: Have students decide if similar cases exist in English. 2. Point out that the second surname is that of the maternal grandfather. 4. Elicit what each word suggests for students. Point out that in German the relationship is exactly opposite, *sun* is feminine and *moon* is masculine. Clarify that there is no general agreement on the potential impact of language on thought: a person could continue to use these forms and be quite non-sexist, or use non-sexist language but retain sexist attitudes.

Actividad 7   ¿Sexismo en el lenguaje?   En parejas, discutan su opinión de los siguientes casos lingüísticos. ¿Pueden afectar negativamente la actitud o forma de pensar de una persona? ¿De qué manera? ¿Se debería cambiar alguno para evitar posibles efectos negativos?

1. Una mujer suele referirse a su esposo como "mi marido" y un hombre a su esposa como "mi mujer".
2. En algunos países como España, la mujer que se casa no cambia de apellido y sigue usando como primer apellido el de su padre y como segundo el de su madre.
3. La expresión "el hombre" se usa para referirse a la humanidad, que incluye tanto varones como mujeres.
4. El género gramatical de la palabra **sol** es masculino y el de **luna** es femenino.

Act. 8: Before starting group work, brainstorm examples of recent changes in English or Spanish that are supposed to reduce sexism and discrimination.

Actividad 8   El idioma y las ideas   Los argumentos de Teresa de Jesús y otras feministas se basan en la idea de que el idioma puede influir en nuestra manera de pensar. En grupos de tres, comenten las siguientes preguntas y justifiquen sus reacciones.

1. ¿Sería buena idea implementar los cambios sugeridos por Teresa de Jesús?
2. ¿Sería mejor simplemente eliminar el género como categoría en español?
3. ¿Creen que la gente de habla española aceptará estos cambios si se implementan?

Cuaderno personal 10-1

¿Desaparecerá el lenguaje sexista en el futuro?
¿Por qué sí o no?

Lectura 2: Panorama cultural

FCG links: Discussing societal issues, expressing past probability with the conditional, expressing hypotheticals with **si** clauses

Actividad 9   Términos necesarios Estudia la siguiente lista de vocabulario de la lectura y luego completa las oraciones con las palabras y expresiones adecuadas. Adapta las formas al contexto de cada oración.

Building vocabulary

Act. 9: Assign and discuss in class, or provide answers so that students can self-check.

abnegado/a	self-sacrificing
alejar	to distance, to keep away from
el cargo	important position
cariñoso/a	loving, affectionate
cuidar (de)	to take care of, to look after
desafiar	to challenge; to defy
luchar	to struggle, to fight for
negar	to deny
la reclusión	seclusion
sumiso/a	submissive
superar	to overcome; to outnumber

1. El padre de José Luis era un hombre _____abnegado_____: estaba dispuesto a hacer cualquier cosa para que sus hijos fueran felices.

2. Paco y Eugenia nunca han tenido mucho éxito profesional, a lo mejor porque son demasiado _____sumisos_____ y por eso nadie les hace caso.

3. El matrimonio Ramos era muy tradicional: el Sr. Ramos trabajaba y mantenía la familia, mientras que la Sra. Ramos _____cuidaba (de)_____ la casa y de sus hijos.

4. ¡_____Cariñosa_____ no es! Es una de las personas más frías que jamás he conocido.

5. Mercedes siempre _____desafía_____ las normas tradicionales de conducta femenina: no usa maquillaje, nunca lleva falda y se niega a cocinar.

6. Las dos trabajan en el mismo lugar, pero Carmen es recepcionista mientras que Gloria ocupa un _____cargo_____ alto en la empresa.

7. El padre trabajaba mucho ya que _____luchaba_____ por ganar cada vez más dinero, pero su ausencia lo _____alejó_____ de su mujer y de sus hijos.

8. La mayoría de los países democráticos le _____negó_____ el voto a la mujer hasta el siglo XX.

9. La familia Estrada es rarísima; no hablan con nadie y viven en una _____reclusión_____ casi total.

10. En el mundo político y comercial, el número de hombres que ocupan altos cargos suele _____superar_____ al número de mujeres.

Actividad 10 Machismo y feminismo   La siguiente lectura discute el machismo y otras ideas relacionadas con las sociedades hispanas.

Parte A: En grupos de tres, respondan a las siguientes preguntas.

1. En las culturas tradicionales ha habido siempre una diferencia entre las responsabilidades del hombre y de la mujer. ¿Qué diferencias ha habido? ¿Por qué?
2. ¿Qué es el machismo? ¿Hay ejemplos de machismo en la sociedad de su país? ¿Qué implicaciones tiene el machismo para las mujeres?
3. ¿Qué es el feminismo? ¿Uds. se consideran feministas? ¿Por qué sí o no?

Parte B: Mientras lees, subraya o apunta la idea general de cada párrafo.

Hombre y mujer en el mundo hispano contemporáneo

¿Es posible la verdadera igualdad entre las mujeres y los hombres? Este es un tema particularmente candente en el mundo hispano, donde la tradición ha enfatizado las diferencias entre hombre y mujer. En toda sociedad tradicional se tiende a asociar a la mujer con la casa y la
5   vida privada, mientras que se asocia al hombre con la vida pública y los aspectos políticos, económicos y militares. Sin embargo, las culturas hispanas se han diferenciado de otras culturas, especialmente las del norte de Europa, por cierta polarización de los papeles ideales del hombre y de la mujer.

El legado del marianismo y el machismo

10   Las raíces de estas diferencias se pueden encontrar en la historia de España y sus dos grandes religiones, el islam y el cristianismo católico. El islam fue la religión de los moros, quienes estuvieron en España durante casi ocho siglos. Como seguidores del islam, los moros llevaron a España costumbres que requerían la segregación de los sexos, la reclusión de la
15   mujer y la negación de cualquier rol público para la mujer. Ciertos aspectos de estas tradiciones sobrevivieron en la España cristiana, y más que en otros países europeos, las mujeres debían permanecer detrás de las rejas y paredes del hogar.

        La herencia árabe poco a poco se fue mezclando con el marianismo,
20   el culto cristiano a la Virgen María como imagen de la mujer perfecta, y se fue formando así un nuevo conjunto de ideales de conducta femenina. La mujer que emulaba a la Virgen creía que su meta en la vida era aceptar su situación y su destino. Como buena mujer, tenía que proteger su virginidad y los valores morales de la sociedad; como buena esposa, tenía

◀ Un escaparate de abanicos. Además de su evidente función práctica, en la cultura española los abanicos también tenían funciones sociales: las mujeres los usaban para taparse el rostro y, por medio de un código especial, para comunicar mensajes a los hombres.

25 que cuidar de la casa y las necesidades del marido y
aceptar sus decisiones; como buena madre, tenía que
cuidar a sus hijos y sacrificarse por ellos. En suma,
ser "buena" significaba ser pura, sumisa, paciente y
abnegada.

30   Las normas de conducta femenina tenían su
complemento masculino en lo que se llama actualmente "machismo". El hombre debía ser fuerte,
dominante, independiente y, a menudo, rebelde.
Tenía la responsabilidad de mantener y proteger a
35 la familia por medio de sus actividades en la vida
pública. Asimismo, debía proteger su honor y el de
su familia contra las ofensas de los demás.

     Los dos modelos de conducta tuvieron un gran
impacto en la vida de los habitantes de España e
40 Hispanoamérica. Los dos se complementaban y
proporcionaban ciertos beneficios tanto para los
hombres como para las mujeres. Al hombre le daban
mayor autoridad y libertad, a la vez que lo obligaban
a ser responsable y cortés y a tratar a las mujeres con
45 respeto. A la mujer le daban un sentido de superioridad y autoridad moral dentro de la familia. De hecho, son
muchos los ejemplos de mujeres matriarcas en las grandes
familias hispanas.

     A su vez, la polarización entre lo masculino y lo
50 femenino presentaba desventajas. Aunque el machismo,
por su parte, tendía a alejar emocionalmente al padre de
sus hijos, las grandes desventajas de este doble sistema
afectaban mayormente a las mujeres, quienes no tenían
control sobre su vida: legalmente, se consideraban
55 menores de edad, dependientes del padre o el marido;
hasta el siglo XX, se les negaba la educación y el voto; y sólo podían salir
de casa si iban acompañadas. La rigidez con la que la sociedad juzgaba a la
mujer hacía cualquier transgresión casi imposible: la mujer o era pura y
buena o pasaba a ser una "perdida". Por consiguiente, los hombres sólo
60 estaban obligados a proteger a las mujeres de su propia familia mientras que
a las demás las veían a menudo como meros objetos sexuales.

     En la actualidad, estas ideas polarizadas no han desaparecido total-
mente. Sus manifestaciones son numerosas, dejando mucha libertad para
el hombre y una vida más restringida para la mujer. Por lo general, se
65 sigue apreciando al hombre fuerte, independiente y protector, alabando su
hombría, aunque se usa el término "machista" con connotación negativa
para criticar al hombre que abusa de sus privilegios. Igualmente, todavía se
sigue viendo el cuidado del hogar y la familia como la responsabilidad de
la mujer, incluso cuando trabaja fuera de casa. Sin embargo, también es
70 verdad que hoy en día se va perdiendo la aceptación de estas limitaciones
y se va abriendo paso a cambios radicales.

Nuevas ideas, nuevas acciones

La ruptura del sistema de valores tradicionales se debe a varias causas.
En primer lugar, han llegado las ideas feministas de Europa y los Estados

▲ Mireya Moscoso, presidenta de
Panamá de 1999 a 2004 y la
tercera mujer latinoamericana
que ha servido como jefe de
gobierno de su país. Aunque
resultó ser una figura contro-
vertida, su eleccíon representó
un avance importante para las
mujeres latinoamericanas.

hombría = *manliness.* El término
suele tener una connotación
positiva.

En la España actual, económica y culturalmente integrada a la Unión Europea, las mujeres ocupan una posición semejante a la de las mujeres del resto de Europa y los Estados Unidos. España ha servido como un modelo para las feministas latinoamericanas.

En Latinoamérica, las mujeres de clase media y alta disfrutan de más tiempo porque suelen tener empleadas domésticas de clase obrera que limpian la casa y cuidan a los hijos.

Unidos, sobre todo desde los años 70 y 80, cuando las feministas lucharon
75 por sus derechos y se unieron en contra de las dictaduras de la época y a favor de la democracia. En Hispanoamérica, la influencia de las ideas feministas ha sido mayor entre las mujeres de las clases media y alta: éstas pueden estudiar y adoptar ideas progresistas y suelen disfrutar de más tiempo para desarrollarse profesionalmente. Por tanto, no es raro encontrar
80 mujeres que ocupen altos cargos en el gobierno y los negocios.

Las mujeres pobres y las de clase obrera no han adoptado necesariamente el feminismo de la clase media, pero todas han tenido que luchar con una difícil situación económica. Muchas de éstas salen a trabajar por necesidad, puesto que o no tienen marido o éste no gana lo suficiente
85 para mantener solo a la familia. Las mujeres pobres tienden a cuestionar menos los valores tradicionales y suelen aceptar el cuidado de la familia como su mayor responsabilidad; pero para cumplir con este deber, tienen que desafiar los límites tradicionales trabajando fuera de casa y participando en la vida pública. En otro plano, la preocupación tradicional de
90 las mujeres hispanas por el bienestar de su familia las ha llevado a la protesta política. Por ejemplo, en Chile, una coalición de mujeres de diferentes clases sociales y perspectivas políticas organizó protestas contra la dictadura de Pinochet (1973–1989). De manera semejante, las Madres y Abuelas de Plaza de Mayo, quienes protestaron contra la dic-
95 tadura militar de Argentina, tuvieron éxito gracias a la autoridad moral que tenían como madres.

La combinación de ideas feministas y necesidades económicas ha alterado la posición de la mujer en todas partes de Hispanoamérica. Colombia es uno de los países donde han ocurrido los cambios más radicales; hoy en día
100 se cuenta entre las naciones latinoamericanas donde más mujeres trabajan, y el número de mujeres que terminan los estudios universitarios supera al de los hombres. Por otro lado, muchas mujeres pobres han podido abrir sus propios negocios gracias a la intervención de un organismo internacional llamado Acción International, que ofrece programas de educación y ayuda
105 para la obtención de préstamos para pequeños negocios. Según dirigentes del programa, no son los hombres sino las mujeres, encargadas del bienestar de sus familias, quienes más asisten a las clases, aprenden a llevar un
110 negocio y reciben los préstamos.

A través del panorama social latinoamericano actual, la presión combinada de mujeres y un número

The name of this organization intentionally mixes Spanish **Acción** with English *International*.

▶ Un cartel del Instituto de la Mujer del Distrito Federal (México), que anuncia una campaña por la igualdad de los sexos dentro de la familia.

creciente de hombres está llevando al cambio de las normas sociales y
115 legales. En las últimas décadas, se ha legalizado el divorcio y se han
aprobado nuevas leyes castigando la violencia contra las mujeres en casi
todos los países hispanoamericanos. Además, con la vuelta general a la
democracia de los años 80 y 90, se han establecido oficinas y ministerios
gubernamentales "de la mujer", que sirven para facilitar la cooperación
120 entre grupos feministas, organizar programas de ayuda para mujeres pobres
y fomentar cambios sociales y políticos que favorecen la igualdad de los
sexos. Uno de los cambios políticos más importantes ha sido el establecimiento de cuotas de mujeres en los partidos políticos. En los años 90 se
observó que sólo un 10% de los candidatos políticos de las naciones his-
125 panoamericanas eran mujeres. Ahora existen nuevas leyes que especifican
que un porcentaje mínimo de los candidatos de cada partido tienen que ser
candidatas: la cuota mínima de mujeres alcanza el 30% en Argentina,
Bolivia, México y Panamá, e incluso el 40% en Costa Rica.

Es difícil generalizar sobre el papel actual de los sexos en las culturas
130 hispanas ya que en gran parte depende del país, de la clase social y de las
propias creencias del individuo. Lo que sí se puede afirmar es que la mujer
de hoy tiene oportunidades que su madre nunca tuvo. La familia y los papeles tradicionales de mujer y hombre siguen teniendo una resonancia fuerte
pero parece seguro que en los años venideros, será cada vez más normal ver
135 a las mujeres participando plenamente en la vida pública de sus países y a
los hombres en el cuidado de la familia y de la casa.

Actividad 11   Una historia de polarización   Vuelve a mirar la primera
parte de la lectura, "El legado del marianismo y el machismo", y termina las
siguientes oraciones.

1. El ideal tradicional de conducta femenina tenía sus orígenes en...
2. Ese ideal de conducta femenina obligaba a la mujer a...
3. Asimismo, el ideal de conducta masculina obligaba al hombre a...
4. Este sistema presentaba ciertas ventajas y desventajas para el hombre, ya que...
5. El sistema tenía algunas ventajas para la mujer, puesto que...
6. Sin embargo, las desventajas para la mujer eran predominantes, ya que...
7. Se ve que las ideas tradicionales todavía influyen en la gente porque...

Actividad 12   Un mundo de cambio   En parejas, comenten las siguientes
preguntas sobre la segunda parte de la lectura, "Nuevas ideas, nuevas acciones".

1. ¿Entre qué grupos han tenido más éxito las ideas feministas? ¿Por qué?
2. Se ha dicho que algunas mujeres son "feministas accidentales", o sea
mantienen valores tradicionales pero en realidad sus acciones promueven
el feminismo. ¿Hay ejemplos de "feministas accidentales" en la lectura?
¿Cuáles son?
3. Se ha mejorado mucho la posición de la mujer hispana en los últimos años.
Den tres ejemplos de mejoras en la educación, el trabajo, las leyes y/o la
política.
4. ¿Qué generalización se puede formular sobre la posición de la mujer en el
mundo hispano contemporáneo?

Cristina Saralegui es la conocida presentadora del *talkshow* de Univisión *El Show de Cristina*, y se ha convertido en la Oprah Winfrey de las comunidades hispanas de los Estados Unidos.

Act. 13: Choose outgoing students as hosts. Hosts should mimic holding a microphone and encourage all others to speak: **A ver qué opina este señor…** They should also add new questions as the conversation progresses. Option 1: Assign specific roles or have students invent roles for themselves: a 60-year-old priest, a 45-year-old poor cleaning woman in Peru with 3 children, a 30-year-old feminist professional from Buenos Aires, etc. Option 2: Have students brainstorm questions for the Cristina/Cristóbal show beforehand. Option 3: Teacher plays host for entire class. Students are assigned roles as guests or audience members. Guests receive character descriptions and answer in character. Audience members receive planted questions, which the host encourages them to ask. Option 4: Before doing the activity, show students a clip from *El Show de Cristina*.

Actividad 13   El show de Cristina   En dos grupos grandes, hagan los papeles de tradicionalistas y no tradicionalistas en un programa de televisión. Uds. deben discutir cuestiones relacionadas con los papeles de los hombres y las mujeres. Elijan a un/a animador/a (Cristina o Cristóbal), quien debe usar las siguientes preguntas para empezar la discusión.

1. ¿Vivían mejor los hombres antes del feminismo?
2. ¿Por qué algunas mujeres se niegan a llamarse feministas?
3. ¿Una mujer puede tener una carrera profesional sin ser feminista?
4. ¿Es posible ser feminista y también ser femenina?
5. Si somos iguales, ¿por qué los hombres no llevan falda y maquillaje?
6. Si somos iguales, ¿por qué las mujeres todavía tienden a cuidar de la casa, incluso cuando trabajan?
7. ¿Dejarías de trabajar si tu esposa/o te mantuviera? (*a hombres y mujeres*)

CP 10-2: Students can answer this question without having studied the imperfect subjunctive, since most of their answers will use only the conditional.

Cuaderno personal 10-2

¿Cómo cambiaría tu vida si fueras una persona del sexo opuesto?

VIDEOFUENTES

¿Qué ideas o expectativas tradicionales de los papeles del hombre y de la mujer se ven en el cortometraje *En la esquina*? ¿Cómo y cuándo se rompen estas expectativas? ¿Qué comentarios hace la película sobre las relaciones entre los sexos?

FCG links: Discussing societal issues, expressing present probability with the future, expressing hypotheticals with **si** clauses.

Lectura 3: Literatura

ESTRATEGIA DE LECTURA

Note that **idioma** (*language*) and *idiom* (**modismo**) are false cognates.

Note on prereading: Since the text is written in an austere style, each word is very important, as in a poem. Students need to complete Acts. 14, 15, and 16 in order to read the text easily. Once having completed and corrected these activities, they should have little difficulty understanding the basic content of the reading.

Watching Out for Idioms

An idiom (**modismo**) is an expression, often based on an earlier metaphor, whose meaning is different from that of the individual words that compose it. Idioms are very frequent in conversation and literature. Like false cognates, they often will appear to make no sense in a given context if interpreted literally. For example, **tomarle el pelo a alguien** means *to pull someone's leg*. If you encounter what appears to be an idiom, you should first try to guess the meaning from context. If this fails and the expression seems important, decide which word is most important in the expression and look it up in the dictionary. Remember that idioms are usually included at the end of most dictionary entries.

Actividad 14   Modismos   Las siguientes expresiones en negrita aparecen en la crónica "El difícil arte de ser macho". Lee cada oración y adivina un equivalente en español o inglés para cada una. Si tienes dudas, busca la expresión en el diccionario o el glosario.

1. Se ha debatido mucho la relación entre el pensamiento y el lenguaje sexista, pero todavía no se **ha dicho la última palabra.**
2. El jefe de esa compañía es muy exigente: siempre quiere más, más, más. Los pobres empleados **no reciben tregua.**
3. Si quieres tener éxito en un trabajo y subir de rango, tienes que **ser el uno.**
4. **¡Válgame Dios!** ¡Si vuelvo a oír una pregunta más voy a explotar!

Actividad 15   Familias de palabras   Busca el significado de cada verbo en el glosario o en un diccionario. Después, termina cada oración con un verbo o un sustantivo o adjetivo relacionado.

Sustantivo	Verbo	Adjetivo
	comprobar	comprobado/a
	reventar	reventado/a
arreglo	arreglar	arreglado/a
desgaste	desgastar(se)	desgastado/a
autoexigencia	exigir	
duración	durar	

1. En las sociedades modernas, muchas personas se _____exigen_____ demasiado a sí mismos, y como resultado su salud se deteriora.
2. Los científicos suelen _____comprobar_____ sus ideas experimentalmente.
3. El pobre hombre estaba tan frustrado y cansado que murió con el corazón _____reventado_____.
4. Tuvieron problemas con las luces de la casa, así que llamaron a un electricista para hacer unos _____arreglos_____.
5. Una larga enfermedad puede provocar el _____desgaste_____ del cuerpo.
6. No hay mal ni bien que cien años _____dure_____.

Watching out for idioms

Act. 14: Assign and discuss in class. Have students give Spanish (circumlocution) and/or English equivalents (translation). Answers: 1. to say the last word, arrive at a firm conclusion 2. to receive no respite or rest, not to get a break 3. to be number one, the best 4. God help me! (*an old-fashioned expression*

valga = presente del subjuntivo de **valer**

Identifying word families

associated with old literature and old people, but also used sarcastically by younger speakers) Option: Have students use these expressions to describe situations or events in their own lives.

Act. 15: Assign and discuss in class or provide answers so that students can self-check. Note that **reventado/a** can mean *burst* or *exhausted*.

Building vocabulary

Act. 16: Assign and discuss in class.

Actividad 16   Palabras justas   Las palabras y expresiones en negrita de las siguientes oraciones aparecen en la lectura "El difícil arte de ser macho". Lee cada oración y escoge el equivalente en inglés de cada expresión en negrita.

a. to do, to make real, to achieve
b. to intend, to aim to
c. to cause, to bring
d. to give oneself the luxury of
e. to run the risk
f. lazy, slack
g. widow
h. proud
i. exploits, feats

1. __c__   El exceso de trabajo puede **acarrear** muchos problemas de salud.

2. __e__   Las personas que fuman mucho **corren el riesgo** de contraer cáncer.

a mí me toca = it's my turn to . . ., I have to . . .

3. __d__   A mí me toca trabajar todo el tiempo; quisiera **darme el lujo de** hacer un viaje largo por el Caribe.

4. __b__   Muchos jóvenes **pretenden** llegar a ser médicos.

a mi modo de ver = in my view, the way I see it

5. __h__   A mi modo de ver, una persona siempre debe sentirse **orgullosa** después de hacer un buen trabajo.

6. __a__   Muchos jóvenes sueñan con hacerse jugadores profesionales de fútbol o béisbol, pero pocos **realizan** sus sueños.

7. __i__   Al abuelo le encantaba contar las grandes **proezas** que realizó cuando era joven.

8. __f__   El jefe le dijo al empleado que trabajara más, pero aclaró que no quería insinuar de ningún modo que el empleado fuera **vago.**

de ningún modo = in no way

9. __g__   Muchas **viudas** se quedan completamente solas y no tienen quien les ayude a mantener la casa ni a hacer los arreglos.

Activating background knowledge, Anticipating

Act. 17A: Focus on brainstorming, and try to emphasize that the response depends in part on who is speaking.

Act. 17B: Explore meanings of **macho.** Point out the clear indication

Actividad 17   La vida del macho moderno   **Parte A:** La siguiente lectura habla de la situación de los hombres en la sociedad moderna. El texto es una *crónica* —un tipo de artículo de periódico que combina el periodismo y la literatura y en el que el autor o narrador comenta la vida actual. En parejas, comenten las siguientes preguntas antes de leer.

En el mundo actual, ¿es más difícil ser hombre o ser mujer? ¿Por qué? ¿Qué factores afectan la respuesta?

Identifying the audience

of audience in **los hombres mori-mos.** Why are women excluded from the very first line? Point out that **abandonar la fiesta** is a metaphor.

Parte B: Ahora, en parejas, miren el título y los dos primeros párrafos y contesten las siguientes preguntas.

1. ¿Parece serio o irónico el título? ¿Por qué?
2. ¿Cuál es el público de esta crónica? ¿Cómo lo saben Uds.?
3. ¿A qué se refiere el autor cuando dice que no quiere "abandonar la fiesta"?

Identifying tone

Act. 17C: Return to these questions after students have read. The text is

Parte C: Ahora, lee toda la crónica, y trata de determinar si el autor/narrador es machista o no. Piensa también en el tono del texto. ¿Tiene un tono sincero, triste, irónico, o...?

sincere if the "voice" is that of the author; it may be ironic and critical if the voice is that of an invented narrator. Since the **crónica** genre plays with the line between journalism and literature, it is difficult to know. Emphasize the question **¿Es machista el autor/narrador?** before students read, before discussing post-reading activities, and afterwards as well.

Pedro Juan Gutiérrez nació en Cuba en 1950. Desde entonces, se ha dedi-cado a explorar la vida, trabajando en diferentes ocasiones como vendedor de helados, cortador de caña, contrabandista, soldado, pintor, escultor y periodista. También es autor —un autor a quien le gusta asomarse por la ventana y observar todo lo que le rodea, para recrearlo y comentarlo en sus libros, cuentos y crónicas. Su obra más conocida es Trilogía sucia de La Habana. *La siguiente crónica es un buen ejemplo de su estilo directo y sen-cillo.*

El difícil arte de ser macho
Pedro Juan Gutiérrez

Está comprobado estadísticamente que los hombres morimos antes que las mujeres. Mire a su alrededor y lo comprobará. En los viejos matri-monios usualmente el hombre muere y la mujer lo sobrevive, en ocasiones hasta veinte años.

5   Siempre me ha inquietado eso por la sencilla pero contundente razón de que a mí me toca morirme primero y abandonar la fiesta.

De ningún modo deseo que las mujeres mueran primero. Válgame Dios. Pero tal vez los hombres pudiéramos intentar durar un poquito más, porque lo cierto es que la fiesta comienza a ponerse buena cuando uno tiene
10 sesenta años más o menos.

Es decir, cuando uno ya se jubila, los hijos al fin dejaron de ser horri-blemente adolescentes, ya uno tiene serenidad y experiencia para disfrutar los placeres más simples y cotidianos de la vida, porque a esa edad ya nadie aspira a las proezas de todo tipo que pretendió realizar o realizó entre los
15 veinte y los cincuenta y pico.

Confieso que llevo años pensando en el asunto y, por supuesto, he hablado mucho del tema con la gente más diversa. Al parecer todo el mundo coincide en que el hombre se desgasta más. El hombre moderno se exige demasiado a sí mismo y
20 por eso se acarrea los infartos y lo demás.

Hay otra hipótesis en boga, de carácter bioquímico: la mujer está mejor preparada genéticamente que
25 el hombre. Y puede ser. En defini-tiva, la mujer es una maravillosa fábrica de vida.

Por ahora los científicos no dicen la última palabra. Pero me
30 inclino a pensar que en el asunto puede haber un poco de bioquímica y mucho de desgaste excesivo y autoexigencia del hombre.

Creo que es un problema de
35 organización de la sociedad mo-derna. No sólo en el Tercer Mundo. Hasta en Europa y Norteamérica

—que supuestamente van delante—sucede lo mismo: el macho no recibe tregua. Desde que nace hasta que muere lo inyectan en la cabeza que "el
40 hombre es el sostén de la familia", que "el hombre es el que tiene que traer la comida a la casa", y que "los machos no lloran", que "los hombres tienen que ser fuertes y valientes, nada de cobardía".

A mi modo de ver ahí está el origen del problema. Es muy difícil ser macho: tienes que ser físicamente fuerte, no puedes llorar, siempre tienes
45 que poseer dinero en el bolsillo, sexualmente tienes que ser el uno, porque ese es un campo muy competitivo para algunas mujeres.

No te puedes dar el lujo de estar un día triste, alicaído, depresivo. En la casa debes ser además de buen padre y esposo, carpintero, plomero, albañil, mecánico, electricista, etc., o corres el riesgo de que te acusen de inútil y
50 vago.

En fin, conozco mujeres que una vez viudas se arrepienten de todo lo que le exigieron al marido a lo largo de su vida y hasta tienen complejo de culpa porque el hombre murió con el corazón reventado.

Una vecina, de 68 años, es irremediablemente peor. Perdió al marido
55 hace unos meses y me confiesa que a veces lo invoca para reprocharle que se murió sin arreglarle unas ventanas y sin reparar y pintar algunas paredes descascaradas. "Un hombre que sabía hacer de todo, y por vago me dejó sin terminar de hacer esos arreglitos". Parece un chiste, pero juro que es rigurosamente cierto. Espero que ella no lea esta crónica.

60 Así las cosas, hay que dejar que las mujeres asuman cada día más responsabilidad, y no creernos tan importantes. Y digo responsabilidad pensando en grande: hasta dejarles el gobierno de las naciones. Que asuman todo el poder. En definitiva, los hombres gobernando durante siglos hemos acarreado al mundo guerras, hambre, miseria, contaminación y todo tipo de
65 problemas e insensateces. Así que no debemos estar orgullosos porque nos ha salido bastante mal.

Hay que aprender de ellas. Yo por lo menos cada día aprendo más de las mujeres que me rodean y trato de ser menos macho y más hombre.

Distinguishing fact from opinion

Act. 18: Assign and discuss in class. Use this activity to review the main ideas of the reading. Accept opinions of students, and leave main critique of the reading to Act. 19. Answers. 1. H 2. O (Younger students may reject this claim, but ask them what this reveals about the author/narrator.) 3. O (If true, women demand less of themselves.) 4. This depends on how one interprets existing research, but if not fully true, then the implication is that women work less than men. 5. H (true for many cultures) 6. O 7. O (summarize the authors' reasons) 8. O (Transition to Act. 19 by asking students what **presuposiciones** this comment reveals: **¿Por qué las mujeres en el poder serían diferentes de los hombres?** The traditional feminine role is assumed.)

Actividad 18 Realidades y perspectivas Las siguientes oraciones resumen ideas claves de la crónica "El difícil arte de ser macho". En parejas, decidan si cada idea representa un hecho o una opinión. Después, digan si están de acuerdo o no con cada opinión y por qué.

1. Los hombres suelen morir antes que las mujeres.
2. La fiesta (la vida) comienza a ponerse buena cuando uno tiene sesenta años más o menos.
3. El hombre moderno se exige demasiado a sí mismo y por eso se acarrea los infartos.
4. La mujer está mejor preparada genéticamente que el hombre.
5. Desde que nace hasta que muere, el hombre aprende que "el hombre es el sostén de la familia" y "los machos no lloran".
6. En la casa el hombre debe ser buen padre, esposo, carpintero, plomero, albañil, etc. o corre el riesgo de que lo acusen de inútil y vago.
7. Es muy difícil ser macho.
8. Las mujeres deben asumir el poder y el gobierno de las naciones ya que los hombres sólo han acarreado guerras, hambre, miseria, contaminación...

Actividad 19   ¿Hombre o macho?   En parejas comenten las siguientes preguntas, y piensen en las implicaciones de las respuestas.

1. ¿Cómo será el narrador? ¿Cuántos años tendrá? ¿Cómo lo saben?
2. ¿Cuál es el público de esta crónica? ¿Los hombres, las mujeres o los dos? ¿Cómo lo saben? ¿Qué implicaciones tiene este hecho?
3. ¿Qué opina el autor/narrador de las mujeres? Consideren las siguientes citas:
   a. "El hombre moderno se exige demasiado a sí mismo."
   b. "...sexualmente tienes que ser el uno, porque ese es un campo muy competitivo para algunas mujeres."
   c. "En la casa debes ser además de buen padre y esposo, carpintero, plomero, albañil, mecánico, electricista, etc., o corres el riesgo de que te acusen de inútil y vago."
   d. "...la mujer es una maravillosa fábrica de vida."
   e. "Que [las mujeres] asuman todo el poder. En definitiva, los hombres gobernando durante siglos hemos acarreado al mundo guerras, hambre, miseria, contaminación..."
4. ¿Es "machista" el autor/narrador? ¿Por qué sí o no?

Actividad 20   Nuevas condiciones   En grupos de tres, terminen las siguientes oraciones pensando en la lectura y la discusión de las actividades anteriores.

1. Los hombres vivirían más tiempo si...
2. Si las mujeres asumieran el poder y el gobierno de todas las naciones, entonces...
3. El autor/narrador cambiaría de opinión si...

Cuaderno personal 10-3

En tu opinión, ¿las diferencias entre los hombres y las mujeres se basan en la biología, en la cultura o en las dos? ¿Por qué?

Redacción: Ensayo

ESTRATEGIA DE REDACCIÓN

Comparing and Contrasting

You compare and contrast whenever you analyze two or more items and look for similarities or differences between them. When you make choices, you are comparing and contrasting, and when learning, you often compare and contrast new information with information you already know. Comparing and contrasting are ways of thinking that can be used in all types of writing, but can also serve as a way of organizing your writing. If you are looking at two different objects, you may talk about first one object and

---

Making inferences

Act. 19: Assign and discuss in class. Answers: 1. Comments on best age in life may indicate someone in his 50s or early 60s. 2. Aimed at men (**"los hombres morimos"**); women seem to be excluded from the audience. 3. The quotes emphasize that men—but not women—work too hard (a), women are partly responsible for this (b, c, also the **anécdota de la vecina viuda**), women are baby-making machines (d), and women should govern because they are inherently **cariñosas, comprensivas,** etc. (i.e., the traditional view of the woman underlies this remark). 4. Perhaps not **machista,** but very traditional in his underlying beliefs, for he excludes and objectifies women despite his claim to respect them.

Making inferences

Act. 20: Assign and discuss in class. Follow up with a group sharing. Remind students that they are both discussing ideas and using **si** clauses.

FCG links: Discussing societal issues, expressing hypotheticals with **si** clauses

Discuss possible thesis statements for comparison and contrast essay.

then the other (**comparación secuenciada**) or you may compare and contrast both objects point by point (**comparación simultánea**). The following outlines show these two basic types.

Tema: Papeles del hombre y de la mujer en el programa de televisión *Friends* (*Amigos*)

Comparación secuenciada	**Comparación simultánea**
I. Los hombres	I. Características personales
A. características personales	A. Mujeres
B. temas de conversación	B. Hombres
C. ocupaciones	II. Temas de conversación
II. Las mujeres	A. Mujeres
A. características personales	B. Hombres
B. temas de conversación	III. Ocupaciones
C. ocupaciones	A. Mujeres
	B. Hombres

In a comparison and contrast essay, you may choose to emphasize either similarities or contrasts or to emphasize the description of unfamiliar items over familiar ones. Using transition expressions to mark comparisons and contrasts will also help you improve the style and clarity of your writing.

Comparación

al igual que/a semejanza de	just like, as
de la misma manera/forma, del mismo modo	in the same way
parecerse a	to resemble
ser similar/parecido/semejante a	to be similar to
tan (+ *adjetivo*) **como**	as (*adj.*) as
tanto A como B	both A and B

Contraste

a diferencia de	unlike
diferenciarse de	to differ from
en cambio	on the other hand, instead
en contraste con	in contrast to/with
más/menos (+ *adj./sustantivo*) **que**	more/less/fewer (*adj./noun*) than
por un lado...	on the one hand . . .
por otro lado/por el otro...	on the other hand/on the other . . .
sin embargo/no obstante	however

Act. 21A: Assign and discuss in class as a whole-class sharing and brainstorming. Introduce activity by pointing out that the class has been studying sexism and gender equality in Hispanic societies, but that students need to learn about and analyze their own culture even as they analyze others in order to avoid inaccurate stereotyping. Ask students: **¿Existe el sexismo en este país? ¿Cómo es?**

Analyzing

Actividad 21   La televisión y el género   Parte A: Se ha estudiado mucho la representación del hombre y de la mujer en la televisión, ya que éste es el medio de comunicación que los niños y adultos ven con más frecuencia. En grupos de tres, comenten las siguientes preguntas.

1. ¿Cuáles son las cinco series de televisión más populares del momento?
2. ¿Cuáles de estos programas presentan a hombres y mujeres?
3. ¿Cuáles de estos programas tienen un público de hombres y mujeres?
4. ¿Cuál de estos programas sería más útil para una comparación de los papeles de la mujer y del hombre?

Parte B: En los mismos grupos de tres, escojan un programa que todos conocen, y hagan un análisis pensando en los siguientes aspectos. Decidan cuáles de los siguientes aspectos se pueden analizar en una comparación del papel del hombre y el papel de la mujer.

1. el número de personajes masculinos frente al número de personajes femeninos
2. la cantidad de diálogo: hombres frente a mujeres
3. los temas de conversación de los hombres en comparación con los de las mujeres
4. el número de personajes simpáticos/antipáticos: hombres frente a mujeres
5. el número de éxitos o problemas personales que tienen los hombres y las mujeres
6. las ocupaciones de los hombres y de las mujeres
7. los gustos y las características personales de los hombres y las mujeres

Parte C: Ahora, hagan una lista de tres conclusiones que pueden sacar de su análisis de los diferentes aspectos de este programa. Las conclusiones deben considerar las implicaciones del análisis, además de los cambios que resultarían de una representación más (o menos) igualitaria de los sexos.

▶ Si las mujeres tuvieran trabajos menos tradicionales, entonces el programa tendría una influencia más positiva sobre las personas que lo ven.

Actividad 22 La redacción del análisis Parte A: Repite los pasos de la Actividad 21 y después escribe una oración de tesis para tu ensayo. Luego, haz una lista de aspectos de la serie de televisión que vas a analizar y comparar, como en el bosquejo que aparece en la Estrategia de redacción de las páginas 191–192. Piensa también en una conclusión—o varias—que se pueda sacar del análisis comparativo.

Parte B: Trabajando individualmente, prepara el primer borrador del ensayo. Incluye un título, introducción con oración de tesis, cuerpo con detalles tomados del análisis y conclusión o conclusiones.

Act. 21B: Use this activity as a model of what students will need to do on their own. Ask students if they can think of other aspects that might be considered, or if any of these should not be considered. Point out that something like amount of dialog probably depends crucially on the particular context and plot, so students should be cautious when drawing conclusions from such details. Option 1: A few days before doing this activity, have students agree on a particular program and episode which they will all watch, and then discuss this program with them. Option 2: Focus on only a few aspects.

Act. 21C: Ask each group to report results back to the class. Option: Require use of **si** clauses with the imperfect subjunctive and conditional in the conclusions.

Writing an essay

Act. 22A: Emphasize that students should not try to discuss every aspect included in Act. 21B, but rather only those aspects that most clearly support their thesis. Option: Have students develop two or three possible theses and suggest ideas for how they could support each one.

Act. 22B: Assign and specify requirements. Have students re-read "Writing an Essay" and "Analyzing," in Ch. 9. Emphasize that the introduction and the conclusion are different and that it is not sufficient to merely repeat the information of the introduction in the conclusion.

Actos ilegales

▲ Un soldado colombiano quema bolsas de cocaína confiscadas en redadas contra los narcotraficantes.

www

See the *Fuentes* website for related links and activities:
http://college.hmco.com/languages/spanish/students

194

Actividad 1 Causas, efectos y soluciones La siguiente lista incluye cinco de los problemas de delincuencia con los que se enfrentan los países latinoamericanos y muchos otros países del mundo. En grupos de tres, determinen para cada problema por lo menos una causa, un efecto y una solución. Luego, compartan sus ideas con el resto de la clase.

- el tráfico de drogas
- los atracos y robos de casas
- los asesinatos
- el crimen organizado
- el soborno y la corrupción en el gobierno

Activating background knowledge

Act. 1: Use this activity to introduce students to thinking about causes and effects. Use discussion to point out: causes and effects are not always easy to determine; causes may be confused with effects; solutions depend on the analysis of causes and effects.

Lectura 1: Un editorial

FCG links: Discussing crime and violence, **si** clauses (contrary-to-fact in the present and past)

Actividad 2 A propósito de las drogas Antes de leer el editorial escrito por el director de la revista española *Cambio 16,* asocia cada una de las palabras de la primera columna, las cuales aparecen en el artículo, con la palabra o expresión correspondiente de la segunda. Usa tus conocimientos de cognados y raíces para adivinar. Consulta el vocabulario o un diccionario sólo cuando sea necesario.

Building vocabulary

Use the controversial nature of this editorial to encourage discussion.

Act. 2: Assign and discuss in class, or provide answers so that students can self-check. Point out that **drogata** is a slang expression in Spain.

1. __j__ adormilado/a
2. __g__ adulterado/a
3. __e__ el coraje
4. __a__ la cordura
5. __c__ la dosis
6. __h__ enganchado/a
7. __f__ rentable
8. __b__ la riada
9. __d__ el vicio
10. __i__ el drogata

a. juicio, prudencia
b. inundación
c. cantidad de medicina que se toma
d. mala costumbre
e. valor
f. que produce ganancias o intereses
g. mezclado con sustancias peligrosas
h. que depende de una droga
i. drogadicto
j. con sueño

Act. 3: Do this activity with books closed. Check by listing and discussing the problems. Option: Discuss how and why societies make actions legal or illegal.

Actividad 3 La droga ilegal y sus efectos *Cambio 16,* la revista de noticias más importante de España, lanzó hace varios años una campaña para legalizar las drogas. Como parte de esa campaña, el director de *Cambio 16,* Juan Tomás de Salas, escribió el siguiente editorial. Antes de leerlo, en parejas, hagan una lista de dos o tres problemas que causa el uso ilegal de las drogas. Luego compartan sus ideas sobre la mejor solución: la prohibición, la legalización parcial o la legalización total.

Activating background knowledge

Muchas personas famosas apoyaron la campaña, incluso el conocido autor colombiano Gabriel García Márquez, ganador del Premio Nobel de Literatura, quien escribió el manifiesto de la campaña a favor de la legalización de las drogas.

ESTRATEGIA DE LECTURA

Annotating and Reacting to Reading

Taking notes on important or interesting ideas can aid you in organizing and understanding a reading. You can use notes on information contained in the reading to guide your studying and to prepare outlines. Emotional reactions and doubts can be used as prompts to discuss and ask questions about difficult parts of the reading. Note taking is most useful when done methodically, so you should develop a method that is comfortable for you. One possibility is to record notes on content to the left and emotional reactions to the right, while underlining important unfamiliar vocabulary and highlighting significant details.

You can write in the margins of the text if space allows. If not, take notes on a separate sheet of paper.

Act. 4: Assign and discuss in class. Ask students to share and explain their reactions to the ideas presented in the reading. After discussing the reading in more detail, ask students if any of their reactions have changed. Option: Share your personal reactions, but be careful to remind students that their views will be respected.

Active reading, Annotating and reacting

Note that Spanish law already allows the consumption of marijuana for personal use within the home.

Actividad 4   Efectos y reacciones   Mientras lees el siguiente editorial, subraya los posibles efectos de la legalización, y apunta en el margen o en otra hoja tus reacciones (**¡qué fascinante!, ¡qué raro!, ¡qué barbaridad!, no estoy de acuerdo, no comprendo,** etc.) a detalles específicos del editorial.

Legalización de las drogas

¿Qué pasaría si, en un gesto de cordura y de coraje sin precedentes, el Gobierno español despenalizara el consumo y comercio de drogas, autorizando su venta libre en las farmacias o estancos del país? Pasarían varias cosas:

1. De inmediato se detendría la sangría de muertos provocados por el consumo de droga, adulterada hasta el ladrillo, que es la que hoy se vende en el mercado nacional. Algún muerto habría, por sobredosis o imprudencia, pero la riada de jóvenes asesinados con porquería en sus venas se detendría de inmediato.

2. Las farmacias, con las condiciones razonables del caso, expenderían, a precio también razonable, las dosis de droga demandada por los ciudadanos. El producto estaría garantizado contra adulteraciones y sería tan seguro —y dañino— como indicara exactamente en el prospecto.

3. El precio de la venta de la droga sería una fracción de los feroces precios actuales de la droga clandestina. Ello detendría en el acto la riada de pequeños y grandes deli-

tos que los drogatas actuales cometen para poder financiar su vicio. Si pocos roban para comprarse cerveza, bien pocos lo harían para comprarse dosis a precio normal. Al respecto conviene no olvidar que el costo original de la droga es bien bajo, lo astronómico del precio es resultado de la prohibición, no de la droga.

4. El Estado cobraría un fuerte impuesto sobre las drogas vendidas, como hace con alcoholes y tabacos. Con ello podría financiar masivamente programas de rehabilitación y de pre-

vención del consumo de drogas. Igualmente podría dedicar parte de ese impuesto a financiar escuelas de educación profesional para una juventud como la nuestra que hemos condenado al paro y a la droga entre todos.

5. Millares de funcionarios —policías, aduaneros, jueces y oficiales, etc.— quedarían de inmediato liberados de la imposible tarea de impedir su tráfico, que es el más rentable del planeta, y contra el que han fracasado en todo el mundo. Con ello se reduciría el déficit público, mejoraría la justicia y policía común de nuestras calles, y hasta quedarían recursos

humanos para luchar contra esa lacra, aún vigente, que es el terrorismo.

6. Posiblemente, como ocurrió al abolir la prohibición norteamericana del

alcohol a principios de los años 30, el consumo legalizado de drogas aumentaría ligeramente. Sólo los puritanos extremos temen que la legalización traería con-

sigo una drogadicción masiva. Pero un cierto aumento del consumo es casi seguro. Pero sólo el consumo, no la muerte. Habría algunos jóvenes más enganchados, es decir,

adormilados y soñadores, poco útiles, quizás para la producción en cadena, pero no habría muertos.

JUAN TOMÁS DE SALAS

Actividad 5   Los efectos de la despenalización   **Parte A:** En grupos de tres, hagan una lista de todos los posibles efectos propuestos por Salas, terminando la siguiente oración.

Si el Gobierno (español) despenalizara el consumo y comercio de drogas, ...

Parte B: En parejas, indiquen cómo reaccionaría a la legalización la mayoría de los miembros de los siguientes grupos.

los policías   los dueños de negocios
los aduaneros   los padres de familia
los jueces   los estudiantes universitarios

Parte C: La campaña de legalización lanzada por *Cambio 16* no tuvo éxito. Pero, si el Gobierno hubiera decidido despenalizar el consumo y comercio de drogas, ¿qué habría pasado? En parejas, den sus opiniones personales, haciendo una lista de dos efectos positivos y dos efectos negativos, por lo menos, y terminando de manera original la siguiente oración.

Si el Gobierno (español) hubiera despenalizado el consumo y comercio de drogas, ...

Actividad 6   ¿Qué es una droga?   El autor del artículo no especifica las drogas a las que se refiere. En grupos de tres, decidan cuáles de las siguientes sustancias se deben prohibir o legalizar. Expliquen por qué.

el café   el alcohol   la coca   el éxtasis
el tabaco   la mariguana   la cocaína

Actividad 7   El consumo y la cárcel   En grupos de cuatro, compartan sus reacciones a las siguientes preguntas.

1. ¿Conocen a alguien que consuma o haya consumido drogas?
2. ¿Creen que esa persona merece estar en la cárcel? ¿Por qué sí o no?

Cuaderno personal 11-1

¿Estás a favor o en contra de la legalización de las drogas? Justifica tu respuesta.

Summarizing

Act. 5A: Make sure students have underlined effects while reading, as in Act. 4. Option 1: Structure the task by listing infinitives of verbs

Reacting

aduanero = customs officer

from the reading: **detener, haber, expender,** etc. Follow up with class sharing. Option 2: Have students complete this sentence: **Si nuestro gobierno nacional legalizara las drogas...**

Act. 5B: Assign and discuss in class. Different conclusions can be drawn. For example, police might be relieved, but they might also fear losing their jobs.

Act. 5C: Emphasize that students need to express and justify personal opinions, not just repeat ideas from the text. Check by listing responses on the blackboard.

Act. 6: Assign and discuss in class. Point out the difference between **coca** and **cocaína**. Option: Ask students if employers should be allowed to test for drugs: **¿Qué problemas legales presentan las pruebas de dopaje?**

Act. 7: Option: Assign as a **Cuaderno personal** entry or free writing.

Lectura 2: Panorama cultural

FCG links: Interview **¿Coca o cocaína?,** discussing crime and violence, hypothesizing with the future perfect and **si** clauses

Act. 8: Assign and discuss in class, or provide answers so that students can self-check. Point out that **delito, delincuencia,** and **criminalidad** refer to many types of crime, particularly lesser crimes, while **crimen** refers to violent crimes such as murder. Option: Have students review crime vocabulary by searching Hispanic newspapers on the Web for these terms and describing what they refer to (2–3 examples per student). Check in class as a warm-up.

Actividad 8 **Palabras claves** Las palabras indicadas en las oraciones son de la lectura "Modernización y delincuencia en Latinoamérica". Asocia cada palabra indicada en negrita con su equivalente de la lista que aparece a continuación.

a. to take for granted
b. involved
c. overwhelming
d. crime
e. standards
f. characteristic of a region

g. to take root
h. seed
i. devastation
j. harmful
k. narcotic
l. government employee or civil servant

1. __d__ Decir la verdad no es **delito.**
2. __g__ Los problemas de violencia criminal **han echado raíces** en las sociedades en vías de desarrollo.
3. __a__ Algunas personas **dan por descontado** el derecho de llevar armas; otras lo disputan.
4. __e__ Los **patrones** de conducta no se pueden mantener sin un sistema de sanciones y castigos.
5. __f__ La violencia criminal es **endémica** en algunas sociedades en vías de desarrollo.
6. __k__ Los **estupefacientes** suelen impedir la percepción clara de la realidad.
7. __i__ El crimen organizado causa graves **estragos** en la sociedad.
8. __b__ Muchas personas de alto rango social están **involucradas** en el crimen organizado.
9. __c__ A nivel mundial, los problemas ocasionados por la delincuencia son **abrumadores.**
10. __h__ La **semilla** de la delincuencia está en el colapso de los sistemas tradicionales de control social.
11. __j__ Muchas medicinas tienen efectos positivos y efectos **nocivos** al mismo tiempo.
12. __l__ En principio, la obligación de todo **funcionario** es servir a los ciudadanos del país.

Act. 9A: Follow up with a class discussion. After students read, have them compare the results for their own country with those discussed in the reading. Ask **¿Son iguales o diferentes? ¿En qué sentido?**

Activating background knowledge

Actividad 9 **Delitos y crímenes** **Parte A:** En grupos de tres, hagan una lista de tipos de delincuencia que son problemas en la sociedad de su país. Después, decidan cuáles son los dos problemas principales.

Active reading, Annotating and reacting
Act. 9B: Assign and discuss in class as an introduction to post-reading activities.

Parte B: Al leer el artículo sobre la delincuencia en Latinoamérica, apunta en los márgenes la idea general de cada párrafo y tus reacciones a esas ideas. Después, vuelve a leer todo el artículo con más cuidado para asegurarte de que entendiste bien la idea principal de cada párrafo.

Modernización y delincuencia en Latinoamérica

La violencia es una de las enfermedades que ha afligido al mundo entero en las últimas décadas. Latinoamérica, al igual que otras regiones del mundo, tiene una larga tradición de violencia, mas en el pasado, ésta se ha caracterizado principalmente como violencia política, es decir, la represión de gobiernos dictatoriales y los movimientos que utilizaban la lucha armada de guerrilla, secuestro y terrorismo en contra de dichos gobiernos. Sin embargo, en las últimas décadas, la violencia está dejando de ser una lucha por ideales sociales y políticos para convertirse en una violencia asociada con la delincuencia. A través de Latinoamérica, el problema de la delincuencia y criminalidad se ha convertido en una de las principales preocupaciones de los gobiernos y del público.

mas = pero

Efectos de la modernización

Aunque parezca irónico que la violencia criminal aumente precisamente cuando la violencia política disminuye, en realidad el aumento de la delincuencia es en parte un efecto normal de los cambios sociales y económicos que afectan a América Latina. Por una parte, la vuelta a la democracia ha eliminado la dura represión que era típica de las dictaduras. Por otra parte, los países latinoamericanos pertenecen al grupo de países "en vías de desarrollo", es decir, los que han participado en el proceso de modernización, industrialización y urbanización, pero que se encuentran en una situación intermedia entre la sociedad tradicional y la plenamente modernizada.

El proceso de modernización implica profundos cambios en la sociedad. Para empezar, los campesinos abandonan el campo, donde la mecanización de la agricultura y la globalización los deja sin trabajo y se trasladan a buscarlo a las ciudades industrializadas. Como resultado de la migración en masa, se crean grandes urbes densamente pobladas. Los efectos más agudos de esta rápida urbanización son la pérdida de influencias estabilizadoras, como las viejas relaciones personales y la familia extendida y su sustitución por nuevas relaciones impersonales. La familia deja de ejercer un control directo sobre las acciones del individuo y pierde influencia en la formación de los valores personales.

▲ Esta mujer intenta ganarse la vida vendiendo frutas en las calles de Lima, Perú. Muchos pobres se trasladan a la ciudad en busca de una vida mejor, pero encuentran que la vida urbana no es fácil.

La modernización se ha producido en varios países de Latinoamérica en el espacio de unas pocas decenas de años y, al mismo tiempo, la población ha crecido con una rapidez alarmante. La mezcla de estos dos factores ha agravado la situación de las ciudades. En las afueras de las grandes ciudades donde viven muchos de los recién llegados, se han creado enormes villas miseria, donde a menudo los habitantes no tienen ni agua corriente ni electricidad. El contraste entre su situación y la de las clases acomodadas ha contribuido a alimentar la semilla de la delincuencia. En la ciudad, los campesinos suelen abandonar su tradicional fatalismo al encontrar una nueva ética de consumo y materialismo. Es decir que, en vez de resignarse a

En Latinoamérica la desigualdad de ingresos es enorme. El 10% más rico de la población recibe un 35% de los ingresos, mientras un 43% de la población vive por debajo de la línea de la pobreza.

▶ Estas elegantes rejas protegen una casa hondureña contra posibles robos.

su posición y su pobreza como lo hubieran hecho anteriormente, luchan por obtener y consumir más. A menudo, les es imposible alcanzar una vida mejor por medio del trabajo, y el delito se ofrece como la ruta más directa
50 hacia la adquisición de bienes materiales. Es así que han aumentado tanto los delitos contra la propiedad —robos y atracos— como los crímenes contra la persona —asaltos y asesinatos.

La corrupción

Un tipo de delito endémico en las sociedades que se encuentran en vías de desarrollo es la corrupción que existe en el gobierno. En Latinoamérica hay
55 dos razones principales de esta corrupción. En primer lugar, lo que actualmente se considera corrupción se daba por descontado en las sociedades tradicionales. Un funcionario con acceso al poder tenía la obligación de usar su poder para ayudar a parientes y amigos, ya que la familia extendida era la unidad social y económica más importante. Con la modernización
60 actual, sin embargo, ha surgido mayor necesidad de adoptar y proteger patrones de conducta más amplios y generales. En segundo lugar, la situación económica inestable limita el sueldo de los funcionarios, quienes se ven obligados a buscar ingresos en forma de regalos, contribuciones o sobornos. De todas formas, las protestas en contra de la corrupción están
65 echando raíz en Latinoamérica y muchos gobiernos están tomando medidas para resolver el problema.

En México, el soborno a un funcionario se llama **mordida** (*bite*).

El narcotráfico

Además de los problemas de delincuencia y corrupción, la forma de criminalidad más perniciosa que azota a Latinoamérica es el narcotráfico. Éste también se puede considerar como el resultado de la modernización, puesto
70 que depende de la globalización comercial y los avances de la tecnología del transporte. El narcotráfico latinoamericano ha aumentado a medida que ha aumentado la demanda de estupefacientes por parte de los países desarrollados, donde la cocaína se ha establecido como una droga de moda por la cual los consumidores pagan precios exorbitantes. De hecho, entre 1990 y
75 2000 el consumo de cocaína a nivel mundial subió un 50% por ciento (de 400 a 600 toneladas métricas).

El consumo de cocaína se ha estabilizado en los EE.UU. desde los años 90, pero sigue creciendo en Europa y otras partes del mundo.

Este consumo insaciable fomenta la producción, el transporte y la distribución de la droga. El clima de los países andinos se presta al cultivo de la coca, planta autóctona de la región que fue cultivada por los incas. La
80 mayor parte de la coca se cultiva en Perú, Bolivia y Colombia, donde cientos de miles de campesinos abandonan otros cultivos para dedicarse a esta cosecha más rentable. Se transporta la coca a laboratorios en Colombia donde se usa para producir la cocaína y luego el producto acabado se transporta para vender en otros países del mundo, especialmente los Estados
85 Unidos, Canadá y los países de Europa.

La coca es un cultivo tradicional de los indígenas de Perú y Bolivia, pero la guerra contra la droga ha llevado a una gran disminución de su producción. Al mismo tiempo, la producción de coca ha aumentado en Colombia, y desde 1995 es el país donde se cultiva más coca.

El proceso de producción y distribución de la cocaína requiere una organización internacional a gran escala. Durante los años 80 y 90, los grandes carteles colombianos se conocieron por su riqueza, poder y violencia. De hecho, los narcotraficantes o "narcos" desestabilizaron las elec-
90 ciones colombianas, llegando a matar en 1990 a tres candidatos presidenciales que apoyaban los esfuerzos del gobierno por eliminar los carteles. Hoy día, sin embargo, los carteles son más pequeños, más numerosos, más difíciles de localizar y, por lo tanto, más difíciles de eliminar. Su influencia y la delincuencia asociada afectan no sólo a Colombia, sino también a las
95 repúblicas andinas y a los países de América Central, el Caribe y sobre todo México, por donde se tiene que transportar la cocaína. De hecho, las actividades de los carteles se extienden a todo rincón del continente americano y más allá a muchas otras partes del mundo, y la ONU juzga que actualmente se "lavan" hasta unos 100.000 millones de dólares al año en Latinoamérica,
100 cifra que sigue creciendo.

Los carteles más grandes ya no se encuentran en Colombia sino en México.

Es fácil reconocer que la creciente influencia de las organizaciones internacionales del crimen es nociva, pero no hay acuerdo en cuanto a cómo combatirla. Muchos gobiernos se encuentran relativamente impotentes ante la amenaza. A veces sus presupuestos ni siquiera llegan a la altura de los
105 ingresos de los carteles. Desde los años 80 los Estados Unidos han mantenido una guerra contra la droga, mandando equipo militar y miles de millones de dólares para destruir los campos de coca y para luchar contra los carteles. No obstante, estos esfuerzos no han logrado eliminar la demanda y el consumo en los Estados Unidos y otros países, y
110 mientras éstos existan, habrá personas dispuestas a arriesgarse para enriquecerse.

ONU = Organización de las Naciones Unidas

Por otra parte, la delincuencia latinoamericana asociada con la droga comienza a asemejarse a la de los Estados Unidos. Cabe notar que, aunque el nar-
115 cotráfico ha sido un gran problema durante varias décadas, hasta hace poco el consumo de drogas entre los jóvenes latinoamericanos se había mantenido bastante bajo. Sin embargo, la introducción de una droga barata, la PBC (pasta básica de cocaína), inició un
120 cambio en la situación. La PBC es un producto intermedio del proceso de producción de la cocaína, el cual contiene queroseno y ácidos muy dañinos para el cuerpo humano. En los países andinos, la PBC, conocida popularmente como "el basuco", ha producido
125 estragos parecidos a los del *"crack"* entre los jóvenes urbanos de los Estados Unidos. Además el consumo de cocaína está aumentando a lo largo de Latinoamérica,

◄ Un barrio pobre en las afueras de Caracas, Venezuela.

Con todo, el uso de drogas se mantiene bastante bajo en México, donde sólo un 5% de la población ha consumido drogas ilegales, frente a un 35% en los Estados Unidos.

Option: Contrast the situation of Spain. Spain is the fifth largest European economy, one of the countries of the world with the least difference between the richest and the poorest (= a large middle class), and it has one of the lowest criminal violence rates in the world. However, since the 1970s, it has suffered from the terrorist activities of the Basque separatist organization ETA. In 2004, an Islamic terrorist group bombed trains in Madrid in revenge for Spanish President Aznar's support of U.S. intervention in Iraq.

y en algunos países como El Salvador y Brasil se está extendiendo el abuso del *crack*. La consecuencia es que los robos y otros delitos asociados con el
130 consumo de drogas plagan hoy tanto a algunos países latinoamericanos como a los Estados Unidos.

Con los cambios que ha traído la modernización a Latinoamérica y con sus consecuencias de corrupción y delincuencia, vale preguntarse cuál es la solución para este aumento de criminalidad en la región. Hay quienes abo-
135 gan por el orden impuesto de la dictadura militar, solución ya intentada muchas veces, pero que trae sus propias formas de violencia al limitar las libertades individuales. Otros predicen que el índice de criminalidad debe bajar después de las primeras etapas de modernización. Mientras tanto, el gran desafío para Latinoamérica es responder a la pobreza abrumadora, a
140 la explosión demográfica y a la crisis de la estructura familiar, y controlar la violencia de manera que pueda encauzar sus sociedades hacia un futuro de paz y prosperidad.

ESTRATEGIA DE LECTURA

Outlining

An outline (**bosquejo**) is a plan showing the relationship between main topics and supporting ideas. A good outline can both help your understanding of a reading and serve as a check that you have understood a passage. Use the notes you take while reading as a starting point and try to sort the ideas by their relative importance. In traditional outlining, the most important ideas are usually listed with Roman numerals (I, II, III, etc.), lesser ideas are listed with capital letters (A, B, C, etc.) under each Roman numeral, and details may be listed with Arabic numerals (1, 2, 3, etc.), small letters (a, b, c, etc.), or small Roman numerals (i, ii, iii, etc.).

Outlining

Act. 10: Can be assigned. Check by co-constructing the outline with students on the board. Major headings should include: **I. Intro: La violencia criminal en Latinoamérica; II. El impacto de la democratización y la modernización; III. La corrupción; IV. El narcotráfico; V. El consumo de drogas en Latinoamérica; VI. Conclusión: ¿Soluciones para la delincuencia?**

Actividad 10   Un bosquejo   En parejas, vuelvan a mirar la lectura y preparen un bosquejo. Pueden usar los temas de la siguiente lista pero tienen que organizarlos. Después, comparen su bosquejo con el de otra pareja.

la corrupción
el narcotráfico
¿soluciones para la
    delincuencia?
la lucha contra el narcotráfico
las villas miseria y sus efectos
la violencia criminal en
    Latinoamérica

el consumo de drogas en
    Latinoamérica
el impacto de la democratización y
    la modernización
el sistema de distribución y
    los carteles
el sistema de producción y transporte
la rápida urbanización demográfica

Scanning

Act. 11: Assign and discuss in class. Corrections: 2. **Esperan encontrar trabajo, pero a menudo sin éxito.** 3. **Las villas miseria están en las afueras de las ciudades.** (Review living conditions and point out association of poverty with **las afueras.**)

Actividad 11   Datos y detalles   Lee las siguientes oraciones e indica si son ciertas o falsas según la lectura. Corrige las falsas.

1. ___C___ El aumento rápido de la violencia criminal es un fenómeno relativamente reciente en Latinoamérica.

2. ___F___ Los campesinos se trasladan a las ciudades porque allí tienen trabajo garantizado.

3. __F__ Las villas miseria son comunidades de pobres que se encuentran en zonas rurales.

4. __F__ Los campesinos que se trasladan a las ciudades mantienen sus valores tradicionales.

5. __C__ En parte, la corrupción es el resultado de una actitud que enfatizaba las obligaciones familiares.

6. __F__ La demanda mundial por la cocaína ha bajado desde 1990.

7. __F__ Los centros de producción de la cocaína son Bolivia y Perú.

8. __C__ Aunque los países latinoamericanos exportan cocaína, sólo en años recientes se ha visto un aumento en el consumo de drogas por parte de la población local.

Actividad 12   Los delincuentes En parejas, describan el papel que desempeñan los siguientes grupos en relación con cada tipo de delincuencia comentada en la lectura (los delitos y crímenes, la corrupción, las drogas).

| los pobres urbanos | los funcionarios | los jóvenes urbanos |
| los campesinos | los narcotraficantes | |

Actividad 13   Soluciones hipotéticas En grupos de tres, comparen los problemas de violencia criminal que existen en Latinoamérica con los de los Estados Unidos. ¿Qué semejanzas y diferencias existen? Después, escojan uno de estos problemas y terminen la siguiente oración.

> Este problema ya habría desaparecido (o disminuido) en Latinoamérica/Estados Unidos si...

Actividad 14   En el año 2050 En grupos de tres, discutan qué se habrá hecho o qué habrá ocurrido en el año 2050 con respecto a cada uno de los siguientes problemas sociales en este país, en Latinoamérica y en el mundo: ¿Se habrá solucionado o eliminado? ¿Habrá aumentado o bajado su frecuencia? ¿Se habrá legalizado? Justifiquen sus respuestas.

> ▶ Para el año 2050 (no) se habrá eliminado la corrupción porque...

la corrupción	el terrorismo	los secuestros
el narcotráfico	el consumo de drogas	los asesinatos
los atracos	los robos	las violaciones

Cuaderno personal 10-2

¿Quiénes tienen la responsabilidad del narcotráfico: los países consumidores o los países productores? Justifica tu respuesta.

VIDEOFUENTES

¿Cuál es el objetivo de las actividades del Día Latino de Fenway Park? ¿Es realmente útil este tipo de programa? ¿Por qué sí o no? ¿Qué más se puede o debe hacer para ayudar a los jóvenes a evitar la delincuencia?

---

4. **Los campesinos suelen adoptar valores consumistas, aunque no tengan los recursos para adquirir bienes.** 6. **Ha subido un 50% a nivel mundial.** (U.S. consumption remains the highest in the world, though it fell from 400 metric tons in 1990 to 300 in 2000.) 7. **Colombia es el país donde se produce la mayor parte de la cocaína, y desde 1995, también es el país donde se cultiva más coca.**

Act. 12: Assign and discuss in class. Check with whole class discussion. Review basics of reading, then create a mind map on the board to show how key elements interconnect (e.g., **campesinos** may move to the city and engage in crime to survive, but in the Andes those that remain cultivate coca as a means of survival).

Making inferences

Act. 13: Assign and discuss in class. Remind students that the action referred to in the **si** clause must refer to a past hypothetical event, and the verb must appear in the pluperfect subjunctive. Ask students to guess why their solutions were not implemented. Option: Specify a time period such as **hace 20 años.**

Act. 14: Assign and discuss in class. Option 1: Assign a specific problem to each group and then have each group report their reactions during a class sharing. Option 2: Have students compare future outcomes in Latin America with those of the U.S.

Lectura 3: Literatura

FCG links: Discussing crime and violence; linking ideas with **pero, sino,** and **sino que; si** clauses; expressing past influence, emotions, and reactions with the pluperfect subjunctive

Building vocabulary

Act. 15: Assign and discuss in class, or provide answers so that students can self-check. Point out that **cornudo** was a particularly pathetic figure in Hispanic culture. Option: Ask students for associations in order to bring up other vocabulary that might appear in the stories (e.g., **disparar: pistola, arma, rifle**).

Actividad 15 Palabras claves Estudia la siguiente lista de palabras y expresiones tomadas de los cuatro minicuentos que vas a leer. Después, termina las oraciones que aparecen a continuación con una expresión apropiada.

arrancar	to start (*a car*); to start moving, get going
el cornudo	cuckold (man whose wife cheats on him)
darle vuelta a algo	to stir something (*e.g., coffee*)
dar una cornada	to gore (*with horns*)
detenerse	to detain; to stop
disparar	to fire, shoot
la fiereza	fierceness, ferocity; cruelty
hacer caso a	to pay attention to, to take notice of
el lobo	wolf
pararse	to stop
el ruido	noise

torero = bullfighter

1. Muchos toreros han muerto a causa de las _____cornadas_____ que han recibido de los toros.
2. En las culturas hispanas tradicionales, el _____cornudo_____ era un tipo que se consideraba peligroso y patético al mismo tiempo.
3. El hombre daba vueltas al café, y se oía el _____ruido_____ de la cuchara contra el cristal del vaso.

el alto = stop sign or traffic light. Compare English *halt*.

4. La mujer tuvo que esperar diez minutos en el alto, y cuando por fin la luz se puso en verde, ella puso el coche en marcha y _____arrancó_____.
5. El lobo es un animal muy conocido por su _____fiereza_____.
6. El conductor del coche ___se paró/se detuvo___ cuando vio la luz roja del alto.

Dealing with idioms

Act. 16: Assign and discuss in class.

Actividad 16 Modismos Los autores de los cuatro minicuentos que vas a leer utilizan varios modismos. Lee cada oración y usa el contexto para determinar el mejor equivalente en inglés.

a. to make one's blood boil
b. to get one's own way
c. to stick to one's guns
d. to be pitch black
e. to get all high and mighty
f. to cheat on

1. ___e___ El policía **se subió a la parra** cuando el motorista le dijo que estaba equivocado.
2. ___d___ El interior de la casa **estaba oscura como boca de lobo,** así que los policías tuvieron que entrar con linternas.
3. ___b___ Los niños mimados siempre quieren **salirse con la suya,** pero los padres tienen que imponer límites.
4. ___c___ Muchas personas le pidieron al juez que cambiara su sentencia, pero el juez **siguió en sus trece,** y la sentencia quedó sin alterar.
5. ___a___ A la mujer **se le revolvió la sangre** al saber que su jefe había criticado su trabajo.
6. ___f___ Los vecinos sabían que la mujer se reunía todos los días con el dueño de la tienda, pero el marido de la mujer no sabía que ella **le estaba poniendo los cuernos.**

Ponerle los cuernos a alguien literally means "to put horns on somebody," and **cuernos** have become the symbol of the victim of cheating. The metaphor may have arisen because the cuckold could become angry and aggressive—like a billy goat or bull—upon discovering his situation.

Actividad 17   En busca de un móvil   Cada uno de los siguientes minicuentos explora diferentes móviles por los cuales se cometen los crímenes. Al leer los cuentos, decide con qué tono se ha escrito cada cuento (irónico, cómico, serio, didáctico), a qué crimen o crímenes se refiere cada cuento, y qué móviles se insinúan en cada caso. Apunta tus ideas y reacciones en el margen.

Active reading, Identifying tone, Annotating and reacting

un móvil = a motive (for a crime)

un crimen = a violent crime, often murder

Act. 17: Assign and discuss in class.

Max Aub (1903–1972) fue dramaturgo y escritor de novelas y cuentos. Nació en París en 1903, se mudó con su familia a España en 1914, y después de la guerra civil española (1936–1939) se fue a vivir a México, donde pasó el resto de su vida. En México escribió y publicó la mayor parte de su obra literaria en español, que se conoce por su carácter realista y, a veces, de humor sarcástico.

Empezó a darle vuelta...
Max Aub

Empezó a darle vuelta al café con leche con la cucharita. El líquido llegaba al borde, llevado por la violenta acción del utensilio de aluminio. (El vaso era ordinario, el lugar barato, la cucharilla usada, pastosa de pasado.) Se oía el ruido del metal contra el vidrio. Ris, ris, ris,
5 ris. Y el café con leche dando vueltas y más vueltas, con un hoyo en su centro. Maelstrom. Yo estaba sentado enfrente. El café estaba lleno. El hombre seguía moviendo y removiendo, inmóvil, sonriente, mirándome. Algo se me levantaba de adentro. Le miré de tal manera que se creyó en la obligación de explicarse.
10   —Todavía no se ha deshecho el azúcar.
      Para probármelo dio unos golpecitos en el fondo del vaso. Volvió en seguida con redoblada energía a menear metódicamente el brebaje. Vueltas y más vueltas, sin descanso, y el ruido de la cuchara en el borde del cristal. Ras, ras, ras. Seguido, seguido,
15 seguido sin parar, eternamente. Vuelta y vuelta y vuelta y vuelta. Me miraba sonriendo. Entonces saqué la pistola y disparé.

As with poems, very short stories often lack the redundancy of longer texts and require close attention to each word. Spanish glosses are therefore provided for some vocabulary items as an aid to students.

borde = límite

deshacer = disolver
golpecitos = pequeños golpes (*taps*)
en seguida = inmediatamente

Ahí está lo malo
Max Aub

Ahí está lo malo: Que ustedes creen que yo no le hice caso al alto. Y sí. Me paré. Cierto que nadie lo puede probar. Pero yo frené y el coche se detuvo. En seguida la luz verde se encendió y yo seguí. El policía pitó y yo no me detuve porque no podía creer que fuera por mí. Me alcanzó en

5 seguida con su motocicleta. Me habló de mala manera: "Que si por ser mujer creía que las leyes de tránsito se habían hecho para los que gastan pantalones". Yo le aseguré que no me pasé el alto. Se lo dije. Se lo

10 repetí. Y él que si quieres. Me solivianté: la mentira era tan flagrante que se me revolvió la sangre. Ya sé yo que no buscaba más que uno o dos pesos, y tres a lo

15 sumo. Pero bien está pagar una mordida cuando se ha cometido una falta o se busca un favor. ¡Pero en aquel momento lo que él sostenía era una mentira monstruosa! ¡Yo había hecho caso a las luces! Además el tono: como sabía que no tenía razón

20 se subió en seguida a la parra. Vio una mujer sola y estaba seguro de salirse con la suya. Yo seguí en mis trece. Estaba dispuesta a ir a Tránsito y armar un escándalo. ¡Porque yo pasé con la luz verde! Él me miró socarrón, se fue delante del coche e hizo intento de quitarme la placa. Se inclinó. No sé qué pasó entonces. ¡Aquel hombre no tenía ningún derecho a hacer lo que estaba

25 haciendo! Yo tenía la razón. Furiosa, puse el coche en marcha, y arranqué...

mordida = en México, el soborno que pide un policía

la placa (de matrícula) = la hoja de metal que tiene el número del coche

René Avilés Fabila, quien nació en la ciudad de México en 1940, es periodista, ensayista y escritor de cuentos, conocido por su exploración de los sentimientos y las pasiones humanas.

Sangre y arena
René Avilés Fabila

Bajó la cabeza apuntando los cuernos hacia el cuerpo de su enemigo. Bufaba al tiempo que con su pata derecha rascaba violentamente la tierra. Estaba rabioso y del hocico salían

5 espumarajos. De una sola y brutal cornada quería acabar con el hombre que asustado lo miraba. Con toda la fuerza que le fue posible atacó. Uno de los pitones alcanzó el vientre atravesando órganos vitales; el tipo cayó al suelo, agonizaba. La esposa del astado gritó al contemplar la escena. Su

10 marido triunfante miraba a la víctima desangrarse. Después intervinieron los vecinos y al final la policía. Recogieron el cadáver y el esposo ofendido fue a la cárcel. Además de cornudo, asesino dijo el juez al darle veinte años de trabajos forzados.

Sangre y arena = una novela famosa sobre las corridas de toros del autor español Vicente Blasco Ibáñez

bufar = respirar con furia
pata = pie y pierna de un animal
hocico = nariz y boca de un animal
espumarajos = saliva con espuma

pitones = cuernos
astado = que tiene cuernos

Apuntes para ser leídos por los lobos
René Avilés Fabila

El lobo, aparte de su orgullosa altivez, es inteligente, un ser sensible y hermoso con mala fama, acusaciones y calumnias que tienen más que ver con el temor y la envidia que con
5   la realidad. Él está enterado, mas no parece importarle el miserable asunto. Trata de sobre-vivir. Y observa al humano: le parece abomi-nable, lleno de maldad, cruel; tanto así que suele utilizar proverbios tales como: "Está
10 oscuro como boca de hombre", para señalar algún peligro nocturno, o "El lobo es el hombre del lobo", cuando este animal llega a ciertos excesos de fiereza semejante a la humana.

altivez = actitud de superioridad

temor = miedo
enterado = informado

"El hombre es el lobo del hombre" = frase empleada por el filósofo Thomas Hobbes para describir su perspectiva negativa de la naturaleza del ser humano

Actividad 18   Crímenes y móviles   Decide si cada una de las siguientes oraciones se refiere principalmente al crimen o al móvil. Después, asocia cada una de las oraciones con uno de los cuatro cuentos. Escribe el título a la derecha de cada oración.

1. Una mujer mató a un hombre conduciendo su coche encima de él.
2. Los seres humanos son esencialmente violentos y crueles.
3. Un hombre mató a otro con una pistola.
4. Un hombre mató a otro, probablemente con un cuchillo o puñal (*dagger*).
5. Un hombre molestó a otro al repetir incesantemente la misma acción.
6. Un hombre sufrió un ataque de celos porque su mujer se había acostado con otro.
7. Una mujer se enojó porque un policía trataba de sacarle dinero.

Identifying main ideas

Act. 18: Assign and discuss in class. Answers: 1. **crimen, Ahí está...** 2. **móvil, Apuntes...** 3. **crimen, Empezó...** 4. **crimen, Sangre...** (weapon may have been a knife since story uses image of a **cornada**). 5. **móvil, Empezó...** 6. **móvil, Sangre...** 7. **móvil, Ahí está...** Option 1: Divide students in groups and make each group responsible for preparing a 3-line **resumen** of one story. Students then report to entire class. Option 2: Have students present each of the first three stories through **mímica:** each group chooses one story and decides on a mimed action for each line of the story. Then one student reads as others perform mime.

Actividad 19   De forma detallada   En parejas, analicen los siguientes aspectos de cada uno de los minicuentos.

1. ¿Se narra en primera o tercera persona?
2. ¿Cuántos personajes hay y cómo son?
3. ¿Cuáles son los actos ilegales que se cometen? ¿Por qué se cometen?
4. ¿Hay castigos?
5. ¿Cuál es el tono del cuento? ¿Qué nos dice de la perspectiva del autor?
6. ¿Qué metáforas se emplean?

Analyzing

Act. 19: Assign and discuss in class. Notes: 1. Ask students if they trust a first-person narration more or less than third-person. 3. Have students con-sider all the illegal actions discussed in each story, not just the concluding **crimen.** Have students speculate on immediate causes as well as other causes less obvious to readers or **personajes.** 4. Point out the judge's reaction in **"Sangre y arena".** It seems that the man is punished primarily for being a **cornudo.** 5. Point out in particular the comic-ironic tone of the Max Aub stories. 6. Discuss in particular the metaphor of the bullfight used in **"Sangre y arena".** Option 1: Divide students into groups and assign each group one story. Option 2: Have students speculate: **Si tú hubieras estado en la misma situación que el/la protagonista, ¿qué habrías hecho?** Option 3: Have students finish sentences about protagonists' desires: **El hombre quería que el otro hombre... La mujer quería que el policía... El cornudo quería que el amante...**

Comparing and contrasting, Making inferences

Act. 20: Assign and discuss in class. Notes: 1, 2. **Apuntes** identifies cruel human nature as a universal motive. Do students agree with this perspective? Other stories could be seen as referring to universal motives, though manifested through particular cultural traditions: the **cornudo** in **Sangre...**, the Mexican cop asking for a **mordida** in **Ahí está...**, the noise made by a man stirring his **café con leche** in a glass (note that **café con leche** is often served in a small glass, rather than a cup). 3, 4. Have students explore different aspects commented on in Act 19. Option: Have students use connecting words such as **pero, sino, sino que, aunque, como** in making and justifying their comparisons.

Actividad 20 **Comparaciones y contrastes** En parejas, comenten las siguientes preguntas.

1. ¿Cuáles de los cuentos parecen explorar móviles que son específicos de las culturas hispanas?
2. ¿Cuáles exploran móviles "universales" que se pueden encontrar en cualquier sociedad humana?
3. ¿Cuáles son los dos cuentos más parecidos? ¿Por qué?
4. ¿Cuáles son los dos cuentos más interesantes? ¿Por qué?

Actividad 21 **Historias verdaderas** Max Aub dijo que sus cuentos de crímenes se basaban en hechos reales. En parejas, cuéntense breves historias de crímenes que conocen (reales o ficticias), y después especulen sobre los móviles de los criminales en cada caso. Cada persona debe contar una historia.

Cuaderno personal 11-3

¿Cuál de estos cuentos te gustó más? ¿Cuál menos? ¿Por qué?

Redacción: Ensayo

Act. 21: Have students prepare this activity outside of class, so that they are ready to tell each other their stories in class. Option: Structure the activity by requiring students to write 5–10 lines of text before class. This will ease their spoken performance. During the check, ask each student to speculate about possible motives, and ask them if they are universal, culture-specific, or both.

Strategy, Option: List the following expressions randomly on the chalkboard. Have students pair them in as many ways as possible, as cause and effect: **pobreza, hambre, delincuencia o delitos, castigo, no estudiar, malas notas, abuso de derechos, trabajo, cansancio.** Use these associations to have students practice connectors and to see the complexity of causal relationships.

ESTRATEGIA DE REDACCIÓN

Analyzing Causes and Effects

In this chapter you have been reading about causes and effects, for example, the causes of criminal violence and the possible effects of drug legalization. Analyzing cause and effect is both a way of organizing thoughts and a means of organizing writing. It is a useful strategy to employ when you need to answer the question *Why?* The discussion of a cause automatically assumes an effect and vice versa, but in writing, one of these two aspects may become the focus. In **Lectura 1,** Juan Tomás de Salas sees several effects for one cause, drug legalization. On the other hand, **Lectura 2** looks at many causes for one broad phenomenon, a rise in crime, and the stories in **Lectura 3** explore different causes (motives) for different effects (crimes).

Using cause and effect as a basis for your writing requires clear thinking on your part. Think about the following points before writing.

1. Determine whether you want to analyze the causes of an event or phenomenon, its effects, or both. Make a list of the points you want to discuss.
2. Distinguish clearly between causes and effects or indicate where this is difficult to do. For example, is violence on television a cause or an effect of increasing violence in society?

3. Avoid the assumption that one event causes another simply because one precedes the other; there may be no causal relation. For example, a change in curriculum at a school is followed by a gradual fall in test scores, but other factors besides the change in curriculum, such as broader changes in society, may have actually caused the fall in test scores.

4. Finally, be aware that it is not possible to fully explain many phenomena. The number of potential causes is in reality infinite, and you should limit yourself to speculation about those that are most important or immediate or to those for which you have the most compelling arguments.

The following expressions are often useful for discussing causes and effects.

así que	thus, so
como consecuencia, como resultado	as a consequence, as a result
el factor; la causa	factor; cause
por consiguiente, por eso, por lo tanto	therefore
porque + *verbo conjugado*	because
una razón por la cual	one reason why
el resultado	result
ya que, puesto que, como	since
a causa de (que), debido a (que)	because of, due to
por + *infinitivo/sustantivo*	because of, for
causar, provocar, producir	to cause
conducir a, llevar a	to lead to
deberse a (que)	to be due to
resultar de	to result from
tener como/por resultado	to result in

Actividad 22   Fenómenos y causas   **Parte A:** La siguiente lista incluye temas candentes o importantes en este país. En grupos de tres, escriban oraciones sobre algunos de los fenómenos asociados con estos temas.

▶ Cada vez hay más (o menos) personas que consumen drogas.

el consumo y tráfico de drogas
el crimen violento (asesinatos, asaltos, violaciones)
el crimen organizado
el terrorismo

el número de cárceles y prisioneros
la pena de muerte
la corrupción en el gobierno
la violencia en los medios de comunicación

Parte B: Escojan uno de los fenómenos y hagan una lista de causas posibles. Usen las sugerencias de la Estrategia de redacción para discutir qué causas son posibles. Luego, de las que queden, decidan cuáles son más importantes y cuáles menos importantes.

Analyzing causes and effects

Act. 22A: Assign as HW so students can prepare ideas and vocabulary for this discussion. Focus on current issues. Option: Tell students that they can also discuss the effects of a phenomenon.

Writing an essay

Act. 23A: Assign and specify requirements. Remind students to keep their audience and purpose in mind by asking guide questions: How much will my audience know about this topic? What do I want them to think at the end? Inform students that they may need to do research. Option 1: Have students brainstorm types of evidence and where they can find it. Option 2: For further writing practice, have students view and review *Los olvidados* (Mexico, 1950), *El mariachi* (U.S., 1993), *Traffic* (U.S., 2000), *Amores perros* (Mexico, 2000), or *El crimen del padre Amaro* (Mexico, 2002). These films show the difficulty of avoiding the culture of (drug-related) violence.

Actividad 23 La redacción Vas a redactar un ensayo para explicarles a tus compañeros las causas del fenómeno social escogido en la Actividad 22B.

Parte A: Escribe el título y la introducción de forma que presenten el tema general. Si tu público no conoce bien el fenómeno social que vas a tratar, tendrás que incluir evidencia, como estadísticas o comentarios hechos por expertos, para demostrar su existencia y su importancia.

Parte B: Basándote en tu lista de causas importantes, decide si vas a enfocarte en una o varias causas en el cuerpo de tu ensayo. Presenta evidencia para apoyar cada causa.

Parte C: Escribe la conclusión haciendo un resumen de las causas presentadas y considerando otra vez la importancia del tema y otras implicaciones.

Capítulo **12**

Cruzando fronteras

▲ Una estudiante de intercambio de los Estados Unidos conoce por primera vez a su nuevo "hermanito" y a los demás miembros de su familia anfitriona en Uruguay.

See the *Fuentes* website for related links and activities:
http://college.hmco.com/languages/spanish/students

211

Activating background knowledge

Act. 1A: Assign and discuss in class. Brainstorm a list of factors and write them on the board. Possible responses: **Internet; vuelos más frecuentes y más baratos; el uso constante del teléfono (móvil o celular); la inmigración, especialmente del sur al norte; la internacionalización de la educación; el multiculturalismo y mayor apreciación de otras culturas.**

Actividad 1 El contacto entre culturas **Parte A:** La globalización es un fenómeno del mundo actual que trae consigo un creciente nivel de contacto entre personas de diferente origen cultural. En grupos de tres, hagan una lista de dos o tres factores que contribuyen al aumento del contacto entre diferentes culturas. Después, digan por lo menos un aspecto positivo y un aspecto negativo de ese contacto. Justifiquen sus respuestas.

Parte B: En la foto de la página anterior, una estudiante de intercambio norteamericana llega a Uruguay. En grupos de tres, hagan una lista de tres o cuatro tipos de diferencia cultural que ella pueda encontrar en su nuevo país. Luego, hagan una lista de las ventajas de viajar a otros países y conocer otras culturas.

Lectura 1: Un ensayo

FCG links: Narration in the past, discussing study abroad experiences

Building vocabulary

estudiante de intercambio = exchange student

Act. 1B: Have students work for a few minutes, then do a whole-class sharing. List responses on the board. Some possibilities: food, clothing, music, religion, dance, language/dialect, greetings, gestures and conceptions of physical space,

meter la pata = to put your foot in it

metedura de pata (*España*) = **metida de pata** (*Latinoamérica*)

beliefs (about government), values, time/schedules, gender roles, different importance of individualism vs. hierarchy and extended family. Option: Initiate discussion on the use and origins of stereotypes. If students report obvious stereotypes, ask them how they can know if they are true and if they can think of any exceptions (counterexamples). Ask students to define stereotypes and explain why they can be a problem.

Act. 2: Assign and discuss in class or provide answers so that students can self-check. Point out that **botar**

embarazada = pregnant

and **extrañar** are used primarily in Latin America (vs. **tirar** and **echar de menos** in Spain).

Actividad 2 Recuerdos de Daniel Las siguientes oraciones describen las experiencias de un estudiante de intercambio norteamericano en Colombia. Completa cada oración con una expresión apropiada de la lista que sigue.

botar	to discard, throw away
despedirse de	to say good-by to
dominar (una lengua)	to speak (a language) well
enterarse de (algo)	to find out about (something)
extrañar	to miss
una metedura de pata	a faux pas
mudarse	to move, change residence
pegar	to hit
reprender	to scold; to correct (*someone's behavior*)
saludar	to greet, say hello to

1. El programa de intercambio estuvo muy bien organizado y Daniel _____ se enteró _____ de su destino—Cali—y de su familia anfitriona —los Valderrama—un mes antes de irse.

2. Cuando llegó a Cali, su familia anfitriona lo estaba esperando en el aeropuerto. Aunque no sabía español, Daniel _____ saludó _____ a cada miembro de la familia con una frase que había memorizado: "Mucho gusto en conocerle".

3. Daniel se dedicó a aprender muy bien español. Su mejor profesor era su hermanito de ocho años, que lo ayudaba con la pronunciación de la erre y lo _____ reprendía _____ cuando conjugaba mal los verbos.

4. Durante los primeros meses, Daniel tuvo algunos problemas con la lengua. Por ejemplo, pasó dos meses exclamando "¡Estoy tan embarazado!" ¡Qué _____ metedura de pata _____!

5. Daniel lo pasaba muy bien en Cali, pero le pidió a su madre que le mandara mantequilla de maní JIF porque también _____extrañaba_____ a su familia y su vida en los Estados Unidos.

6. Después de seis meses, Daniel ___se despidió___ de su familia de Cali y ___se mudó___ a Bogotá para conocer otra región del país.

7. Al final del año, Daniel había acumulado muchos libros, CDs, fotos y otros recuerdos. No quería ___botar___ nada, así que tuvo que comprarse una maleta nueva para llevar todas las cosas.

8. Después de su año en Colombia, Daniel ___dominaba___ bastante bien el español.

Actividad 3   ¿Estudiar en el extranjero?   **Parte A:** En parejas háganse las siguientes preguntas.

1. ¿A ti te gustaría estudiar en el extranjero? ¿Dónde? ¿Por qué sí o no?
2. Si eres (o si fueras) un/a norteamericano/a de origen latino/hispano, ¿te gustaría estudiar en algún país hispanohablante? ¿Por qué sí o no?

Parte B: Ahora, lee individualmente la siguiente historia de un estudiante latino y sus experiencias interculturales dentro y fuera de los Estados Unidos. Al leer, decide si las experiencias de Hugo reflejan o no tus ideas, y apunta tus reacciones en los márgenes.

Hugo Aparicio estudió en la Universidad de Emory, donde se especializó en biología y español. Ahora es estudiante de medicina en la Universidad de Pennsylvania. El siguiente texto contiene sus reflexiones sobre la experiencia de crecer y vivir en contacto con diferentes culturas.

Una educación intercultural
Hugo Javier Aparicio

"¿No es que ya sabes hablar español?"
¡Cuántas veces he escuchado esta pregunta! Mientras mis amigos se especializaron en la universidad con asignaturas como ingeniería, ciencias políticas o negocios, yo decidí concentrar mis estudios en la lengua
5   española. Al enterarse de mi concentración, algunas personas respondieron con una mezcla de incredulidad e indignación —"¡Pero eres *hispano*! ¿Para qué te sirve estudiar español?"

Soy latino y he hablado español toda mi vida, pero la situación no es así de sencilla.

10   Nací en La Paz, Bolivia, pero cuando tenía tres años mi familia inmigró a los Estados Unidos y nos establecimos en Lexington, Kentucky. Años después, durante el octavo curso de escuela primaria, falté a un día de clases para visitar Frankfort, la capital de Kentucky. El próximo día, les conté a mis compañeros que mis padres se habían naturalizado y que yo, como hijo,
15   también me había convertido en ciudadano estadounidense. Al oír esto, estaban completamente sorprendidos. Se habían olvidado que yo no había nacido en Kentucky y que no había sido americano toda mi vida.

Activating background knowledge

Act. 3A: Discuss in class. Check with a class sharing. If you have Latino/a students, ask them to share their reasons for wanting (or not) to study abroad.

Active reading

Act. 3B: Ask for some student reactions after they have read. **¿Les sorprendieron algunas de las reacciones de Hugo? ¿Cuáles?**

Este texto auténtico refleja el español que habla Hugo Aparicio. Se nota la influencia de diferentes variedades de español y también del inglés.

Y yo siempre tenía un dilema cuando alguien me preguntaba "¿de donde eres?". Tenía una variedad de respuestas posibles:

20   1. "Soy de Bolivia", decía yo.

"Ese país", a veces respondían, "es ahí al lado de Honduras, ¿no?"

2. "Soy sudamericano."

"¡Wow!" decían, "tu inglés está perfecto."

3. "Soy de Kentucky."

25   "Qué extraño", respondían, "¿un latino en Kentucky?"

Más interesante, quizás, es como me identifican personas de diferentes partes del mundo. En los Estados Unidos usualmente piensan que soy mexicano. En América Latina, notan mi acento e inmediatamente creen que soy *gringo*. En Europa, me identifican como americano porque hablo inglés y

30   porque llevo pantalones cortos y una gorra de béisbol.

Sin embargo, esta ambigüedad de identificación y mi deseo de mejorar mi uso del español me empujaron a aprender más sobre los países que había dejado como niño.

Cuando llegué a la universidad decidí que era importante dominar el

35   español, así que empecé mis estudios de la lengua. Al principio fue fácil leer los textos y añadir a la discusión en clase, pero pronto reconocí mis defectos. Por falta de una comprensión de la gramática y la sintaxis, no sabía cómo escribir bien. Encima, no podía entender vocabulario más avanzado de lo que había hablado en la casa. Tuve que aprender mucho esos

40   primeros años, pero al mismo tiempo yo estaba sumamente interesado en aprender más sobre las culturas hispanas.

La experiencia durante mi carrera que más me abrió mis ojos fue la oportunidad de ir a España como estudiante de intercambio. Descubrí, durante mi tiempo ahí, muchas diferencias importantes entre la gente del

45   mundo hispanohablante y entre los Estados Unidos y Europa.

Estudié ese semestre en la Universidad de Salamanca, una antigua y prestigiosa institución, fundada en el año 1218. Además, durante mi estancia, me quedé con una familia española para sumergirme completamente en la cultura del país. Fue interesante vivir y estudiar en el extranjero,

50   siendo ya en mi propio país (los Estados Unidos) una persona *del* extranjero.

La transición a la cultura española no debería haber sido difícil, en vista de que había crecido hablando la lengua en mi casa y aprendiendo sobre las diferentes culturas de mi familia en Sudamérica. Sin embargo, los países hispanohablantes no son todos lo mismo. Había visitado Bolivia y Ecuador,

55   donde vive mi familia en Sudamérica, pero visitar a España fue una experiencia distinta.

Tuve que adaptarme desde el primer día. Cuando primero conocí a mi *señora*, la madre de la familia con la que yo iba a quedarme, le saludé con sólo un beso en la mejilla. Siendo latino, yo estaba acostumbrado a dar sólo

60   un beso cuando saludaba a mis amigas y familiares. Es costumbre en España, al conocer a alguien, dar y recibir dos besos, pero yo me olvidé varias veces de esta convención. Cada vez que cometí esta metedura de pata, mi señora me reprendió, aunque con paciencia y humor.

Entre las culturas que yo conocía, había siempre que tomar en cuenta

65   las diferentes convenciones sociales. La distancia entre tú y la persona con quien hablas, por ejemplo, variará de un país al otro. Por un lado, la gente española y latina, incluyendo mi familia en Kentucky, se acercan mucho cuando hablan y no tienen miedo del contacto físico. Por otro lado, muchos

▲ Hugo Aparicio, durante una excursión a la ciudad española de Segovia. Detrás de él se ven los arcos del acueducto romano.

americanos están incómodos con
70 estas transgresiones del espacio
personal; si tratas de dar un beso a
una americana, cuando recién la
estás conociendo, es muy posible
que te pegue.

75   Vi durante mis viajes que la
cultura latina ponía mayor importancia en la conexión de familia.
En la casa de mi señora vivía casi
toda la familia, aunque algunos de
80 los hijos ya se habían graduado de
la universidad. Reconocí algo
semejante en la casa de mis parientes en Ecuador, donde vive
mucho de la familia extendida

▲ Desde hace siglos, la Plaza Mayor
ha servido como eje de la vida social
de la ciudad de Salamanca, sede de
la universidad más antigua del
mundo hispano.

85 bajo un techo. Esto no ocurre en los Estados Unidos,
donde me parece que los niños están botados del hogar al
cumplir los 18. Sin embargo, esta tradición en España está
cambiando, visto que la generación joven se está mudando
de los pueblos para encontrar trabajo en las ciudades o donde hay turismo.
90 La hija de mi señora, por ejemplo, está contemplando mudarse a la costa
para encontrar mejor trabajo.

        Adaptarme a las diferentes culturas, al final, no fue tanto trabajo como
fue siempre usar el español y tratar de entender las diferencias lingüísticas
entre España y América Latina. Primeramente, noté que muchas palabras en
95 mi vocabulario no correspondían a las cosas en España: llegamos conduciendo el coche, no manejando el carro; escribía mis trabajos en el orde-
nador, no en la computadora; yo me despedía de la gente con ciao pero ellos
siempre me decían adiós. Ciertamente, la lengua que hablaban, el castellano,
no era el español que yo usaba.

100   Además, yo había aprendido a hablar usando usted y ustedes, pero me
hicieron comprender en mi casa adoptiva que estas formas son demasiado
formales con familia, que es casi un insulto usarlas con gente que conoces
bien. Lentamente, empecé a hablar con la forma de vosotros, aunque mis
padres se reían cuando decía por teléfono, "Y vosotros, ¿cómo estáis?"

105   Después de un semestre muy divertido, mi familia en Kentucky ya me
echaban de menos (en español boliviano: me extrañaban). Tuve que regresar a los Estados Unidos, pero ya me había educado en no sólo las costumbres y el idioma de otra cultura, sino también en las diferencias y semejanzas que yo reconocía entre mis propias culturas.

110   Ahora estoy acostumbrado a cómo mi identidad está cambiando continuamente. Para diferentes grupos, entre diferentes culturas, soy algo distinto.
Esto me encanta, ser boliviano, americano, latino e indoeuropeo. Reconozco
que soy afortunado por tener tanta riqueza de cultura, lengua y experiencias.

        Sudamérica. Los Estados Unidos. España. En estos lugares he recibido
115 una educación entre y adentro de múltiples culturas. Al notar las diferencias
entre ellas y tratar de comprender los hábitos, las costumbres y las pecu-
liaridades de los países que visité, he podido cambiar mis ideas sobre el
mundo y sobre mí mismo. De hecho, estas experiencias han sido las más
ricas de mis años de universidad.

Scanning, Making inferences

Act. 4: Assign and discuss in class. Answers/Notes: 1. **La Paz, Bolivia.** 2. **a los tres años** 3. **Porque hablaba inglés como ellos y porque vivía en Kentucky.** 4. **cuando estaba en el octavo grado** 5. **boliviano, sudamericano, American/Kentuckian, latino, latinoamericano, indoeuropeo; mexicano, gringo** 6. **Salamanca, España** 7. **Porque no daba los dos besitos obligatorios.** 8. Common concern for family relations in Spain and Bolivia; growing social mobility makes Spain more similar to the U.S., as well as a more egalitarian use of pronouns (high use of **tú**). 9. Different use of language (e.g., **extrañar** vs. **echar de menos**, etc.); more conservative, hierarchical

Making inferences, Forming hypotheses

society in Bolivia; greater concern for relationships in Spain, with children remaining in the family home longer than in the U.S. 10. Hugo seems to better appreciate, in spite of possible frustrations, his complex, hybrid identity.

Act. 5: Assign and discuss in class. Encourage students to reflect on the validity of these statements for themselves. Remind them that all

Comparing and contrasting

responses should be seen only as working hypotheses. Possible answers: 1. Apparently a manifestation of the emphasis placed on **autonomía personal** over collectivism. 2. A manifestation of the need to demonstrate **autonomía personal** from as young an age as possible. 3. Possibly related to the greater awareness and recognition of social hierarchy in Bolivia and Ecuador. Urban middle-class Spaniards have adopted more egalitarian norms of interaction. 4. Language is used for the communication of information (favoring similarity), but also marks identity, and this favors dialect differences of all sorts.

Actividad 4 ¿Qué dijo Hugo? En parejas, contesten las siguientes preguntas sobre la lectura.

1. ¿Dónde nació?
2. ¿Cuándo inmigró a los Estados Unidos?
3. ¿Por qué les sorprendió a sus amigos saber que no había sido siempre ciudadano?
4. ¿Cuándo se convirtió en ciudadano de los Estados Unidos?
5. ¿Cómo se identifica Hugo? ¿Cómo lo identifican los demás?
6. ¿Adónde fue Hugo como estudiante de intercambio?
7. ¿Por qué la *señora* reprendía a Hugo?
8. Cuando Hugo fue estudiante en España, ¿qué semejanzas descubrió entre la cultura española y la de su familia? ¿Entre la cultura española y la norteamericana?
9. ¿Qué diferencias descubrió entre la cultura española y la boliviana? ¿Entre la cultura española y la norteamericana?
10. ¿Por qué la experiencia fue valiosa para Hugo? ¿Qué efectos tuvo sobre él?

Actividad 5 ¿Por qué será? Hugo hace varias generalizaciones sobre las culturas que él conoce. En grupos de tres, lean las siguientes generalizaciones y traten de explicar las razones de cada fenómeno descrito.

1. Los norteamericanos suelen guardar mayor distancia física cuando hablan con otra persona.
2. Los norteamericanos suponen que los hijos deben irse de la casa de los padres a partir de los 18 años.
3. Los bolivianos y ecuatorianos usan las formas de **usted/ustedes** (además de **tú**) con mucha más frecuencia que los españoles.
4. España, Bolivia y Ecuador tienen diferentes maneras de hablar español.

Actividad 6 Comparando experiencias Muchas personas deciden estudiar en el extranjero. En grupos de tres, digan si Uds. han tenido experiencia en el extranjero o si han conocido a algún estudiante de intercambio o una persona extranjera que viva en los Estados Unidos. Después, háganse las siguientes preguntas.

1. Si tú estudiaras en un país hispanohablante, ¿qué aspectos de tu experiencia serían diferentes de la de Hugo?
2. ¿Has tenido confusión o algún malentendido causado por una diferencia entre dos culturas? ¿Cuándo y por qué surgió? ¿Aprendiste algo de la experiencia?
3. ¿Conoces a otra persona que haya tenido confusión o algún malentendido causado por una diferencia entre dos culturas? ¿Cuándo y por qué surgió? ¿Aprendió esa persona algo de la experiencia?

Act. 6: Assign and discuss in class. If students lack direct experience, have students interview American friends who have studied in other countries or international students studying in the U.S. Students can also reflect on experiences with different cultures within the U.S.

Cuaderno personal 12-1

¿Te gustaría estudiar en el extranjero? ¿Por qué sí o no? ¿Adónde irías y por qué?

VIDEOFUENTES

¿En qué se asemejan o se diferencian las experiencias de Hugo Aparicio y las de las personas entrevistadas en el video? ¿A qué factores se deben estas semejanzas o diferencias?

Lectura 2: Un ensayo

FCG links: Narration in the present

Actividad 7 **¿Amenazas a la seguridad?** **Parte A:** Existen muchas amenazas naturales y climatológicas que afectan a los habitantes de Norteamérica. En parejas, digan con qué estaciones y con qué regiones de Norteamérica se asocia cada amenaza natural.

alergias
incendios forestales
terremotos
hielos/heladas
riadas o inundaciones
tornados
huracanes
tempestades de nieve

Parte B: En parejas, hagan una lista de peligros o amenazas sociales que preocupan a los habitantes de Norteamérica.

Building vocabulary

amenaza = menace, threat

Act. 7A: Assign and discuss in class. Ask students if these phenomena are more typical of North America than of other regions of the world. Might this affect culture?

Act. 7B: Assign and discuss in class. Recycle vocabulary from Chapter 11. Try to include vocabulary from the readings: **violadores, ladrones, pirómanos, asesinos psicópatas.** Try to maintain a humorous tone (as if one were brainstorming plots for a detective novel).

Building vocabulary

Act. 8: Assign and discuss in class or provide answers so that students can self-check. Option: Practice guessing meaning from context by having students look for and define the following terms: **trinomio, desenfadado, luminotecnia, circundar, pasar el rato en casa, emisoras.**

cotidiano/a = daily, everyday

temporada de ópera = opera season,
temporada de fútbol = soccer season

Actividad 8   Palabras necesarias   **Parte A:** Las palabras de la lista aparecen en la lectura "El amor al miedo". Míralas y después completa las oraciones que siguen con una forma apropiada de una palabra de la lista.

acechar	to lie in wait for
aliviar	to relieve
el bombero	firefighter
el camión cisterna	fire engine
la cotidianidad	everyday life, "everydayness"
de temporada	of the season, of the moment
indespegable	inseparable
la inquietud	concern
perecer	to perish
el porvenir	the future
el siniestro	disaster
la toma directa	live shot (*e.g., of a news report*)
la vecindad	vicinity; proximity

1. Cuando sonó la alarma, todos los _____bomberos_____ subieron al _____camión cisterna_____ y salieron para apagar el incendio.
2. El hombre caminaba sin saber que un delincuente lo _____acechaba_____ a la vuelta de la esquina. Al doblar la esquina, el delincuente lo amenazó con un cuchillo y le robó la cartera.
3. La _____cotidianidad_____ norteamericana incluye el uso constante del carro y el consumo de mucha "fast-food".
4. Todos los habitantes del pueblo _____perecieron_____ en el huracán; no sobrevivió ninguno.
5. María Mercedes y Pepa parecen _____indespegables_____; siempre se ven juntas.
6. Cuando llegó el huracán, los de la estación de televisión sacaron unas _____tomas directas_____ impresionantes del _____siniestro_____.
7. Iván es un gran aficionado a los deportes y siempre está pegado a la tele viendo el deporte _____de temporada_____, sea el béisbol, el fútbol o el baloncesto.
8. Don Carlos sufría mucho, pero la inyección que le puso el médico le _____alivió_____ el dolor.
9. El _____porvenir_____ le preocupa a mucha gente porque es imposible predecir todo lo que va a pasar.
10. La estación de bomberos quedaba muy cerca de su casa, y esta _____vecindad_____ le quitaba muchas _____inquietudes_____ a Carmen.

Act. 9A: Discuss in class. Ask **¿Existen diferencias entre los telediarios de las grandes cadenas (ABC, NBC, CBS) y los programas de noticias de CNN o FOX?** To simplify discussion, focus on the major network news programs.

Activating background knowledge

telediario = daily news program

Actividad 9   Las noticias en EE.UU.   **Parte A:** El ensayo que Uds. van a leer incluye un análisis de los telediarios norteamericanos. En grupos de tres, comenten las siguientes preguntas.

1. ¿Qué tipos de noticias se presentan en los telediarios?
2. ¿En qué orden se suelen presentar? ¿Por qué?

3. ¿Cuánto tiempo se dedica a cada tipo de noticia?
4. ¿Quiénes (o qué tipo de personas) presentan cada tipo de noticia?
5. ¿Por qué la gente mira los telediarios?

Parte B: Lee individualmente el ensayo. Al leer, compara tus ideas sobre los telediarios norteamericanos con las de Vicente Verdú. Apunta las ideas más importantes y tus reacciones personales en los márgenes.

Active reading, Annotating and reacting

Act. 9B: Assign and discuss in class. Relate to Activity 10.

Vicente Verdú es pensador y periodista español. Escribe con frecuencia para el conocido periódico español El país. *Durante los años 90 pasó una temporada en los Estados Unidos, y después puso sus reflexiones sobre su experiencia en el libro de ensayos* El planeta americano. *En este libro, Verdú argumenta que la globalización es realmente un proceso de americanización, y que es necesario entender la cultura americana para entender los cambios culturales que están ocurriendo en todas partes del mundo. Según Verdú, uno de los aspectos más destacados de la cultura norteamericana es su creación y reproducción constante del miedo.*

El planeta americano
Vicente Verdú

This reading provides students with one Spaniard's view of one aspect of U.S. culture. Use it to help students explore the difficulty of understanding another culture and the problem of overgeneralization.

El amor al miedo

Los telediarios locales norteamericanos ofrecen tres secciones principales. Una dedicada a los crímenes y catástrofes, otra destinada a los deportes y una tercera concentrada en el tiempo. Los cuatro presentadores que aparecen se dividen así: dos para lo general, en cuya generalidad el
5 crimen junto al siniestro de temporada ocupa el minutaje más largo. Luego, un presentador —no una presentadora— desenfadado habla de la marcha deportiva del béisbol, el baloncesto o el hockey. Después le toca el turno al hombre o la mujer del tiempo. Ocasionalmente se ofrecen algunas noticias políticas y algún reportaje curioso, pero
10 no son tan distinguibles y asiduos como aquel trinomio fundamental.
　　La primera parte es, por su énfasis, la más determinante para el espectador. Estados Unidos aparece en esa primera sección como un país amenazado por individuos o fuerzas
15 naturales, que acechan a la población, modifican el territorio y conmueven las expectativas inmediatas. La narración deportiva de la segunda entrega alivia este efecto de inquietud pero mantiene no obstante el espíritu excitado. Finalmente el porvenir climatológico restablece una cotidianidad
20 relativamente predecible. Hay pocas informaciones de instituciones excepto si se refieren a departamentos de sanidad desde donde se notifican nuevos peligros dietéticos o medioambientales a tener en cuenta. Puede ser que algunos telediarios se aderecen con reportajes sobre animales o niños a
25 los que suceden por lo general hechos positivos, pero incluso esas alusiones más benévolas podrían estar aliñadas con los peligros que siempre merodean.

▲ Las amenazas y los desastres predominan también en los telediarios de las cadenas de televisión hispanas de los Estados Unidos.

El tiempo suele ser lo más rutinario comparativamente hablando, pero las alergias son una plaga en primavera y enseguida se redoblan los incen-
30 dios forestales en verano, la sesión de huracanes, la formación de tornados en la zona, los movimientos de tierra en la Costa Oeste o las riadas en la mitad del país. Como dicen algunos carteles urbanos, *Disaster never rests* (El desastre no descansa nunca): cada diez minutos ocurre un desastre. La Cruz Roja ha adaptado el lenguaje de sus paneles a la sensibilidad
35 popular tanto con el fin de disminuir el efecto de las devastaciones como para contribuir a cultivar la vecindad del cataclismo.

En julio de 1994 se anunciaba una colección de vídeos titulada *Eyewitness of Disaster* (Testigos Oculares del Desastre) con escenas aterra-doras para la degustación privada. El terremoto de Los Ángeles, las inun-
40 daciones del Mississippi, el resultado de los vientos y los hielos..., tomas directas de gentes en circunstancias que les llevaban a perecer angustiosa-mente. Todo esto para pasar el rato en casa. De hecho, las devastaciones podrían formar parte del programa televisivo estacional, y los incendios en la barriada provocados o no, a pesar de las múltiples prevenciones y sis-
45 temas de alarma, son parte de las noticias diarias. Cada seis segundos hay una llamada a los bomberos: se queman 40 veces más casas per cápita en Estados Unidos que en Japón pese a que en Japón se construyen buena parte de ellas en madera y papel. El fuego arrasador aparece en los infor-mativos de la tarde y de la noche, pero su presencia se vive sin necesidad
50 de mediación por las ventanas, en directo, sobresaltado por la estridente carrera de los camiones cisterna. De igual modo, el crimen y los accidentes todavía sin nombre no sólo se escuchan en las emisoras, se presienten en la luminotecnia y los alaridos de las sirenas que sortean el tráfico a cualquier hora. La sensación de amenaza parece indespegable de América. Una
55 atmósfera de miedo directo y cinematográfico, oral, visual y estereofónico es parte de la cotidianidad real. Contemplados en Europa, las películas y telefilmes de violencia pueden parecer cosa de la ficción, pero los norte-americanos identifican entre los personajes de la cinta aquellos prototipos fisiognómicos del barrio con los que se cruzan y que acaso esconden a
60 violadores, ladrones, pirómanos o asesinos psicópatas.

El miedo circunda a la población, y los demás medios lo recogen y multiplican en sus planos, sus argumentos, sus efectos especiales. El crimen es excitación y espectáculo. La sociedad norteamericana es espectáculo y excitación. Los dos cabos se alían potenciando el sensacionalismo de la
65 vida. ¿Aman esto los norteamericanos? No faltan políticos que acusan a los media de contribuir a la desmoralización y perjudicar la base de la sociedad civil, pero la corriente se mantiene y no es improbable, conociendo el marketing norteamericano, que se corresponda con una efectiva demanda nacional de adrenalina.

Identifying main ideas, scanning

Actividad 10 Según Vicente Verdú El autor del ensayo expone sus análisis e interpretaciones de ciertos aspectos de la sociedad norteamericana. En parejas, contesten las siguientes preguntas según lo dicho por Verdú en el ensayo.

1. ¿Cuál es la secuencia típica de un telediario norteamericano? ¿Cuál es la parte más importante de los telediarios? ¿Por qué?
2. ¿Cuándo aparecen noticias de instituciones?
3. ¿Por qué la parte sobre el tiempo no es meramente rutinaria?

4. ¿Los carteles "*Disaster never rests*" son una causa o un efecto de la cultura del miedo?
5. ¿Qué video veían los norteamericanos para pasar el rato en casa?
6. ¿El cine norteamericano refleja la realidad de la vida cotidiana norteamericana?
7. ¿Por qué el miedo es tan atractivo para los norteamericanos?

ESTRATEGIA DE LECTURA

Summarizing

A summary includes the most important information from a reading. It can be a good study aid because it goes beyond notes and outlines by bringing out important relations between ideas. To prepare a summary, start with notes you make while reading and with an outline of the material. If you are summarizing an informative or argumentative text, you should make the thesis of the text the first sentence of your summary. Each paragraph or main idea may then be summarized with one sentence, or you may opt to reorganize the information in order to present it more succinctly. Use transition expressions to help point out the relations between ideas, and restate the material in your own words, since this will deepen your understanding and permit greater concision.

Actividad 11 **Preparación de un resumen** **Parte A:** En parejas, usen sus apuntes para decidir si la siguiente lista contiene los términos más importantes de la lectura. Si es necesario, quiten o añadan términos y organicen los términos para reflejar las conexiones entre ellos. Luego, escriban una oración que resuma la tesis del ensayo y empleen los términos de su lista final para escribir un breve resumen. Usen expresiones de transición para conectar las ideas.

Aspectos importantes de la lectura

el sensacionalismo
los telediarios
amenazas naturales
el miedo
el cine

amenazas sociales
los medios (media) de comunicación
las emisoras de radio
la vida real o cotidiana

Parte B: En grupos de tres, lean los resúmenes y decidan cómo se pueden mejorar, usando las siguientes sugerencias.

- Hay que expresar de forma más clara o concisa la tesis.
- Hay que alargar el resumen para que incluya todas las ideas importantes.
- Hay que acortar un poco el resumen.
- Hay que eliminar algunos detalles para que resalten las ideas principales.
- Hay que añadir algunos detalles para apoyar mejor las ideas principales.
- Hay que corregir la información incorrecta.
- Hay que organizar mejor el resumen.

Reacting and analyzing

Act. 12: Assign pairs and set a time limit. Use the check of this activity to encourage discussion and debate.

Actividad 12 Reacciones personales En parejas, comenten las siguientes preguntas.

1. ¿Les gusta el tono del ensayo? ¿Por qué sí o no?
2. ¿Están de acuerdo con el argumento general de Verdú? ¿Por qué sí o no?
3. ¿Les parece igualmente válida toda la evidencia ofrecida por Verdú?
4. ¿Con qué ideas o interpretaciones específicas no están de acuerdo?

Analyzing, Forming hypotheses

Act. 13: Can be completed as an oral extension of Act. 11. Point out that interpretations of what constitutes an overgeneralization will vary according to interpretations of reality. For item 4, brainstorm a list of ways: **pasar más tiempo en la otra cultura, dialogar con los miembros de la otra cultura, leer libros y otros textos sobre/de la cultura, estudiar antropología, cuestionar los estereotipos y las interpretaciones de otras personas, vivir con la duda…**

Option: Ask students if reporting about 9/11 and the threat of terrorism is balanced or whether the threats are exaggerated.

Actividad 13 Las sobregeneralizaciones Uno de los grandes desafíos de las personas que tratan de entender otras culturas es la tendencia a sobregeneralizar. En parejas, comenten las siguientes preguntas sobre el contacto intercultural y las sobregeneralizaciones.

1. ¿Qué sobregeneralizaciones pueden identificar Uds. en el ensayo de Verdú?
2. Al hacer sus generalizaciones, ¿Verdú disminuye la importancia de algunos aspectos de la realidad norteamericana?
3. Si Uds. fueran a vivir a otro país y otra cultura, ¿creen que también harían sobregeneralizaciones? ¿Por qué?
4. ¿Cómo se pueden evitar las sobregeneralizaciones?

Cuaderno personal 12-2

¿Crees que los medios de comunicación en los Estados Unidos fomentan el miedo? ¿Por qué sí o no?

Lectura 3: Un artículo

FCG links: Narration in the past, discussing immigration

Building vocabulary

Act. 14: Assign and discuss in class, or provide answers so that students can self-check.

Actividad 14 Palabras claves Las siguientes oraciones contienen palabras en negrita que aparecen en la lectura "La identidad y los McDonald's". Después de leer cada oración, decide qué término en inglés corresponde mejor a cada palabra en negrita, y pon su letra en el espacio en blanco.

a. apocryphal, inauthentic
b. crazy
c. franchise
d. linked, bound
e. of another
f. own
g. relieved
h. to assault, attack, commit an outrage against
i. to run over
j. to swallow

1. __h__ Los terroristas **atentaron** contra el restaurante de McDonald's.
2. __g__ Todos quedaron **aliviados** al descubrir que la amenaza había sido una falsa alarma.
3. __c__ McDonald's, KFC y Starbuck's tienen muchas **franquicias** en todas partes del mundo.
4. __a__ La comida de Taco Bell no es comida mexicana auténtica; es más bien una versión **apócrifa.**
5. __b__ Esa mujer siempre grita en la calle; todos dicen que está **chiflada.**
6. __d__ España y México están **vinculados** por una lengua común.
7. __j__ Tenía tanta hambre que **se tragó** tres hamburguesas seguidas.
8. __i__ El hombre casi **atropelló** al niño que salió corriendo a la carretera, pero pudo frenar a tiempo y no ocurrió nada.
9. __f,e__ Muchas personas elogian su **propia** cultura y desprecian las culturas **ajenas.**

Actividad 15　La identidad norteamericana　Todos nosotros tendemos a categorizar a los extranjeros según ciertas características estereotípicas nacionales. En parejas, escriban una definición de lo que significa para Uds. la expresión "ser americano/a".

ESTRATEGIA DE LECTURA

Increasing Reading Speed

If you want to increase reading speed, you must learn to decide how carefully to read any particular text. Slow readers often believe they must read and understand every word. Though this is sometimes necessary, a quick first reading can help you see the broader context and facilitate later, closer readings. Some suggestions:

1. On a first reading, focus on understanding broad meaning and allow yourself to skip or only semi-comprehend some words.

2. Use your eyes efficiently. Many slow readers allow their eyes to wander back repeatedly to words they have just read without improving comprehension. Try to move your eyes over each line in smooth sweeps from left to right.

3. Read in short phrases rather than words. The brain absorbs information several words at a time, so read chunks or groups of words rather than individual words. Though there are no hard and fast rules for these groupings, they are often closely related by meaning: a noun plus its modifiers, a prepositional phrase, or a verb and its complements.

Actividad 16　El lector eficiente　**Parte A:** Divide el primer párrafo de la lectura "La identidad y los McDonald's" en frases cortas, manteniendo juntas las palabras que tienen alguna relación de significado. Luego, compara tus divisiones con las de un/a compañero/a.

Parte B: Lee cada párrafo de la lectura tan rápido como puedas, leyendo en frases cortas sin volver atrás. Al final de cada párrafo, apunta en el margen la idea general del párrafo. Después, vuelve a leer todo el artículo con más cuidado para asegurarte de que entendiste bien la idea principal de cada párrafo.

This reading presents a very positive view of American culture (balancing Verdú's less positive perspective). Use it to once again lead students to discussion of the problem of over-generalization and the difficulty of fully understanding another culture.

Carlos Alberto Montaner nació en La Habana, Cuba, en 1943. Reside en Madrid desde 1970. Es escritor y periodista, y ha sido profesor universitario en diversas instituciones de América Latina y Estados Unidos. Varias decenas de diarios de América Latina, España y Estados Unidos recogen desde hace treinta años su columna semanal. La revista española Cambio 16 *lo ha calificado como el columnista más leído de lengua española, y una colección de sus ensayos se puede encontrar en el sitio web de Firmas Press. El siguiente artículo explora los problemas que surgen de los intentos de definir una identidad nacional.*

La identidad y los McDonald's

— CARLOS ALBERTO MONTANER —

Hace unos años el francés José Bové, líder de los antiglobalizadores, saltó a las primeras páginas de los periódicos cuando intentó destruir un McDonald's. No se trataba de un problema de odio a las calorías, sino de patriotismo. Le parecía que el restaurante norteamericano, con sus emblemáticos arcos amarillos, era una amenaza a la identidad de su país. Y no era la suya una conducta excéntrica: poco antes, y por razones parecidas, Jack Lang, el ministro de Cultura de Francia, le había declarado la guerra al cine estadounidense con una pasión similar a la que la Academia Francesa entonces ponía en combatir los americanismos que penetraban en el idioma.

Pero ni siquiera estábamos ante una moda venida de Francia. En España escuché razonamientos parecidos cuando la empresa Disney se debatía entre crear un parque infantil en París o cerca de Barcelona. Mickey Mouse, aparentemente, atentaba contra algo que tenía que ver con la esencia de España. Los empresarios norteamericanos finalmente se decidieron por París y los nacionalistas culturales españoles respiraron aliviados, aunque se perdieron dos millones de turistas anuales y quince mil puestos de trabajo permanentes.

En Estados Unidos, curiosamente, tienen otra visión mucho más inteligente de las influencias extranjeras. Es verdad que el músculo empresarial norteamericano, para furia de los antiglobalizadores, ha creado en México 270 franquicias de McDonald's, pero, mientras tanto, sin una sola protesta, en Estados Unidos existen 6.000 Taco Bell en los que se expende una versión apócrifa y menos picante de la cocina popular mexicana. Simultáneamente, florecen las cadenas de comida japonesa, china, vietnamita, italiana o de cualquier lugar del planeta que tenga algo que ofrecer al incansable paladar estadounidense.

► Uno de los muchos restaurantes McDonald's de México, donde se siente cada vez más la influencia comercial y cultural norteamericana.

La paradoja consiste en que mientras medio mundo lucha contra la influencia americana, como si peligrara la identidad nacional, los norteamericanos absorben y metabolizan todas las influencias extranjeras, modificando constantemente y sin miedo el propio perfil del país, sin perder un minuto en la absurda definición y defensa del "ser americano", entre otras razones, porque esa criatura, como el *big foot* de California, nunca ha podido ser encontrada.

A nadie, con la excepción de unos cuantos racistas chiflados, se le ocurre definir cuál es la esencia del *homo americanus* y dedicarse a proclamar sus virtudes o a defenderlo de los rasgos culturales o de los usos y costumbres de otros pueblos. Por el contrario, deambulan por el país casi 300 millones de personas, procedentes de todos los rincones de la tierra, coloreadas por todas las posibles combinaciones de acentos y dosis de melanina, frágilmente vinculados por las instituciones, la historia y los intereses, quienes libremente eligen el modo de buscar la felicidad según les indican sus preferencias y su sentido común.

Intuitivamente — porque ni siquiera existe un debate nacional — esa actitud es la que ha permitido que los inmigrantes europeos trajeran el gran cine, los alemanes de la Bauhaus le colocaran su esbelto acento arquitectónico a New York, o los músicos caribeños — con Paquito D'Rivera a la cabeza — introdujeran o potenciaran el *jazz* latino en el hambriento oído de una sociedad que con el mismo apetito musical se traga a los Beatles británicos que al *bossa nova* de los brasileros. En suma, el fundamento

▲ Este letrero multilingüe del estado de California refleja un esfuerzo por incluir a todos los ciudadanos americanos en el proceso democrático.

en que descansa el país es muy simple: el americano, como idea platónica, como abstracción, no existe. El americano es un ser dinámico, en constante evolución, que sabe que su asombrosa vitalidad no es la consecuencia de las virtudes de una incontaminada cultura primigenia, sino de la capacidad para adoptar y adaptar un talento ajeno que inmediatamente pasa a ser propio. Es el genio del mestizaje cultural y no la exclusión lo que engrandece a la nación.

Es bueno que así sea. Hay pocas actividades más peligrosas que definir el ser nacional. Ese es el punto de partida de todos los fascismos. La Alemania de los nazis no comenzó con Adolfo Hitler, sino con el nacionalismo cultural, la Kulturkampf impulsada por Bismarck medio siglo antes. Cuando los grupos dominantes

de una sociedad definen el perímetro sagrado de la cultura propia, inevitablemente acabarán atropellando a quienes parcialmente escapan o disienten de esa definición. Cuando orgullosamente creen haber identificado el arquetipo nacional, molde y modelo del ciudadano perfecto, lo que realmente están haciendo es condenar a la muerte o a la marginalidad a quienes se diferencian de esa peligrosa construcción. El horror del holocausto no sólo descansaba en un monstruoso prejuicio sobre la supuesta naturaleza de los judíos, sino en la idealización del arquetipo germano, suma y resumen de todas las virtudes y talentos. Se empieza, traviesamente, por tirarles piedras a los cristales de los McDonald's. Se acaba creando campos de exterminio.

Actividad 17 Según Montaner Las siguientes oraciones deben expresar la idea principal de cada párrafo. En parejas, decidan si son ciertas y falsas, y corrijan las falsas.

1. ___C___ Para algunos franceses, los McDonald's, el cine norteamericano y las palabras de origen norteamericano se convirtieron en una amenaza a la identidad francesa.

2. ___F___ A diferencia de los franceses, los españoles reaccionaron muy bien cuando la compañía Disney propuso el establecimiento de Euro-Disney en España.

3. ___C___ Las influencias extranjeras no presentan ningún problema para la cultura norteamericana.

4. ___F___ La paradoja consiste en que mientras McDonald's vende una versión auténtica de la comida americana, Taco Bell vende una versión no auténtica de la comida mexicana.

5. ___C___ Sólo a algunos chiflados se les ocurre intentar definir la esencia de la identidad americana.

6. ___C___ Lo que caracteriza a los Estados Unidos como nación es el mestizaje cultural, del cual existen numerosos ejemplos.

7. ___F___ El horror del holocausto se basó principalmente en el prejuicio contra los judíos.

Actividad 18 Un resumen Parte A: En parejas hagan una lista de los conceptos y términos más importantes de la lectura. Después, escriban una oración de tesis que resuma el argumento principal de la lectura. Luego, preparen un bosquejo de un resumen y compartan su resumen con la clase en voz alta.

Parte B: Escribe individualmente un breve resumen del ensayo de Montaner.

Actividad 19 Reacciones y análisis En parejas, comenten las siguientes preguntas.

1. ¿Están de acuerdo con la tesis principal de Montaner? ¿Por qué sí o no?
2. ¿Creen que Montaner tiene razón o se equivoca con respecto a su interpretación de la cultura norteamericana? Den ejemplos y justifiquen su opinión.
3. ¿Creen que Montaner idealiza demasiado la cultura de los Estados Unidos? ¿Hay contraejemplos que demuestren que su perspectiva es una sobregeneralización?
4. Tanto Vicente Verdú como Carlos Montaner hablan del miedo en los Estados Unidos. ¿En qué se asemejan o se diferencian las dos perspectivas sobre el miedo en la cultura norteamericana? ¿Es posible aceptar la perspectiva de uno sin rechazar la del otro?

See Act. 20 annotation on p. 227.

Actividad 20 Un debate Montaner dice que los americanos aceptan las diferencias culturales sin problema y sin debate. En grupos de tres, busquen evidencia y desarrollen argumentos a favor de este argumento o en contra de él. Apunten sus ideas y, después, presenten sus ideas a la clase.

Cuaderno personal 12-3

¿Crees que los extranjeros tienen una perspectiva más objetiva de una cultura que no sea la suya? ¿Qué ventajas o desventajas tiene un extranjero cuando tiene que interpretar y entender una cultura?

Redacción: Ensayo

ESTRATEGIA DE REDACCIÓN

Defending a Position

When you declare your opinion on a topic, you must be ready to defend your position. Ideally, you can also convince others to share your views. In order to defend your position, you must garner facts that will support it, such as examples, statistics, statements by authorities, or even personal experiences. However, facts can lead to very different opinions on a specific issue, depending on your broader values and beliefs. The best way to convince your readers of the validity of your position is by showing them that, if they hold the same values and beliefs as you do, then the logical position to take is the one you are defending. Strategies such as the ones you have already practiced can help you build your argument: narrating, describing, analyzing, comparing and contrasting, looking at causes and effects, and hypothesizing. Acknowledging opposing points of view and maintaining a reasonable tone can also make the reader more willing to accept what you have to say.

Actividad 21   Defensa de una postura   Parte A: En grupos de tres, miren la lista y decidan qué diferencias de opinión pueden surgir con respecto a cada tema.

- la inmigración (a los Estados Unidos, Canadá o Europa)
- el movimiento *English Only* en los Estados Unidos
- la educación bilingüe y la identidad nacional
- la globalización (¿homogeneización?) económica y/o cultural
- las cuotas que favorecen a las minorías étnicas y raciales

Parte B: Escojan un tema de la lista que les parezca importante. Primero, definan la polémica. ¿Por qué hay desacuerdo? Luego, adopten una postura y hagan una lista de argumentos a favor de esta postura y otra lista de contraargumentos, o sea, argumentos a favor de la postura opuesta. Traten de explorar el tema en un tono moderado y objetivo.

Parte C: Escojan los mejores argumentos de su lista y decidan qué tipo de evidencia se necesita para apoyar cada argumento. Luego, miren los contra-argumentos y decidan si es necesario mencionar alguno de éstos. De ser así, tendrán que refutar el argumento o mostrar que no es muy importante.

Act. 20: Assign groups as **PRO** or **CONTRA.** Model by brainstorming with students some examples of supporting arguments and evidence. Assign group leaders and set a time limit for preparation. Ask group leaders to present each group's views. Alternate between **PRO** and **CONTRA.** Option: Plan a formal debate. Inform students of the date of the debate and how much preparation they need to do: search Internet,

prepare notes, meet and prepare a written summary of arguments to present orally to class. If students have experience with formal debate, ask for 2- or 3-minute presentations by each group as well as 1-minute rebuttals. Organize as follows: G1 **PRO** presents, G2 **CONTRA** rebuts, G2 **CONTRA** presents, G1 **PRO** rebuts. Each pair of groups follows the same order. Follow-up by asking for brief summary evaluations of the debate in which students give their own views.

Defending a position

Act. 21A: Can be assigned. Option: Another issue that can be included is **el control del terrorismo islamista,** if focused on as a question of intercultural (mis)understanding. Option: Have students work in small groups to prepare their essays as part of the debate for Act. 20.

Act. 21B: Can be assigned.

Act. 21C: You may want to have groups give brief oral summaries of their topics after discussion.

Writing an essay

Act. 22: Assign and specify requirements. Have students brainstorm sources of information for their topic. Option 1: To limit need for research, limit the essays to one or two topics and hand out informative articles for students to use. Option 2: Have students share their completed essays in small groups, and react to the opinions expressed.

Actividad 22 La redacción Vas a escribir un ensayo para convencer a los demás miembros de tu clase del valor de tu postura.

Parte A: Escribe una introducción en la que demuestres, con estadísticas o ejemplos, que el asunto o la polémica existe, y en la que la oración de tesis presente claramente tu postura.

Parte B: Basándote en las ideas de la Actividad 21, escribe el cuerpo de tu ensayo presentando argumentos específicos y evidencia para apoyarlos.

Parte C: Escribe la conclusión en la que resumas tus argumentos y tu tesis. Puedes elaborar un poco: ¿Qué pasará en el futuro? ¿Qué deben hacer las personas que asumen esa postura?

Spanish-English Vocabulary

This vocabulary includes both active and passive vocabulary found throughout the chapters. The definitions are limited to the context in which the words are used in the book. Exact or reasonably close cognates of English are not included, nor are certain common words that are considered to be within the mastery of a second-year student, such as numbers, articles, pronouns, and possessive adjectives.

The gender of nouns is given except for masculine nouns ending in **-l, -o, -n, -e, -r,** and **-s** and feminine nouns ending in **-a, -d, -ión,** and **-z.** Adjectives are given only in the masculine singular form.

The following abbreviations are used in this vocabulary.

adj.	adjective	*irreg.*	irregular verb	*p.p.*	past participle
adv.	adverb	*m.*	masculine	*prep.*	preposition
f.	feminine	*n.*	noun	*sing.*	singular
inf.	infinitive	*pl.*	plural		

abanico   folding fan
abarcar   to include, span
abastecer   to supply
abierto (*p.p. of* **abrir**)   open
abnegado   self-sacrificing
abogar por   to advocate; to plead for
abreviatura   abbreviation
abrumador *adj.*   overwhelming, crushing
abstenerse *irreg.*   to abstain
aburrir   to bore
acabar   to finish, complete; **acabar con**   to put an end to; to finish with; **acabar de** (+ *inf.*)   to have just (done something)
acariciar   to caress
acarrear   to cause; to bring
acaso *adv.*   perhaps, maybe; **por acaso**   by chance; **por si acaso**   just in case
acechar   to lie in wait for
aceite   oil
aceituna   olive
acelerar   to accelerate
acercarse   to come near, draw near
acertar (ie)   to guess right, to hit the target
acoger   to welcome, receive
acomodado   well-off, well-to-do
aconsejar   to advise
acontecimiento   event
acoplar   to fit together
acostarse (ue)   to go to bed
actitud   attitude

actuación   performance
actual *adj.*   present-day, current
actualidad: en la actualidad   nowadays, at the present time
actuar   to perform; to act upon/as
acuclillarse   to squat down
acudir   to come, come up
acuerdo   agreement; **de acuerdo con**   in accordance with; **estar de acuerdo**   to agree
además   in addition; besides
adentro   within; inside
aderezarse   to adorn oneself
adinerado   wealthy, well-off
adivinar   to guess
adjudicar   to award
adobo   seasoning
adormilado   sleepy, drowsy
adquirir   acquire
aduanero   customs officer
aducir *irreg.*   to bring forward; to offer as proof
adueñarse   to take possession of
adulterado   adulterated, made impure
advenimiento *n.*   coming, advent
advertencia   warning; observation
advertir (ie, i)   to warn, notify
afán   desire, urge
afligido   distressed, grieved
afligir   to afflict, trouble
afueras *f. pl.*   outskirts
agarrar   to grab, grasp
agazaparse   to crouch down; to hide

aglomeración   built-up area
agotado   exhausted; spent
agonizar   to be dying
agradecer   to thank, to be grateful
agregar   to add
agrupar   to group, assemble
aguas negras *f. pl.*   untreated sewage
agudo   acute; sharp; witty
águila *f.* (*but* **el águila**)   eagle
ahorrar   to save
aire: al aire libre   outdoors
airoso   graceful, elegant
aislado   isolated
aislamiento   isolation
aislar   to isolate
ajado   creased, wrinkled
ajeno   of another; not one's own
ají *m.*   bell pepper; chili pepper
ajiaco   a Caribbean stew containing a varied mix of ingredients
alabar   to praise
alameda   tree-lined lane
alarido   howl, scream
alba *f.* (*but* **el alba**)   dawn
albañil   bricklayer, mason
albergar   to give shelter to; to house
albóndiga   meatball
alcance: al alcance de   within reach of (*the hand, the eye*)
alcanzar   to reach; to manage to; to succeed in
alegrar   to cheer, to brighten up
alejar   to distance; to keep away from

alentar (ie) to encourage, cheer on
alfiler pin
alfombrado carpeted
alguien somebody, someone
aliado ally
alianza alliance, union
alicaído *adj.* drooping, weak; downcast, depressed
alimentar to feed
alimenticio nourishing; nutritional; related to food
alimento *n.* food
aliñado spiced; prepared
alistar to enlist, enroll; **alistarse** to get ready
aliviado relieved
aliviar to relieve
allanar to smooth, level
alma soul
almorávides Almoravids (Islamic dynasty)
alpinismo mountain climbing
alrededor around
altivez arrogance, haughtiness
alto *n.* stop sign, traffic light; *adj.* high
altura height; stage
alumbrar to light, light up
amante *m./f.* lover
amargado embittered
amargo bitter
ambicioso ambitious
ambiente atmosphere, environment
ambos both
amenaza threat
amenazar to threaten
amigable friendly
amistad friendship
amo master, boss
amorío love affair, romance
amparo *n.* protection, shelter
ampliar to extend, enlarge
amplio wide, full; broad
amplitud extent, size
anfitrión host
angloparlante *adj.* English-speaking; *n. m./f.* English speaker
angustia anguish, distress
angustiarse to be distressed; to grieve
angustioso distressed; distressing
anhelante *adj.* yearning, longing
animar to cheer up; encourage; to inspire; to animate
anochecer to get dark; **al anochecer** at nightfall
antaño *adv.* long ago
antecedente *adj.* preceding; *m. pl.* record, history
antepasado ancestor

anteponer *irreg.* to place in front of; to prefer
anterior *adj.* previous
antes before; **antes de eso** before that; **cuanto antes** as soon as possible
antiguo former; ancient
antillano West Indian, from the Antilles (Caribbean islands)
anuncio personal personal ad
apagar to put out; to turn off
aparcería share-cropping, tenant farming
aparecer to appear
apariencia física outward physical appearance
apartado section
apellido surname
apócrifo *adj.* apocryphal, not authentic
apoderado *n.* attorney, agent
apoderarse de to seize power, to take over
aportar to bring, contribute
aporte contribution
apostolado apostolate
apoyar to support
apoyo *n.* support; **apoyo en línea** online support
apresar to capture, arrest
aprobar (ue) to approve
aprovechamiento good use, development
aprovechar to make good use of; to make the most of
apuntar to take notes; to point out; to aim, point (*a gun*)
apuntes *m. pl.* written notes
árbol tree
archivo file (record); filing; archive
arcilla clay
arco arc; arch
arena sand
argot *m.* slang
armar to arm; to assemble
arraigar to take root; to become established
arrancar to start (*a car*); to start moving, get going
arrancón sudden starting (*of a car*)
arrasador *adj.* devastating, destructive
arrasamiento leveling, destruction
arrebatar to snatch, seize
arreglo *n.* arrangement; repair
arrellanarse to stretch out, make oneself comfortable
arrepentirse (ie, i) to repent, regret
arriesgar to risk
arroyo stream
arrugado wrinkled
artesanía crafts, handicrafts

articulado *n.* article (*of a proposal or bill*)
asado roast
asegurar to make sure
asemejarse to be like, resemble
asesinar to murder; to assassinate
asesinato murder
asesino murderer
asesor advisor
así so, thus; **así que** so
asiduo assiduous; frequent
asignatura subject; course
asimismo *adv.* likewise, in like manner
asistir a to attend
asomar to show, stick out; to lean out
asombrado astonished, amazed
asombro *n.* astonishment, amazement
astado horned
asunto issue, affair, matter
asustado scared, frightened
atado tied
atardecer to grow dim; **al atardecer** at dusk, evening
ataviado dressed up
atávico atavistic
atemorizar to frighten, scare
atender (ie) to wait on; to pay attention
atentar to assault, attack; to commit an outrage against
aterrado terrified, horrified
aterrador terrifying, fearful
atónito astonished, amazed
atraco holdup, robbery
atrás behind; back
atravesar (ie) to cross; to pass through
atreverse to dare
atrevido daring; insolent
atropellar to run over
audaz daring, audacious
aumentar to increase
aumento *n.* increase
aun even
aún still, yet
aunque although, even though
aurora dawn
ausencia absence
autóctono *adj.* native, indigenous
autoexigencia self-demand, demand(s) made of oneself
autorretrato self-portrait
ave *f.* (*but* **el ave**) bird
aventurero *n.* adventurer; *adj.* adventurous
averiguación investigation, inquiry
averiguar to investigate, ascertain; to find out, look up
azar *n.* chance; accident
azotar to lash; to whip
azúcar sugar

bacalao codfish
bache pothole; rough spot
bachiller *m./f.* high school graduate
bahía bay
bajar to lower; to go down; to bring, take down
bajo *adj.* low, short; *prep.* under; *n.* bass (guitar)
bala: orificio de bala bullet hole
baldío empty land, wasteland
bancarrota bankruptcy
banda sonora soundtrack
bandera flag
barrera barrier
barriada quarter, district; slum area
barrio neighborhood, quarter; ghetto
bastar to be enough
bastante enough, quite, rather; quite a lot
basura trash, garbage
batata sweet potato
beca scholarship, grant
bendición blessing
bienestar well-being, welfare
bizcocho sponge cake
bocho Volkswagen Beetle (*México*)
bofetada slap
boga: en boga in vogue
bolsa bag
bombero firefighter
bondad goodness, kindness
borde edge
borrador rough draft
borrar to erase
borrón blot or stain left by an erasure
bosque woods; forest; jungle
bosquejo *n.* outline
botar to discard, throw out
brebaje brew, concoction
brillar to shine
brindar to offer; to present
bruja witch
brujo wizard, sorcerer
bruma mist, fog
brusco sudden, abrupt; rude
buey ox
bufar to snort
busca: en busca de in search of
buscar to seek, to look for
búsqueda search

cabaña cabin
caber *irreg.* to fit; to be possible
cabildo town council
cabo end
cacique chief; political boss
cacofonía cacophony, discordant repetition of sound
cadáver corpse

cadena chain; television network; **producción en cadena** production-line assembly
caer(se) to fall, fall down; **caerle bien** to be to the liking of
caída fall
cajero cashier, teller
calentamiento heating, warming
calidad quality
calificar to describe
callejero *adj.* pertaining to the streets
calzado *adj.* wearing shoes; *n.* footwear
calzar to shoe, provide with shoes
camarón shrimp
cambiante changing
cambiar to change; **cambiar de papel** to switch roles
cambio de código code-switching
camino path, road, way
camión cisterna *m.* fire engine
campaña campaign
campesino peasant
campo field; country, countryside
candente *adj.* red-hot; burning, important
canje barter, exchange
cantante *m./f.* singer
cantidad quantity
caos chaos, confusion
capacitado qualified
capaz capable, able
capricho caprice, whim
cárcel *f.* prison, jail
cargo important position
caribeño *adj.* Caribbean
caricia caress
caridad charity
cariñoso loving, affectionate
carrera area of study; career; race
cartel poster; drug cartel
cartón cardboard; carton
casi almost
castaño *adj.* chestnut brown
castigar to punish
castigo *n.* punishment
caudaloso swift, large; abundant
caudillo leader; tyrant; political boss
cautiverio captivity
cazador hunter
celos *m. pl.* jealousy
celoso jealous
centenar *n.* a hundred (*of something*)
cerca *n.* fence
cerdo pig; **carne de cerdo** pork
chacra small farm
charlar to chat, talk
chicharrón pork rind
chiche *adv.* easily
chicotazo lash, swipe
chiflado crazy

chimenea fireplace; chimney
chino *n.* kid, youngster; *adj.* Chinese
chisme piece of gossip
chistar to say a word; to speak
chivo goat
chocante *adj.* shocking
choque crash, shock; clash, conflict
chorizo pork sausage
chorrear to gush; to drip
cicatriz scar
cifra figure, number, numeral
circundado surrounded
circundar to surround
ciudadano citizen
clarear to clear up; to become lighter
clave *f.* key; clue
coartada alibi
cobardía cowardice
cobrar to charge; to receive; **cobrar vida** to come alive
cobre copper
código code
colega *m.* colleague
colibrí *m.* hummingbird
colmo: para colmo to cap it all
colocar to place
comadre godmother; neighbor; midwife
comestible edible, food-related
cómico *adj.* funny
como like, as; **como si tal cosa** as if nothing had happened
compadecerse de to pity, be sorry for
compañero companion, friend, workmate
compartir to share
complacido pleased, satisfied
complejo complex
componer *irreg.* to compose; **componerse de** to be composed of
comportamiento behavior
comportarse to behave
comprobar (ue) to confirm; to check
concejal alderperson, town council member
concentración concentration; gathering, meeting, rally
concertar to arrange, set up
concurrir to converge, meet; to concur
concurso contest
condiscípulo fellow student
conducir *irreg.* to lead; to drive
confiado trustful, confident
confiar en to trust, have faith in
confundir to confuse, to mix up; **confundirse** to make a mistake
congelar to freeze
conjunto set, collection, whole; musical group, band
conmover (ue) to move; to touch emotionally

conocer to know; to meet
conocido well-known
conocimiento knowledge
conquistar to conquer
conseguir (i, i) to get, obtain; to attain, achieve, succeed in
consejo council; advice
conservación conservation
conservado preserved
conservar to keep, preserve; to conserve
consolar (ue) to console, comfort
constatar to confirm, verify
consuelo solace; consolation
contados few
contaminación pollution
contar to count; to tell
controvertido controversial
contundente *adj.* forceful, convincing, overwhelming
conversador *adj.* talkative, chatty; *n.* conversationalist
convivencia "living together"; term describing the coexistence of Christians, Jews, and Moslems in medieval Spain
convocar to call, summon, convene
copal resin, incense
coraje courage
cordura good sense; sanity
cornada: dar una cornada to gore (*with horns*)
cornudo cuckold (*man whose wife cheats on him*)
correo mail
correr to run; **correr el riesgo** to run the risk
corriente *adj.* common, current; *f.* trend, tendency
cortador de caña sugar cane cutter
cortés courteous, polite
cortometraje short film
cosa thing; **como si tal cosa** as if nothing had happened
cosecha harvest
costumbre *f.* custom, tradition
cotidianidad *n.* everyday life, "everydayness"
cotidiano *adj.* everyday, daily
crecer to grow
creciente *adj.* growing, increasing
crecimiento growth
creencia belief
creíble believable
crepúsculo twilight, dusk, dawn
criada servant, maid
criado *n.* servant; (*p.p. of* **criar**) raised
crimen violent crime; murder
crisol melting pot

crónico chronic
cruce crossing
cruzar to cross
cuadro box, table, chart; painting, picture
cualquier any
cuanto antes as soon as possible
cubeta pail, bucket
cuenca basin
cuenta: darse cuenta de to realize
cuento story
cuerdo *adj.* sane
cuerno horn; **ponerle** (*irreg.*) **los cuernos a alguien** to cheat on someone
cuero leather; drum skin
cuidar (de) to take care of, look after
culminar to culminate
cultivo cultivation of land, farming
culto *n.* worship, adoration; *adj.* cultured, educated
cumplir to carry out, perform; **cumplir con** to carry out, fulfill
cura *m.* priest

dama lady
dañar to damage, harm
dañino harmful, destructive
daño *n.* damage
dar to give; **dar de comer** to feed; **dar por descontado** to take for granted; **dar una cornada** to gore (*with horns*); **dar vueltas a** to stir (*coffee*); **darse cuenta de** to realize; **darse el lujo de** to give oneself the luxury of
dato piece of information; **datos** *m. pl.* data
deambular to roam about
deber *n.* duty
deberse a (que) to be due to
debidamente properly, duly
debilitar to weaken, enervate
declive *n.* decline
decorado *n.* set (*decorations and props*)
degustación action of tasting
dejar to leave; to lend; to let, allow
delgado thin
delincuencia crime
delito crime, offense
demandar to sue
demás: los demás the others, the rest
demasiado *adv.* too; *adj.* too much, too many
demente crazy, insane
denominar to name, denominate
denunciar to report, denounce
depósito warehouse
derechista *m./f.* rightist

derechos humanos *m. pl.* human rights
derrumbar to overthrow; to throw down; **derrumbarse** to collapse
desafiante challenging, defiant
desafiar to challenge, defy
desafío *n.* challenge
desagradable unpleasant
desaire gracelessness, rudeness
desangrarse to bleed profusely
desaparecer to disappear
desaparecido *adj.* disappeared; *n.* missing person
desarrollado developed
desarrollar to develop
desarrollo *n.* development; **en vías de desarrollo** developing (*e.g., nation*)
descampado *n.* empty, abandoned ground
descarnado raw, harsh
descascarado chipped
desconcierto confusion
desconfiar to distrust
descongelar to unfreeze
descontado: dar por descontado to take for granted
descrito (*p.p. of* **describir**) described
descuartizar to carve up; to tear apart
desde since, from
desdén disdain
desdoblamiento splitting
desechable disposable
desechar to discard; to throw away
desechos waste, garbage
desempeñar to carry out; to fulfill; to play (*a part*)
desempleo unemployment
desenfadado free, uninhibited, casual
desenlace denouement, conclusion
desenterrar (ie) to dig up
desentrañar to unravel, disentangle
desenvolverse (ue) to evolve, unfold
deseo: pozo de los deseos wishing well
desesperar to despair, lose hope
desgajar to pull away from, separate from
desgarrado torn, ripped
desgastar to wear away
desgaste *n.* wear and tear; erosion
deshacer *irreg.* to undo; to dissolve
deshielo melting, thawing
desmesura excess, lack of restraint
despachar to dispatch, send
despacio *adv.* slowly
despedir (i, i) to emit; **despedirse de** to say good-bye to
despenalizar to decriminalize

desperdiciar   to waste
desperdicio *n.*   waste
despiadado   inhuman, merciless
desplegar (ie)   to unfold, unfurl; to display
despreciado   despised
despreciar   to scorn, despise
desprecio   scorn; contempt
desproporcionado   out of proportion
después   afterward, later; **después de eso**   after that
destacar   to stand out
desterrar (ie)   to exile
destinatario   addressee
detalle   detail
detenerse *irreg.*   to detain; to stop
detenido *adj.*   detailed; thorough; arrested
deterioro   deterioration; damage
deuda   debt
diario *n.*   daily newspaper
dictadura   dictatorship
diestro   skilled
diferenciarse de   to differ from
difundir   to disseminate, spread
difusión   diffusion; broadcasting
dirigente *n. m./f.*   leader
discutir   to discuss; to argue
disentir (ie, i)   to disagree, differ
disfrutar de   to enjoy
disminuir   to lower, diminish
disolver (ue)   to dissolve; to destroy
disparar   to fire, shoot
disponerse *irreg.*   to get ready
disponible   available
dispuesto   willing; ready
distinto   different; distinct
disyuntiva   alternative, choice; dilemma
divertido *adj.*   fun, entertaining
doblaje   dubbing (*of a film*)
doblar   to dub; to fold; to bend; to turn
doloroso   painful
dominante   dominant
dominar   to dominate, to master; **dominar una lengua**   to speak a language well
dominical   Sunday
dominio   authority, control
dorado   golden
dosis *f.*   dose, dosage
drogata *m./f.*   drug addict (*slang*)
dueño   owner, landlord; master of the house
durar   to last

echar   to throw, toss; **echar de menos** to miss; **echar mano de**   to make use of; **echar pie atrás**   to back out, down; **echar raíces**   to take root; **echar un vistazo**   to take a look at

ecologista *n. m./f.*   environmentalist
eficacia *n.*   effectiveness; efficiency
egoísta *adj.*   selfish
eje   axis; center
ejemplar   copy (*of a book*)
ejemplificar   to exemplify
ejercer   to practice, perform; to exercise, wield
elegir (i, i)   to elect; to choose, select
elogiable   praiseworthy
elogiar   to praise
embarazada   pregnant
embargo: sin embargo   however
emisora   radio station
empeño   determination
empeorar   to worsen
empero *conj.*   but; yet; however
empleado   employee
emprendedor   enterprising
emprender   to undertake; to start
empresa   company, firm, business
empujar   to push
encajar   to fit; to insert; to fit in
encantar   to delight, charm
encanto *n.*   enchantment; magic spell
encarcelar   to put in jail
encargado *adj.*   in charge
encauzar   to channel, direct
encender   to light; to light up; to turn on
encerrar (ie)   to lock up
enchilado   shellfish stew (*Cuba*)
enchufe   plug, socket; **tener (***irreg.***) enchufe**   to have connections
encima   on top, above; **por encima** superficially
endémico   endemic, characteristic of a region
enfatizar   to emphasize
enfermar(se)   to get sick
enfermedad   illness
enfermero *n.*   nurse
enfermo *adj.*   sick, ill
enfrentamiento   clash, confrontation
enfrentarse (a/con)   to deal (with), confront
enganchado   hooked
enganchar   to hook
engañar   to deceive; to cheat on
engrandecer   to enhance
enjabonar   to soap, lather up
enloquecer   to drive crazy; to delight; **enloquecerse**   to go crazy
enojarse   to get angry
enredarse   to get tangled up
enriquecer   to enrich; **enriquecerse**   to get rich
ensayo   essay; rehearsal
enseguida   at once, immediately
ensuciar   to dirty; to pollute
ente   entity

enterado   informed
enterarse de   to find out about
enterrar (ie)   to bury
entibiar   to grow warm, tepid
entre   between; among
entrega   delivery; installment
entregar   to deliver, hand over, hand in
entrevista   interview
entrevistado *adj.*   interviewed; *n.*   interviewee
entrevistador   interviewer
entrevistar   to interview
envenenamiento   poisoning
envenenar   to poison
enviar   to send
envidia *n.*   envy
envidiar   to envy
envío   dispatching; shipment
envoltura   wrapping
envolver (ue)   to wrap; **envolverse en** to get wrapped up in
época   time, period, age
equilibrado   balanced
equivocado   mistaken
equivocarse   to be wrong
esbelto   graceful; slender
escalera   stairway
escalofrío   chill, shiver
escamotear   to snatch away, make vanish
escaparate   shop window
escaramuza   skirmish
escasamente   scarcely
escasez   shortage, lack
escaso   scarce; very limited; **escaso de**   short of
escena   scene
escenario   stage, setting; situation, scenario
escénico *adj.*   pertaining to the stage
esclavizar   to enslave
esclavo *n.*   slave
escoger   to choose
escombros *m. pl.*   rubble, debris
escondite   hideout
esforzar(se)   to strive, to make an effort
esfuerzo *n.*   effort
esmerarse   to do one's best; to shine
espada   sword; **entre la espada y la pared**   between a rock and a hard place
espaldas: de espaldas a   with one's back to
especie *f.*   species; sort, type
especificar   to specify; to define
esperanza   hope
espigar   to glean; to collect
espina   thorn
espumarajo   foam, froth (*from the mouth*)

estabilizar to stabilize
estable stable
establecer to establish
establecido established
establecimiento establishment
estado state, condition; national state, government; **golpe de estado** coup d'état; **estado civil** marital status
estancia stay
estanco tobacco shop
estrago devastation
estrella star
estrenar to show or wear for the first time
estribillo refrain (*of a poem*)
estridente strident, shrill
estrofa stanza, verse
estudio study, library
estudioso scholar
estupefaciente *n.* narcotic
etapa stage, phase
evitar to avoid
evolucionar to evolve, develop
excluir to exclude; to expel
exhibir to exhibit, display
exigencia demand, requirement
exigente *adj.* demanding
exigir to demand, require
éxito success
exitoso successful
expectiva expectation
expender to sell
explotación exploitation, development
explotar to exploit; to explode
extender (ie) to extend, expand
extranjero *adj.* foreign; *n.* foreigner; **al/en el extranjero** abroad
extrañar to miss
extraño *adj.* strange; foreign

fabricante maker
fácil easy
facilitar to facilitate, make easy
facturar to invoice, bill; to receive
faena task, job
falta *n.* lack; error, mistake; offense
faltar to be missing or lacking; **faltar a** to miss (*class*)
fama fame; reputation
familiar *adj.* pertaining to the family; *n. m./f.* relation, member of the family
fatalista *adj.* fatalistic
fatigarse to wear oneself out
feroz ferocious
festejo celebration, festivity
fiebre *f.* fever
fiel faithful
fiereza fierceness, ferocity, cruelty
fijamente fixedly, attentively

fijar to fix, set, establish
filmoteca film library/archive/club
fin end; **por fin** finally
finado deceased
final ending; **al final** in the end
finalidad purpose, aim
finar to die, pass away
finca farm; estate
fingir to pretend
firmar to sign
fiscal *n.* prosecutor; **fiscal general** Attorney General
físico physicist; physique
fisiognómico pertaining to the face or physical appearance as indicative of character
florecer to flourish, bloom
florecimiento flowering, blossoming
foco spotlight; light bulb; head lamp
fomentar to encourage, promote
fondo bottom
forja forging, making
forjar to forge, shape, make
forma form; way, manner
fortalecer to strengthen
fracasado unsuccessful
fracasar to fail
franquicia franchise
frasco bottle, jar
frenar to restrain; to brake
frente *m.* front; *f.* forehead; **frente a** *prep.* facing, in front of
frescura freshness; coolness
fritura fritter
frontera border; frontier
fructífero fruitful
fuente *f.* fountain; spring; source; serving platter
fuerza strength, force, power
funcionario government employee, civil servant
fundación founding; foundation
fundar to found
fundir to fuse; to merge
fusilamiento shooting, execution

galardonar to award, to give an award to
galopar to gallop, go at a gallop
ganadería cattle raising
ganadero *adj.* cattle; *n.* rancher
ganado *n.* cattle
ganador winner
ganancia profit; **ganancias** *f. pl.* earnings
gananciоso profitable
ganar to win; to win over; to earn
gandules *m. pl.* pigeon peas
garantizar to guarantee
gasto expense; expenditure

gavilla bundle, sheaf
género gender; genre (*type of text*)
gesto gesture; expression
giro turn of phrase, expression
gobernar (ie) to govern
gobierno government
golpe blow; **de golpe** suddenly; **golpe de estado** coup d'état
golpecito tap
goma rubber; tree gum
gorra cap
gota drop
gotear to drip
gozar to enjoy, delight in
grabación recording
grabar to record
grado grade; degree
gritón *n.* shouter; street vendor or collector
guardar to put away; to keep
guardería de niños day care center
guayaba guava
guerrero *n.* warrior; *adj.* warlike
guerrilla guerrilla warfare
guía *m./f.* guide
guion script
guionista *m./f.* script writer
gusto *n.* like, interest; taste

hábil clever, skillful
habitante *m./f.* inhabitant
hacer to do; to make; **hacer caso de/a** to pay attention to, to take notice of; **hacer pesas** to lift weights; **hacer un papel** to play a role
hacia towards, to
hada madrina fairy godmother
hallar to find; to discover
hallazgo finding, discovery
hambriento hungry
harina flour
hechizo *adj.* artificial; *n.* magic spell
hecho *n.* fact, deed; **de hecho** in fact
helada freeze, frost
herencia heritage; inheritance
herido *adj.* wounded
herida wound
herir (ie, i) to wound
hermetismo secrecy, silence, reserve
hilo thread
hielo ice; freeze, frost
hispanohablante *adj.* Spanish-speaking; *n.* Spanish speaker
hispanoparlante *adj.* Spanish-speaking; *n.* Spanish speaker
historia story; history
hocico snout
hogar home; hearth

hoja leaf; sheet
hombría manliness
honrado honest, decent
hoyo hole
hueco hole
huella trace; footprint
huir to flee; to escape
humo smoke
humilde humble, modest, lowly
huracán hurricane
husmear to sniff out; to pry into

idioma *m.* language
igualar to make equal; to match
igualdad equality
imponer to impose
impresionante impressive, amazing
impuesto *adj.* imposed; *n.* tax
impureza impurity
incansable tireless
incendiar to set on fire
incendio forestal forest fire
incertidumbre *f.* uncertainty, doubt
incluso even; including
incómodo uncomfortable
inconfundible unmistakable
incontable countless, innumerable
indespegable inseparable, "not unstickable"
índice index; rate
indígena americano *m./f.* Native American
indumentaria clothing, apparel, dress
inesperado unexpected
inestabilidad instability
inestable unstable
infancia infancy
infarto heart attack
ingenuismo naiveté, ingenuousness
ingreso admission; **ingresos** *m. pl.* income
iniciar to start, begin
inmigrar to immigrate
innato innate, inborn
innegable undeniable
inodoro toilet
inquietar to worry, disturb
inquietud concern, worry
insaciable insatiable
inscribirse en to enter, sign up for
insensatez senselessness, stupidity
intentar to attempt, to try to
intercambiar to exchange
intercambio: estudiante de intercambio *m./f.* exchange student
internar to admit (hospitalize); **internarse** to go deeply into
interrogante *n.* query, question
intromisión insertion; interfering
inundación flood

inútil useless
invasor invader
invencible invincible; unconquerable
invernadero *n.* greenhouse
inversión investment
inversionista *m./f.* investor
invertir (ie, i) to invest
involucrado involved
irremisiblemente unpardonably
izquierdista *m./f.* leftist

jabón *m.* soap
jactarse to brag
jamás never
jefe head; chief; boss
jerarquía hierarchy
jerarquización hierarchization
jorobado hunchback
jubilar(se) to retire
judío *n.* Jew; *adj.* Jewish
juez *m.* judge
jugador player
juguetón playful
juicio judgment
junta board, council; **junta militar** military junta
juntar to join, bring together
jurar to swear, take an oath
justo just, fair
juventud youth
juzgar to judge

lacra blot, blemish
ladino person who has adopted Spanish and Hispanic culture (*Guatemala*)
lado side; **por un lado** on the one hand; **por otro lado** on the other hand
ladrar to bark
ladrón thief
lágrima tear
laguna lacuna, gap
lamentar to lament, mourn
lanzador pitcher (*in baseball*)
lanzar to throw; to launch; **lanzarse** to begin to
largo long; **a lo largo de** along, throughout
lastimado *adj.* hurt
latigazo lashing, lash (*of a whip*)
latir to beat
lazo tie
leal loyal
lealtad loyalty
lecho bed; **lecho de muerte** deathbed
lector reader
lectura reading
legado *n.* legacy
legumbre *f.* vegetable

lema *m.* motto, slogan
lengua: dominar una lengua to speak a language well
lenguaje *m.* mode or style of language
lento slow
leña firewood
libre pensador free thinker
licenciatura university degree, traditionally requiring five years of study
lidiar to fight; to deal with
ligado linked
ligeramente slightly
llamar la atención to attract attention
llegada arrival
llenar to fill
llevar to carry; to lead; to have been; **llevarse** to carry away
lobo wolf
loco crazy
lograr to manage to; to succeed in
logro *n.* achievement
lote portion, share
lucha *n.* struggle, fight
luchar to struggle; to fight for
luego then, next, later
lugar place
lujo: darse el lujo de to give or allow oneself the luxury of
luminotecnia lighting

madera wood
maderero *adj.* pertaining to timber or lumber
madurar to ripen; to mature
maestría mastery; master's degree
mago magician; wizard
malanga root vegetable
maldad evil; evil act
maldecir *irreg.* to curse
maldito damned
malentendido misunderstanding
malva mauve
manar to flow, run
mancha de sangre blood stain
manco one-handed, one-armed
mandar to send; to order, command
manejar to run, manage; to drive; to use
manguera hose
maní *m.* peanut
manifestación manifestation, show, sign; demonstration, rally
manifestar (ie) to show, display
manifiesto statement, declaration
mantener *irreg.* to maintain, keep; to support
mantenimiento maintenance; support
mantequilla de maní peanut butter
mañana morning; **muy de mañana** very early in the morning

rechazar to reject
recibir tregua to get a break, relief
recién newly; just, recently
recipiente container
reclamar to claim, demand
reclusión seclusion
recoger to gather, collect
reconocer to recognize
reconocimiento recognition
recuerdo *n.* memory, recollection
recurso resource; **recurso poético** poetic device
red net; network; Internet
redacción composition; writing
redactar to write, draft
redactor editor, writer
redada police raid
redentor *adj.* redeeming
reforzar (ue) to reinforce, strengthen
refrescar to refresh; to cool down
regadera shower head
regalo gift
regar (ie) to water
regresar to return
reina queen
reino *n.* kingdom
reír (i, i) to laugh at
reja iron grille, screen (*on a window*)
remediar to remedy; to put right
remesa remittance
remitente *m./f.* sender (*of a letter*)
remontarse to go back to, to date from
remordimiento remorse
renacer to be reborn
rengo lame
rentable profitable
rentista stockholder
renuncia resignation
reparto *n.* cast (*of a play, film*)
repente: de repente suddenly
reprender to scold, correct
repuesto (*p.p. of* **reponer**) replaced; *n.* replacement
res: carne de res beef
reseña review
residuo residue
respaldo back (*of a chair*)
respetado respected, honored
respetuoso respectful
restañar to staunch, stop the flow of
restringido restricted, limited
resultar to turn out, to be
resumen summary
retener *irreg.* to retain; to hold back
retrato portrait
reunión meeting, gathering
reventado broken, smashed
revista magazine
revolverse (ue) to revolve; **revolvérsele la sangre** to make one's blood boil

revuelo fluttering; stir, commotion
rey *m.* king
rezar to pray
riada flood
rico rich
riesgo risk; **correr el riesgo** to run the risk
rincón inside corner
riqueza riches, wealth
risa laughter
rizado curly
rodar (ue) to roll; **rodar una película** to shoot a film
rodeado surrounded
rodear to surround
rogar (ue) to beg, plead
rostro face
ruego request, entreaty
ruido noise

sabor *n.* flavor; taste
sabroso delicious
sacar to take out, extract
sacerdote priest
sagrado sacred
salario wage, wages
salida departure; exit
salir *irreg.* to leave, go out; **salirse con la suya** to get one's own way
saltar to jump, leap
saludar to greet, say hello to
salvaje wild; savage
salvar to save
sangre *f.* blood; **mancha de sangre** blood stain; **revolvérsele (ue) la sangre** to make one's blood boil
sangría spilling of blood; Spanish punch with red wine and fruit
sangriento bloody
santería religion of mixed African and Christian origin
sapo toad
secuestro kidnapping; hijacking
sede *f.* seat, place; venue
seductor *adj.* seductive; *n.* seducer; charmer
seguida: en seguida immediately
seguidor *m.* follower
seguir (i, i) to follow; to continue, to keep on; **seguir en sus trece** to stick to one's guns
según according to
sello stamp; seal
selva jungle, forest
sembrar (ie) to sow, plant seed
semejante similar
semejanza similarity, likeness; **a semejanza de** just like, as
semilla seed
senda path, track

sendero path, track
sensibilidad sensitivity
sensible sensitive
sentar (ie) to seat; to set, establish
sentido meaning, sense; **sentido del humor** sense of humor
sentimiento feeling
sentirse (ie, i) to feel
señalar to point out; to indicate
sequía drought
ser *v.* to be; **ser el uno** to be the best; *n.* being
seto hedge, fence, enclosure
siembra sowing
siglo century
significado meaning
significar to mean; to signify
siguiente following
sillón armchair; **sillón de terciopelo verde** green velvet armchair
símil simile
simpático pleasant, likable
sin without; **sin embargo** however; **sin límite** limitless
sinagoga synagogue
sincrético syncretic
sincretismo syncretism
siniestro disaster
sino but
siquiera even; **ni siquiera** not even
sistema *m.* system
soberbio magnificent, superb; proud
soborno bribery; bribe
sobrar to be left over, to be more than enough
sobre *n.* envelope
sobredosis *f.* overdose
sobregeneralizar to overgeneralize
sobrepoblación overpopulation
sobresaliente outstanding
sobresalir *irreg.* to stand out
sobresaltar to fall upon; to attack
sobretodo *n.* overcoat
sobrevivir to survive
socarrón *adj.* cunning; sarcastic, ironic
sofreír (i, i) to sauté
soledad solitude, loneliness
soler (ue) to be in the habit of; to usually (do)
solicitud application
soliviantarse to become angry, get roused
solo *adj.* alone; sole
sólo *adv.* only
soltero *adj.* single, unmarried; *n.* unmarried person
someterse to submit to; to undergo
sonreír (i, i) to smile
sonriente smiling
soñador *n.* dreamer; *adj.* dreamy

sopesar   to test the weight of; to consider
sortear   to dodge, avoid; to decide by chance; to draw lots (for)
soslayo: de soslayo   sideways; obliquely
soso   tasteless, insipid, dull
sospechar   to suspect
sostén   support
subir   to go up; to get on (*a bus, train*); to climb; **subirse a la parra**   to get all high and mighty
suceder   to happen
suceso   event
sudor   sweat
sueldo   salary
suelo   ground; floor; soil
suelto   loose, free; flowing
sueño   dream; sleep
sumamente   extremely, exceedingly, highly
sumiso *adj.*   submissive
superar   to surpass, exceed; to overcome
superpoblación   overpopulation
supervivencia   survival
suprimir   to suppress; to abolish; to cut out
supuesto   supposed; **por supuesto**   of course
surgimiento   emergence
surgir   to appear; to emerge; to arise
susceptible de   liable to; capable of
sustantivo   noun
sustento   support; sustenance
sutileza   subtlety

tal   such
tamaño   size
también   also, too
tambor   drum
tanto   as much, so much, such a; **por lo tanto**   therefore
tapar   to cover up
tarea   task; homework
tarifa   tariff, tax
tartamudo *adj.*   stuttering
tasa   rate; **tasa de desempleo**   unemployment rate
tela   fabric; oil painting
telediario   daily news program
tema *m.*   topic, theme
temer   to fear
temor *n.*   fear
tempestad de nieve   snowstorm
temporada   period, season; **de temporada**   of the season, of the moment
tender (ie)   to stretch; to extend; to tend to

tener *irreg.*   to have; **tener como/por resultado**   to result in; **tener enchufe**   to have connections; **tener palanca**   to have connections; **tener vergüenza**   to be ashamed
tercio *n.*   third
terciopelo   velvet
terminar   to end, finish
término   term; end, conclusion
terrateniente *m./f.*   landowner
terremoto   earthquake
terruño   native land
testigo   witness
tibio   tepid
tierno   affectionate, tender
tildar de   to label, characterize as
tipología   typology
tira cómica   comic strip
título universitario   academic degree
tocar   to touch; to play (*a musical instrument*); **tocarle a uno**   to be one's turn or obligation
toma directa *n.*   live shot
tomar   to take; **tomar(se) en cuenta**   to take into account
tontería   foolishness, silliness
torero   bullfighter
torno: en torno a   about; around
trabajador *adj.*   hardworking; *n.*   worker
tragar   to swallow
trama   plot
tras   after; behind
trasladar   to transfer, move
traspaso   transfer
trasponer *irreg.*   to transpose; to move across
trastes *m. pl.*   housewares, pots and pans
trasvasijar   to pour into another container
tratar   to treat; to deal with; **tratar de**   to try to; to be about
través: a través de   across, through
travieso   naughty, mischievous
trece: seguir en sus trece   to stick to one's guns
tregua   truce; **no recibir tregua**   not to get a break
trinomio   something composed of three elements
triunfar   to triumph; to succeed
tronchar   to cut down, to cut off
tropezar (ie)   to stumble, trip; to bump into
tumbadora   large conga drum
tutela   tutelage, protection

ubicación   placement, location
ubicar   to locate, place

último *adj.*   last; **por último** *adv.*   lastly
umbral   threshold
único *adj.*   only, sole
unir   to unite; to join together
uno: ser el uno   to be the best
urbe *f.*   large city
urdido   put together, contrived
útil   useful

vacío *adj.*   empty; *n.m.*   void
vago   lazy, slack
valer   to be worth; **valerse de**   to make use of
¡válgame Dios!   God help me!
valioso   valuable
valor   value; courage
valoración   valuation, appraisal
vanguardia   vanguard; avant-garde
varilla   rod, rail
varón   male, man
vasallo   vassal
vasija   vessel, pot, dish
vatio   watt
vecindad   vicinity, nearness
vecindario   neighborhood
veloz   quick, fast
veneno   poison; venom
venidero *adj.*   coming, future
venta   sale, selling
ventaja   advantage
ventanal   large window
ventilador   electric fan
verano: en pleno verano   in the middle of summer, at the height of the summer
verdadero   true
vergüenza   shame; **tener (*irreg.*) vergüenza**   to be ashamed
verso   line of a poem
verter (ie)   to pour or dump out
vestirse (i, i)   to get dressed
vez   time, occasion; **en vez de**   instead of; **otra vez**   again; **a la vez**   at the same time; **a su vez**   in turn
vía   way, road, track; **vía media**   middle way; **en vías de desarrollo**   developing (*e.g., nation*)
vicio   vice; bad habit
vidrio   glass
vientre   stomach, belly
vigente   current, in force
vigor: entrar en vigor   to take effect, come into force
villa miseria   shantytown
vinculado   linked, bound
violador   rapist
vista   view; **en vista de**   in view of, considering

vistazo: echar un vistazo   to take a look at

viuda   widow

vivienda   housing

vivo   alive; lively

vocablo   word

volver   to turn; to return; **volverse**   to become; **volver a**   to do again

vuelta   turn; return; a trip around something; walk, stroll; **dar vueltas** to turn around, to move around, to go around, to circle, to stir (*coffee*)

ya   already; now; **ya no**   not any more; **ya que**   since, as

yautía   a starchy, edible root

yerba   herb; **yerba mate**   herbal tea (*Argentina*)

yuxtaposición   juxtaposition

zanjón   gully, ditch

zurdo   left-handed; clumsy

Permissions and Credits

Text Permissions and Sources

The authors and editors thank the following persons and publishers for permission to use copyrighted material.

Chapter 2: pages 30-31, "El criado del rico mercader" and 32-34, "Dayoub, el criado del rico mercader," Copyright © Bernardo Atxaga, 1989. By arrangement with Ediciones, B.S.A., Barcelona, Spain; 36, Actividad 25, Partially inspired by "Fairytale Update," in Hadfield, Charles and Jill Hadfield. *Writing Games.* Walton-on-Thames, Surry: Thomas Nelson and Sons, 1990. **Chapter 3:** pages 42-44, "Autopsia de una civilización." Reprinted from *Qué pasa*, Santiago, Chile, August 28, 1993, pp. 44-45. 54, "El eclipse," by Augusto Monterroso. **Chapter 4:** page 62, "La Reina Rumba habla de la 'salsa,'" by Norma Niurka. Reprinted with permission of *The Miami Herald* via the Copyright Clearance Center. Originally printed in *El Nuevo Herald,* Miami, June 5, 1987. 71, Actividad 21B, Partially based on information contained on pages 123-124 of Hedge, Tricia, *Writing.* Oxford: Oxford University Press, 1988. 71-72, "Habanasis," ("Havanasis"), by Richard Blanco, from *City of a Hundred Fires,* Copyright © 1998. Reprinted by permission of the University of Pittsburgh Press. **Chapter 5:** pages 77-78, "¿Cómo estás you el día de today?" Interview with Ilán Stavans, by Ima Sanchís printed in *La Vanguardia,* May 16, 2002. 78, Excerpt from *Spanglish,* by Ilán Stavans, Copyright © 2003 by Ilán Stavans. Reprinted by permission of HarperCollins Publishers, Inc. 87, "Ausencia," Printed with permission from FAF Publishing, New York, N.Y. 88, "Where You From?," by Gina Valdés; 89, "Bilingual Blues," by Gustavo Pérez Firmat from *Bilingual Blues.* Published by Bilingual Press/Editorial Bilingüe, Arizona State University, Tempe, Arizona. Copyright © 1994. Reprinted with permission. 90, Actividad 15, Partially based on information contained on page 36 of Duff, Alan and Alan Maley, *Literature.* Oxford: Oxford University Press, 1990. **Chapter 6:** pages 97-98, From "La historia oficial por el canal 23," by Beatriz Parga. Copyright © by *The Miami Herald.* Reproduced with permission of *The Miami Herald,* via Copyright Clearance Center. Originally printed in *El Nuevo Herald,* Miami.108-109, Luisa Valenzuela, *Aquí pasan cosas raras.* Copyright © 1975 by Ediciones de la Flor, Buenos Aires, Argentina. Reprinted with permission. 111, "Política a ritmo de tango," by César Santos Fontenla. Originally printed in *Cambio 16,* No. 743, February 24, 1986, p. 119. **Chapter 7:** pages 116-117, "Treinta formas para evitar la contaminación y la ruina ecológica," by Alejandro Pescador, Reprinted with permission from *Tiempo Hispanoamericano* (México). 128-129, "La Naturaleza. La tierra madre del hombre. El sol, el copal, el fuego, el agua," from *Me llamo Rigoberta Menchú y así me nació la conciencia,* by Rigoberta Menchú. Reprinted with permission from Siglo Vientiuno Editores, México, D.F. 131, "Fin de siglo," by Eduardo Galeano. Reprinted by permission of Eduardo Galeano. 133, "Indígenas ecuatorianos sientan precedente ecológico mundial," reprinted with permission. **Chapter 8:** pages 136-138, "Goya Foods: suerte, sudor y empeño," by Valeria Agis, *La Opinión,* September 5, 2000. 146-147, "La carta," by José Luis González, is excerpted from *El arte del cuento en Puerto Rico,* by Concha Meléndez. Copyright © 1961 by Las Américas Publishing Company. **Chapter 9:** pages 156-158, "Frida Kahlo: El pincel de la angustia," ("Frida Kahlo: The Brush of Anguish"), reprinted with permission from *Américas,* a bimonthly magazine published by the General Secretariat of the Organization of American States in English and Spanish. 161-165, Partially based on information contained on pages 38-40 of Day, Holliday T. and Hollister Sturges, *Art of the Fantastic: Latin American, 1920-1987.* Indianapolis: Indianapolis Museum of Art, 1987. 168-169, "Continuidad de los parques," Extract from *Los relatos,* by Julio Cortázar. Copyright © 1976. Reprinted by permission of Angencia Literia Carman Balcells, S.A. **Chapter 10:** pages 178-179, "El idioma español y lo femenino," by Teresa de Jesús from *Palabra de mujer.* 182-185, Partly based on Groff, Susan Hill, and Mary Hill Rojas. *Contemporary Issues for Women in Latin America.* St. Louis Part, Minnesota: Upper Midwest Women's History Center, 1991.

189-190, "El difícil arte de ser macho," by Pedro Juan Gutiérrez, from *Cuentos de la Habana Vieja,* Olalla ediciones, Copyright © 1997, pages 113-117. **Chapter 11:** pages 196-197, "Legalización de las drogas," by Juan Tomás de Salas. Originally printed in *Cambio 16,* No.1, 154, January 3, 1994, page 5. 205, "Empezó a darle vuelta..." and 206, "Ahí está lo malo," From *Crímenes ejemplares,* by Max Aub. Copyright © 1996. Reprinted by permission of Calambur Editorial, S.L. 206, "Sangre y arena," and 207, "Apuntes para ser leídos por los lobos," Reprinted by permission of René Avilés Fabila. **Chapter 12:** pages 213-215, "Una educación intercultural," by Hugo Javier Aparicio. Reprinted by permission of Hugo Javier Aparicio. 219-220, "El amor al miedo," From *El planeta americano,* by Vicente Verdú. Copyright © 1996. Reprinted by permission of Editorial Anagrama. 224-225, "La identidad y los McDonald's," Reprinted by permission of Firmas Press.; Cortesía de *La Opinión.*

Realia

Chapter 3: pages 52 and 57, Copyright © 2001 by Houghton Mifflin Company. Reproduced by permission from *The American Heritage Spanish Dictionary, Second Edition.* **Chapter 6:** page 106, Joaquín Velasco. **Chapter 7:** page 116, ECOCE. **Chapter 10:** page 184, Instituto de las Mujeres del Distrito Federal.

Illustrations

Anna Veltfort

Photographs

Chapter 1: page 3 *top,* Tom & Dee Ann McCarthy/Corbis; 3 *bottom,* Edward Bock/Corbis; 4 *top,* Ariel Skelley/Corbis; 4 *bottom,* Bill Miles/Corbis; 5 *top,* Royalty-Free/Corbis; 5 *bottom,* José Luis Pelaez, Inc./Corbis; 7 *top left,* David Simson; 7 *top center,* Beryl Goldberg; 7 *top right,* Beryl Goldberg; 7 *bottom left,* Victor Englebert; 7 *bottom center,* David Simson; 7 *bottom right,* Beryl Goldberg; 12 *top,* Gene Blevins/Corbis; 12 *middle left,* Reuters/Corbis; 12 *middle right,* Reuters/Corbis; 12 *bottom right,* Servin Humberto/Corbis Sygma; 13, Fred Prouser/Reuters/Corbis. **Chapter 2:** page 17 *top left,* Fernando Alda/Corbis; 17 *top center,* James Sparshatt/Corbis; 17 *top right,* Roger Antrobus/Corbis; 17 *middle left,* Ruggero Vanni/Corbis; 17 *middle right,* Macduff Everton/Corbis; 17 *bottom left,* Christopher J. Hall; Eye Ubiquitous/Corbis; 17 *bottom center,* Eric and David Hosking/Corbis; 19, Allied Artists/The Kobal Collection; 20 *top,* Pedro Costa/Sigepaq/Canal+/The Kobal Collection/De Amo, Ignacio; 20 *bottom,* Warner Bros./The Kobal Collection/Appleby, David; 21 *top,* Parallax/The Kobal Collection; 21 *bottom,* BF/AGUS/Queen/ZUMA Press; 24, Nik Wheeler/Corbis; 26, Scala/Art Resource, NY; Museo del Prado, Madrid, Spain. **Chapter 3:** page 38, Enzo & Paolo Ragazzini/Corbis; 43, Robert Frerck, Odyssey Productions, Chicago; 47, Chip & Rosa Maria Peterson; 48, Corbis/Bettmann; 49, Frerck/Odyssey/Chicago; 50, Gary Payne/Liaison Agency; 53, Courtesy, National Museum of the American Indian, Smithsonian Institution. **Chapter 4:** page 62, Christian Augustin/Action Press/ZUMA Press; 67 *top,* Angelo Cavalli; 67 *bottom,* Ulrike Welsch; 68, Aurora Quanta Productions; 69, Angelo Cavalli; 71, Angelo Cavalli; 72, Ulrike Welsch. **Chapter 5:** page 75 *top left,* Chronis Jons/Tony Stone Images; 75 *top right,* Frerck/Odyssey/Chicago; 75 *bottom left,* Bob Daemmrich/Stock Boston; 75 *bottom right,* Esbin-Anderson/The Image Works; 78, Frank Ward, Amherst College; 82, Bob Daemmrich/PhotoEdit; 84, Beryl Goldberg; 88, Kevin McKiernan/SIPA Press; 89, Hulton-Deutsch Collection/Corbis. **Chapter 6:** page 94, Carrion Carlos/Corbis Sygma; 97, Everett Collection; 102, Reuters/Corbis; 103, AP/Wide World; 104, Antoine Gyori/France Reportage/Corbis. **Chapter 7:** page 113, Ferry/JB Pictures; 122, Randall Hyman/Stock Boston; 123, Juca Martins/F4/DDB Stock Photo; 124, Royalty-Free/Corbis; 129, Frerck/Tony Stone Images; 130, Reuters/Corbis. **Chapter 8:** page 138, Kayte Deioma/PhotoEdit; 141, Ulrike Welsch; 142, Frerck/Odyssey/Chicago; 143, Charles O'Rear/Corbis. **Chapter 9:** page 153, *Autorretrato en la frontera entre México y los Estados Unidos,* 1932, Frida Kahlo (México). Courtesy of Christie's; 157, *Autorretrato con collar de espinas y colibrí,* 1940, Frida Kahlo. Harry Ransom Humanities Research Center, The University of Texas at Austin. Reproducción autorizada por el Instituto Nacional de Bellas

Mar Caribe

OCÉANO ATLÁNTICO

Barranquilla
Cartagena
Maracaibo
Caracas
TRINIDAD Y TOBAGO
Puerto España
San Carlos
La Guaira
VENEZUELA
Ciudad Bolívar
Georgetown
Paramaribo
Medellín
Río Orinoco
Salto Ángel
GUYANA
Cayena
Zipaquirá
SURINAM
GUAYANA FRANCESA
Cali
Bogotá
COLOMBIA
Popayán
San Agustín
Río Negro
Río Amazonas
Ecuador
Otavalo
Pichincha
Santo Domingo
de los Colorados
Quito
Belén
ECUADOR
Manaos
Chimborazo
Guayaquil
CORDILLERA DE LOS ANDES
Iquitos
Río Madeira
Sipán
BRASIL
Trujillo
Recife
PERÚ
Callao
Lima
Machu Picchu
Salvador
Cuzco
Lago Titicaca
Puno
La Paz
Cochabamba
Brasilia
Arequipa
Tiahuanaco
Arica
Sucre
BOLIVIA
Bello Horizonte
Iquique
Potosí
Río Paraná
Río de Janeiro
Filadelfia
Trópico de Capricornio
Antofagasta
PARAGUAY
San Pablo
Salta
Asunción
Santos
San Miguel
de Tucumán
Puerto Iguazú
Resistencia
OCÉANO PACÍFICO
Río Paraná
Puerto Alegre
CHILE
Río Uruguay
Córdoba
Aconcagua
Viña del Mar
Mendoza
Valparaíso
Rosario
URUGUAY
Santiago
Buenos Aires
Montevideo
ARGENTINA
La Plata
Punta del Este
Concepción
Río de la Plata
Río Colorado
Mar del Plata
Bahía Blanca
Bariloche
Puerto Montt
CORDILLERA DE LOS ANDES
PATAGONIA

ISLAS GALÁPAGOS
San Salvador
Ecuador
Santa Cruz
San Cristóbal
Isabela
Quito
ECUADOR
Guayaquil

Estrecho de Magallanes
Islas Malvinas
Punta Arenas
TIERRA DEL FUEGO
Cabo de Hornos

América del Sur

0   250   500 Km.
0   250   500 Mi.